Los Pueblos
de España *

Julio Caro Baroja

1: 35.000.000

Los Pueblos de España *

Los Pueblos de España*

Julio Caro Baroja

Colección
Fundamentos 54

Madrid
Ediciones ISTMO

Portada:
Equipo Gálata

3.ª edición: junio de 1981.

I.S.B.N.: 84-7090-116-8 (primer tomo).
I.S.B.N.: 84-7090-115-X (obra completa).
Depósito legal: M. 19.210 - 1981.
Impreso en España por Tordesillas, Org. Gráfica, S. A.
Sierra de Monchique, 25, Madrid-18.
Printed in Spain.

7

Este libro tiene fines fundamentalmente vulgarizadores. No se presentan en él investigaciones hechas a base de materiales inéditos, sino una serie de datos compilados en una literatura de consulta más o menos fácil. Sin embargo, el autor ha creído que no debía repetir los juicios emitidos acerca del valor y significado de tales datos sin reflexionar por su parte, sino teorizar a su modo. De esta suerte ha surgido algo que en sí tiene cierta novedad.

No se ha estudiado ni establecido bien en España la relación de un pasado remoto con lo actual, sin buscar de modo infantil en lo pasado toda explicación del presente o en el estado de cosas presente la explicación total del pasado. Y a pesar de esto se habla de lo que en esencia es nuestro país. Desconociendo las bases sustanciales de nuestra vida espiritual, social y económica, con unos cuantos tópicos en la cabeza, nos lanzamos a actuar, y ello es peligroso: más peligroso acaso que el que un ingeniero estudie Geometría de memoria o que un médico aprenda los rasgos anatómicos de carrerilla. Aquí no hallará acaso el lector una definición satisfactoria de lo que es o deja de ser la Península en conjunto desde el punto de vista humano. Pero con toda seguridad encontrará argumentos para no dejarse llevar por la seducción de ideas primarias generalizadas. En la época actual *el deseo y la obligación, dentro del campo de las Ciencias, están mucho más distanciados que en cualquier otro tiempo. Deseamos ver con claridad, con simplicidad, diáfanamente. Pero los hechos nos obligan a mirar oscuridades, cosas turbias y embrolladas, sin principio ni fin. La síntesis suprema cada vez está más lejana y los análisis cada día son más complejos y sujetos a accidentes. Muchos consideran que el deseo debe sobreponerse a la obligación. El autor del presente libro cree todo lo contrario.*

El deseo, en ciencias como la Antropología, la Etnología o la Historia en general, puede producir verdaderas monstruosidades: apologías o vituperaciones desmedidas, falsificación de los hechos, lirismo grotesco a cuenta de unos datos problemáticos, fanatismo teórico con derivaciones graves de tipo social. La obligación conduce a regiones desoladas y frías si se quiere. Pero si aceptamos los sacrificios que nos imponen otras obligaciones morales diariamente sin hacer grandes gestos de protesta, ¿por qué hemos de creer que un deber científico ha de producir mayores extorsiones?

Al estudiar la Etnología y la Historia antigua de Europa occidental, se nota la falta de libros que traten de ellas dentro de un amplio terreno de especulación desinteresada. Un sinfín de prejuicios empobrecen la visión ofrecida: prejuicios de todas clases y fundamentalmente locales. La antipatía o simpatía que por razón de nacimiento se tiene a esto o aquello, se proyecta al pasado. Con constancia buscamos los rasgos de que nos enorgullecemos, en nuestros ascendientes posibles o supuestos. Y una técnica comparativa pobre, unida a razonamientos psicológicos también pobres, pretenden suplir la observación atenta e imparcial. Para no caer en estos defectos he procurado preparar este libro teniendo en cuenta los resultados de la Etnología general, obtenidos por los hombres de ciencia europeos y americanos al observar la vida y la cultura de los pueblos a los que no les liga ningún lazo carnal o espiritual, y que, por lo tanto, han descrito y comparado entre sí con desinterés. Esta preparación sirve en primer lugar para reconocer la identidad específica del género humano sobre la tierra, en punto a actividades espirituales y culturales, sean éstas del orden que sean.

El etnólogo norteamericano A. Goldenweiser, como consecuencia general de un agudo análisis de la extensión mundial de los elementos culturales, dice: «Cualquier cultura primitiva es en ciertos aspectos semejante a todas las culturas; en otros, semejante a todas las culturas primitivas; es semejante asimismo, en tercer lugar, a las culturas de determinadas áreas geográficas muy amplias, acaso continentales en su extensión; aun es semejante también a las culturas de un área más restringida; y, por último, es igual a sí misma: en ciertas particularidades locales resulta individual y única» [1].

Es decir, que se pueden señalar varios grados, matices y formas de la semejanza cultural. El grado primero y más amplio se formula al considerar la dicha unidad psíquica del género humano, unidad que es muy difícil rechazar. El segundo, al tener en cuenta, por ejemplo, ciertas uniformidades en los cambios de cultura, que no deben considerarse, sin embargo, desde un punto de vista semejante a los de H. Spencer y otros sociólogos del siglo pasado, sino como hechos históricos, o al determinar la presuposición de un estado al encontrar otros con ciertos rasgos. Los grados tercero y cuarto entran más de lleno en el cuadro de los estudios que pueden interesar al etnólogo especialmente, pues se refieren a semejanzas más concretas, para cuya explicación hay que tener en cuenta con constancia la idea de la difusión, de la copia, vaga aún en el tercero y muy precisa y enérgica en el cuarto [2].

[1] *Anthropology. An introduction to primitive culture* (New York, 1937), p. 463.
[2] Goldenweiser, op. cit., p. 464.

*Analizadas estas semejanzas con detalle, han pro-
ducido una serie de hipótesis que pretenden expli-
carlas de modo concreto, hipótesis sobre las que no
hemos de extendernos. Primero estuvo en boga la del
evolucionismo uniformista, luego la históricocultural
de los ciclos de cultura, más tarde otras más concretas y ceñidas a los hechos, históricas, o sociológicas y funcionales simplemente*[3]. *La aplicación de estas hipótesis a un país de Europa con pasado bastante bien conocido podría parecer inadecuada. Sin
embargo, la experiencia nos hace ver que aquellas
que hoy día se consideran como más provistas de bases son también las que en intento semejante dan
resultados más positivos, ajustándose todo el material histórico y arqueológico mucho mejor a ellas que
a las ya rechazadas o consideradas como fallidas. El
evolucionismo sociológico, por su excesiva tendencia
a esquematizar, fue hace tiempo abandonado, la síntesis general de los «ciclos de cultura» también, aunque hace menos, por hallarse viciada a causa de ciertos principios de selección mediante los cuales se ex-
cluyeron de tales ciclos los elementos supuestamente
heterogéneos, para no dar cuenta más que de los
reputados homogéneos, lo cual hacía que la aparien-
cia de semejanza de unos pueblos con otros fuera
mayor que la real*[4]. *De todas formas, de ambas queda
mucho aprovechable y útil. La conexión de ciertos
sistemas económicos con determinadas formas de la
sociedad e ideas resulta evidente, aunque se rechace
la determinación de grandes «complejos culturales»
válidos para todo el orbe. También parece necesario
pensar en la existencia de un principio de evolución
oscuro, que impide que lo inventado una vez se ol-
vide absolutamente y que obra de modo interno en
cada individuo, con independencia de lo que éste re-*

---

[3] Un resumen de los distintos puntos de vista a que se
alude, se hallará en *Análisis de la Cultura (Etnografía, Historia, Folklore)*, obra que publicaré en breve.

[4] Goldenweiser, op. cit., p. 479, 2.

14

cibe de los que le rodean. Sin embargo, hay que tomar ciertas precauciones antes de usar ideas y palabras como ésta extraídas del vocabulario de las ciencias naturales, al tratar de materia etnológica. Así, por ejemplo, el concepto muy repetido hoy día de que las culturas nacen, se desarrollan, viven y mueren es confuso, prestándose a especulaciones que parecen exactas a primera vista y que en el fondo no lo son. Lo único que vive son los hombres formando sociedad, con una manera de pensar u otra: e individualmente son posibles cantidades infinitas de combinaciones psíquicas, a base de ideas de distintas clases y orígenes. Ha sido un error creer en la «evolución» de los objetos y de las ideas, dándole a la palabra un significado análogo al que acaso pueda dársele al tratar de animales o plantas, es decir, fuera de la mente del hombre. Pero esta falta de propiedad no implica que se deba abandonar el estudio de los rasgos culturales considerados desde un punto de vista histórico y no desde el de su función actual. En una sociedad, o en un individuo, pueden hoy estos rasgos ocupar distinto lugar al que ocuparon en otras épocas en distintos individuos y sociedades. Hay rasgos que desaparecen al fin, existen sociedades que se resquebrajan: lo único verdaderamente vivo es el individuo, y mientras exista éste con su capacidad de aislamiento y abstracción, todo lo que conserve su conciencia puede rebrotar, adquirir proporciones insospechadas al ser transmitido de ella a la de otros. Dibujar la personalidad de los individuos muertos gracias a lo que nos han dejado voluntaria o involuntariamente y compararla con la nuestra y con la de algunos contemporáneos un poco distintos a nosotros es lo que pretendemos hacer en este libro.

Algunos autores han empleado el presente gráfico para expresar cierta relación general de lo arqueológico, lo pasado, con lo etnológico, lo presente. A, B, C, D, E, F representan la actualidad, A', B', C', D', E', F', el pasado. A ciertos elementos de cultura del pa-

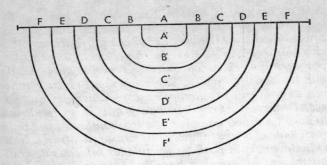

sado, estudiados en profundidad, pueden corresponder otros estudiados en extensión, notándose que, con
frecuencia, los más antiguos son los que ocupan áreas
más amplias, distantes y marginales. Démosle ahora
otro uso. Supongamos que en un punto determinado
que expresaría la línea horizontal, formando un complejo cultural, estén los elementos A, B, C, D, etc. Y
es posible que si E' representa un elemento comprobado hallado ya el año 5000 antes de Jesucristo y D'
otro del año 2000 y B otro del siglo XVI, encontremos ahora en un pueblo sus descendientes directos,
E+D+B, formando un todo complejo y «funcional»,
o acaso algo que no sea ni E', ni D', ni B', pero que
participe de los tres.

Podemos hallar ahora en el norte de España, por
ejemplo, un tipo de rueda que también se halla representado en los vasos pintados de la antigua Grecia,
y otro que se encuentra en las excavaciones de las
ciudades sumerias, amuletos como los que se describen en las obras que se ocupan de los yacimientos
paleolíticos y otros iguales a los romanos en relación
con ideas distintas en sus orígenes. El gráfico podría
ilustrar estos hechos, pero sin embargo no podría
aspirar a marcar la existencia de series de elementos
culturales conexos y homogéneos, ni a señalar una
subordinación de funciones. En los capítulos que siguen se verán éstas algo, aunque no suficientemente,

16

dibujadas (nos falta mucho por investigar), así como la realidad de ciertas conexiones reales entre hechos sociales, económicos y espirituales. No habrá, en cambio, una valorización ética de las formas de cultura que en conjunto se encuentren, pues ello supondría la admisión de un punto de vista que es harto dudoso; el de que el progreso artístico, técnico, industrial, etc., de unos pueblos con relación a otros, que suelen reflejar los estudios históricos y etnológicos, tiene que ver con el mayor progreso moral. Puede que los hombres de hoy, con todos nuestros laboratorios y aparatos de precisión, rodeados de obras bellas acumuladas milenio tras milenio, no seamos moralmente más que unos hermanos gemelos de los hombres del Paleolítico, con un poco más de petulancia y pretensiones. Hay grandes indicios para defender esto.

En la sociedad actual existen, fundamentalmente, dos clases de personas, las que tienen ideas políticas, sociales y religiosas conservadoras y a la par son entusiastas de los progresos técnicos, y las que creen que existe un paralelismo entre tales progresos y determinadas concepciones morales y espirituales, consideradas nuevas y revolucionarias. Son escasos los conservadores en lo espiritual que a la vez lo son en cuestiones técnicas, y menos abundantes aún los que ponen su interés sólo en el perfeccionamiento de los conocimientos teóricos, mientras que las aplicaciones prácticas de ellos no les producen gran sensación. Algo parecido ha ocurrido siempre. Han existido pueblos de tendencias conservadoras tan marcadas que con dificultad aceptaron las mejores técnicas que podían imitar de sus vecinos. Pero en aquellos que las aceptan, las dos posturas comunes a que hemos hecho referencia han producido luchas y odios: se admite una nueva forma de explotación económica, un descubrimiento de carácter científico, una nueva técnica artística y se alcanzan pronto progresos notables, pero al punto surgen varias interpretaciones sociales sobre el derecho a los beneficios y adelantos adquiridos que patrocinan las gentes chapadas a la antigua o las de ideas más nuevas, triunfando los más fuertes siempre y no los más justos. Por eso, el que pone toda su ilusión en los progresos técnicos, así como en los artísticos, no deja de tener una mentalidad infantil. ¿Y dónde se ven los progresos morales?

Entre el hombre de las cavernas y el colono hispanorromano cabe marcar una serie de diferencias que expresan la superioridad técnica del segundo con respecto al primero. En punto a concepciones artísticas tal superioridad no se ve, y de lo relativo a la moral mejor es no hablar. Carecería de sentido que discutiéramos qué forma de esclavitud es la mejor, o si los sacrificios idolátricos en honor de una divinidad o de un poder son éticamente peores o más recomendables que los enderezados a aplacar a otra deidad igualmente falsa o a un grupo de hombres con organización distinta pero análogos apetitos.

Después de un período en que la Historia Antigua de España y la Etnología se han escrito por autores apasionados en uno u otro sentido, creo que no estará de más este libro frío y acaso poco agradable a primera vista. El eminente arqueólogo francés Albert Grenier ha colocado al frente de uno de sus volúmenes sobre Arqueología galorromana cierta frase del canciller Bacon que se halla en los ensayos de aquel pensador profundo y que a mi vez quiero copiar como fin de este prólogo: «Read not to contradict and confute, nor to believe and take for granted, nor to find talk and discourse, but to weight and consider.» *Es decir:* «Leed no para contradecir o refutar, no para creer o tomar como cierto, ni para encontrar materia de charla o discusión, sino para pesar y considerar.»

PRIMERA PARTE

LOS PUEBLOS PREHISTORICOS
DE LA PENINSULA IBERICA

1

LA VIDA DE LOS CAZADORES Y RECOLECTORES DE LOS PERIODOS PALEOLITICOS Y MESOLITICOS

Oscuridad de los primeros momentos de la historia del hombre

Han sido frecuentes los momentos dramáticos en la Historia de la Humanidad. Al comienzo de esta exposición vamos a recordar uno lejano a partir del cual aquélla nos es más conocida que en los anteriores. A pesar de su lejanía, de entonces acá ha transcurrido mucho menos tiempo que el que pasó desde cuando aparecieron los primeros hombres sobre la superficie de la tierra hasta que llegaron a este que tomamos como punto de partida, que no es otro que el del comienzo del período que los prehistoriadores conocen, por lo general, con el nombre de «Paleolítico superior». Decía en cierta ocasión el abate Breuil que si comparamos la totalidad del tiempo durante el que ha existido la especie humana con los siete días de una semana, los hombres que vivieron al iniciarse el «Paleolítico superior» se hallarían, en relación con nosotros, como el que ha efectuado su viaje el viernes por la noche con respecto a los que lo están verificando el lunes de la semana siguiente. Oscuro es lo que se sabe de los que «viajaron» antes. Puede que algún día no lejano se llegue a establecer una mayor relación entre ellos y nosotros. Hoy por hoy, aunque la idea de que existía poca conexión entre el «Paleo-

lítico superior» y el «inferior» o «Arqueolítico», idea
que reinaba hasta hace unos años, se va modificando,
nos resulta difícil, al menos en España, el sustituirla
por otra ya elaborada y precisa. Los cazadores de las
cercanías del Manzanares, cuyos vestigios primeros
descubrió don Casiano del Prado, o los de Torralba
(Soria), que estudió el marqués de Cerralbo, apenas
si nos han dejado más datos que reflejen su manera
de ser que unas lascas y unas hachas de talla bifacial,
que se prestan a ingeniosas y útiles hipótesis arqueológicas y cronológicas, es cierto, pero que como «documentos humanos» son poco reveladoras [1]. ¿Qué
caracteres generales tenían aquellos cazadores primitivos? Las conjeturas que sobre este tema se pueden hacer serán siempre, sin duda, mucho más endebles que las que se efectúen al estudiar los rasgos
del hombre de períodos posteriores.

Varios tipos humanos son los que cabe distinguir
a lo largo del «Arqueolítico» o «Paleolítico inferior»,
desde el punto de vista antropológico. Pero en el
último de sus grandes períodos industriales, el «Musteriense», sabemos que dominaba en Europa el hombre de Neandertal, que después desaparece. ¿Hemos
de imaginarnos luchas feroces, de exterminio, entre
los neandertálicos, cuya torpeza y feo aspecto han
sido ridiculizados hasta por los chicos de la escuela,
y los arrogantes antepasados nuestros a los que damos el calificativo de «hombres sabios»? ¿Hubo ciertos factores físicos que contribuyeron a tal sustitu-
ción? He aquí el drama inicial de nuestra Historia.
En 1935 se descubrió en Inglaterra parte de una cala-
vera al lado de industrias del tipo anterior al «Musteriense», es decir, el «Achelense», que ha arrojado
medidas de gran semejanza con las propias de la

---

[1] H. Obermaier, *El hombre fósil*, 2ª ed. (Madrid, 1925),
pp. 193-195, 195-214. En el estudio de los yacimientos madri-
leños ha descollado Pérez de Barradas, autor de importantes trabajos de conjunto.

parte correspondiente de un hombre moderno [2]. Acaso este tipo humano, al que por el lugar en que fue descubierta su reliquia se llama «hombre de Swanscombe» (Barnfield Pit), es el ascendiente directo del *Homo sapiens* de que vamos a ocuparnos, y que llevó una vida mucho más completa que los anteriores. Por suerte, es España uno de los países del mundo donde mejor se puede estudiar aquélla. Existe una razón física para que así sea. Mientras que el norte y el centro de Europa, al comenzar el «Paleolítico superior», sufrían de un frío intensísimo que llegó a impedir la vida humana en bastantes regiones, la Península gozaba de un clima no caluroso, claro es, pero lo suficientemente templado para que todavía en aquel momento vivieran, en su parte norte, elefantes desprovistos de pelo [3]. Jamás el reno y otros animales de zonas extremadamente frías se internaron dentro de ella: huesos de reno se han encontrado solamente en los extremos del Pirineo y zona cantábrica oriental [4]. La fauna representada en las pinturas rupestres y la descubierta en los niveles arqueológicos revelan, en suma, un clima frío, pero muy apto para la vida de un hombre parecido a nosotros, que se desenvolvería en escenario de espesos bosques y de extensas praderas con vegetación herbácea abundantísima, que permitirían la existencia de grandes manadas de distintas clases de animales de considerable o regular tamaño: caballos, ciervos, jabalíes, bisontes y bóvidos de varias especies pastaban en aquéllas. De vez en cuando serían atravesadas en galope atronador, o lentamente, por un grupo de *mammuts* (siempre más raros) venidos del Norte; las montañas nevadas de los contornos albergarían a pequeños animales alpinos de extraño aspecto, mientras que en las cercanías de charcas y arroyos serían

[2] J. y C. Hawkes, *Prehistoric Britain* (Harmondsworth, Middlesex, 1943), p. 20.
[3] Obermaier, op. cit., pp. 57-58 y 268-269.
[4] Obermaier, op. cit., p. 47.

abundantes las aves, en acecho siempre del reptil, del insecto o del pez que pululaba en ellos. El acecho..., he aquí la ley para todos los seres vivientes y animados de aquellos períodos. Un ruido finísimo, un movimiento imperceptible de las hojas de un árbol o de unas zarzas podía ser el aviso de grandes peligros próximos. Y de todos los peligros, ninguno mayor que el de encontrarse frente a un grupo, o un individuo, de la especie de animales más peligrosa, más dañina, más mortífera: la del *Homo sapiens* citado, animal mucho más feroz que el león de las cavernas o que el *machairodus*, con sus dientes como cuchillos. De él vamos a ocuparnos ahora.

Los últimos estudios sobre Antropología física peninsular revelan que hay variantes sensibles dentro del tipo muy general que llamamos *Homo sapiens*. Denominaríamos «razas» a tales variantes si con esta palabra no temiéramos producir desorientación. La palabra «raza», en efecto, unas veces se usa para expresar una especie de «dato primitivo», de carácter somático, que se transmite de generación en generación, y otras para indicar un «producto final». Los hombres de distintos lugares y épocas que viven agrupados han gustado de considerarse como representantes de una «raza noble» y excelsa, y han creído o querido que sus caracteres fueran heredados con claridad por sus hijos, pero cuando en vez de ellos han tratado de animales, entonces han variado el concepto y pretenden incluso haber creado «razas». Como las leyes de la herencia biológica con respecto al hombre son mal conocidas por ahora, es preferible decir que en el Paleolítico parece abundar en Europa un tipo humano con muchas variantes, que es el de «Cromagnon», y que en España predominan dos variedades de él: una que es la del «típico» o europeo, y otra la del parecido al hombre que poblaba el Africa del Norte por la misma época, y que por eso ha sido llamada variedad «libioibérica». Era el hombre de «Cromagnon», en general, robusto, de

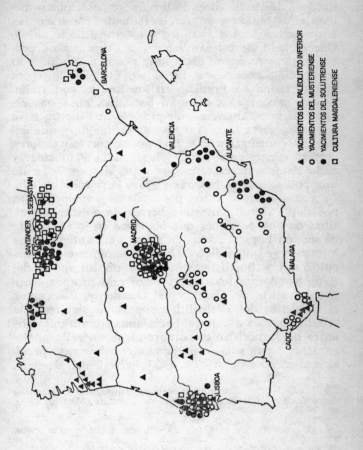

Fig. 1. Yacimientos de las distintas etapas de la época paleolítica, según Jordá.

alta estatura, frente bien formada y occipucio redondeado, y las variaciones indicadas se determinan mediante la observación de la llamada «disarmonía» entre la longitud del cráneo y la altura de la cara[5]. Que al lado de este tipo hubiera otros parece probable, pero se puede decir muy poco en cuanto a su repartición geográfica, densidad, etc. En la costa mediterránea de Francia, en los límites con Italia, fueron encontrados hace ya bastantes años dos esqueletos con caracteres «negroides» que dieron base para establecer la raza o tipo de Grimaldi, y que datan del «Auriñaciense»[6]. En épocas muy posteriores surgen «negroides» muy típicos en la Península, y nada tendría de extraño que éstos descendieran de una población mucho más vieja y enraizada en ella. De todas suertes, estos pocos datos antropológicos nos dan ya una pauta que hemos de aplicar a multitud de observaciones que hagamos en lo futuro: la de que en España coexisten desde muy antiguo tipos humanos (y quien dice éstos dice también elementos culturales y lingüísticos) venidos de Europa y del Este, tras largas marchas, y otros más propios siempre del norte de Africa y del Occidente. Colocamos el comienzo del «Paleolítico superior», siguiendo la cronología más admitida, hacia unos treinta mil años antes de Jesucristo; el hombre sigue viviendo análogamente hasta una fecha fijada, con bastante precisión, alrededor del 8000 a. J.C.[7]. Pero dentro de estos

[5] L. de Hoyos, *Raciología prehistórica española*, discurso de recepción en la Real Academia de Ciencias (Madrid, 1943), pp. 34-39.

[6] Hoyos, op. cit., pp. 41-43.

[7] Obermaier, op. cit., pp. 397-401. Se sigue a esta obra, ya no moderna, por su abundancia y solidez. Para puntos de vista distintos y discusiones a veces verbales, J. Martínez Santa Olalla, «Esquema paletnológico de la península hispánica», en *Corona de estudios...*, de la Sociedad Española de Antropología, Etnografía y Prehistoria, I (Madrid, 1941), pp. 157-166, y algunos manuales, como el del mismo Obermaier y A. García Bellido, *El hombre prehistórico y los orígenes de la Humanidad*, 3ª ed. (Madrid, 1944), pp. 62-116. Como obra de conjunto, inventario y exposición crítica e im-

veintidós mil años de vida humana es posible señalar ciertas variaciones en la cultura, la creación de nuevas formas en la técnica, sobre todo, que acaso reflejan sucesivas apariciones de pueblos con aspecto físico distinto y hasta con lengua diversa, aunque no podemos precisar más para apoyar o negar esta hipótesis general.

Claridad relativa a partir del Paleolítico superior. Períodos industriales en que se subdivide

Sabido es que el análisis de los tipos de útiles, sobre todo de piedra tallada, que se encuentran en determinados niveles arqueológicos (y a los que suceden y anteceden otros) ha servido para establecer la clasificación, bien conocida, que distingue tres períodos en el «Paleolítico superior»: el «Auriñaciense», el «Solutrense» y el «Magdaleniense», clasificación que se hizo en Francia (como lo revelan los nombres), pero que apenas sin variaciones puede aplicarse a España, y que no ofrece duda alguna de carácter cronológico, ya que pudo ser hecho gracias al auxilio inapreciable de los criterios estratigráficos más claros. Sin embargo, esta claridad meridiana ha producido ciertos trastornos graves para la comprensión de la vida prehistórica en general, cuyo estudio se sometió a concepciones excesivamente formales, contra las que hoy día se reacciona. La comparación de niveles de puntos distintos donde de modo constante se repiten tipos análogos, o el estudio diacrónico, vertical y no horizontal de los yacimientos, han conducido a convertir bastantes aspectos de la ciencia arqueológica en abstractas construcciones en que se

---

parcial de ideas, no hay otra que exceda a la de L. Pericot, *Historia de España*, I (Barcelona, 1934; hay ediciones posteriores), en cuyas pp. 37-104 se recoge todo lo publicado acerca del Paleolítico español, hasta la fecha de su edición, como preliminar a un estudio, completísimo asimismo, de las épocas siguientes, hasta la hispanorromana.

tienen en cuenta los objetos como si hubieran evolucionado por sí solos.

Encontramos industria «Auriñaciense» desde España hasta Rusia, y, por otra parte, esta misma industria, o por lo menos una muy parecida, corre a lo largo del norte de Africa, de suerte que se supone que el foco de origen de ella hay que buscarlo en el Asia anterior [8]. Sustituyéndola en áreas discontinuas se halla otra, la «Solutrense» [9], pero el que quisiera establecer una «evolución» de la una a la otra por razones estratigráficas cometería un error. Una vez sacado el criterio cronológico de la superposición de los estratos, hay que ingeniarse para buscar otros hechos que expliquen las variaciones. Sería infantil creer que automáticamente, en todos los puntos en que los estratos varían paralelamente, la «evolución» industrial ha tenido lugar por obra de un impulso interno. La capacidad inventiva del hombre es limitada, y lo que se inventa una vez es más fácil que se transmita por imitación que no que se vuelva a inventar un número indefinido de veces más, aunque esto tampoco nos da derecho a buscar la causa de las variaciones en grandes y generales catástrofes, en migraciones enormes y «unidades primitivas», como las que gustan de imaginar muchos. ¡Figurémonos, en los ocho o nueve mil años que dura el «Auriñaciense» típico, cuántas posibilidades de transmisión pudo haber, sin recurrir a una sola hipótesis o a dos o tres de éstas! Claro es que resulta difícil no hablar un poco abstractamente al tratar de aquellos años largos, y oscuros aún, de la vida del hombre del occidente de Europa.

En las páginas que siguen procuraré cometer la menor cantidad de abstracciones. Son bastante conocidas las armas de los auriñacienses, eje de su economía: todo lo que en ellas era de piedra y hueso

[8] Obermaier, op. cit., pp. 116-117, 124-131.
[9] Obermaier, op. cit., pp. 117-119, 130-131.

ha dejado muestras. Lo de madera ha desaparecido, pero se puede reconstruir en parte. Comparadas con las de períodos anteriores, apreciamos que implican una transformación casi completa en la técnica de la caza. Las grandes hachas enmangadas desaparecen y, en cambio, surgen varios tipos de puntas y hojas de talla muy fina y delicada, que revelan la existencia del arco y de flechas y lanzas o dardos muy ligeros y mortíferos. También aparecen cuchillos, raspadores de distintas formas, punzones y buriles, que debían emplearse en el trabajo de despedazar los animales cazados, de preparar las pieles que servirían para vestirse, y para grabar, dibujar y tallar en determinadas materias que antes tampoco eran muy utilizadas: el hueso, el cuerno y el marfil. Muchas puntas de flecha solían hacerse de cuerno y, en ocasiones, tenían la base hendida u ostentaban formas diversas. Los punzones para hacer agujeros en las pieles, que se sujetaban sobre el cuerpo por medio de lianas y tendones, eran también de hueso, así como ciertos cuchillos y puñales de uso doméstico.

En España, la región cantábrica ofrece al explorador, en sus cuevas, multitud de tipos de la industria «Auriñaciense». Pero en la parte meridional semejante industria se halla en yacimientos de superficie, lo cual expresa una diferencia bastante notable en el régimen de vida. Las cuevas, por su pétrea solidez, son mansiones que han podido quedar intactas; mas es lícito suponer que a veces, cuando los grupos humanos se hallaban en países donde no existen aquéllas, o en determinada estación del año, vivirían en chozas poco sólidas, de las cuales pueden provenir estos vestigios que se hallan casi al aire libre. Notemos, al mismo tiempo, que entre los cazadores nómadas del presente, como los bergdama, se nota que son las mujeres quienes tienen más inclinación por la vida sedentaria y las que construyen esta clase de albergues, sin contar demasiado con la ayuda del hombre, de suerte que suelen ser de su propiedad [10]. Claro es que tales chozas no se construyen sin tomar antes ciertas precauciones estratégicas. La seguridad del grupo debía de influir primordialmente en la elección del lugar donde había de alzarse un poblado en tiempos prehistóricos. Había que conciliar que en él pudiera estar asegurada la subsistencia, mediante regular cantidad de víveres, con que el grupo no fuera limitado en exceso y, por lo tanto, en situación de inferioridad con respecto a otros vecinos y enemigos.

Las sociedades estrictamente cazadoras que se conocen en la actualidad están constituidas por grupos de pequeñas familias que se conciertan para cazar en común, como ocurre entre los algonquines, esquimales y bosquimanos. Los métodos de caza revelan entre ellos una técnica en muchos aspectos parecida a la del «Paleolítico superior» [11], pues conocen el arco, arma típica en aquel período, como se ha dicho, que sólo los tasmanios y los australianos del sudeste y oeste desconocían entre los primitivos de la Edad Moderna. Estos usaban lanzas y dardos que manejaban con las manos directamente, y cuya punta está hecha de una piedra sujeta o, simplemente, endureciendo la madera afilada al fuego, como debían hacerlo los hombres del «Paleolítico inferior» más antiguo [12]. Es curioso señalar que, desde el punto de vista técnico, hay cierta relación entre la manera de tallar la piedra del final del «Paleolítico inferior» con la del llamado «Solutrense», que es perfectísima en comparación con la de los períodos anterior y posterior inmediatos. Son características del «Solutrense» las puntas de hoja de laurel y la punta de muesca, que, según algunos autores, comenzaron a hacerse

---

[10] R. Thurnwald, *L'économie primitive* (París, 1939), páginas 48-49, obra de gran importancia teórica que se citará a menudo.
[11] Thurnwald, op. cit., p. 92.
[12] Thurnwald, op. cit., pp. 85-86.

en la zona oriental de Europa (Hungría), para difundirse desde allí tal técnica hacia Francia y España, en donde hay gran riqueza de puntas semejantes, sobre todo en la parte cantábrica y en el litoral mediterráneo hasta Almería. Las azagayas, puñales y flechas con tales puntas debían ser de extraordinaria eficacia, y no se explica bien cómo después hubo un olvido de esta técnica, acompañado de progresos artísticos y de otra índole muy considerables. Claro es que siempre hay que tener presente la idea de que los distintos avances y perfeccionamientos técnicos e industriales no suponen un avance y perfección homogénea y paralela en todo. Esto puede defenderse con multitud de ejemplos actuales sin alcanzar las alturas de la especulación filosófica: así, por ejemplo, las tribus bantus, que son en muchos aspectos superiores a los bosquimanos que rodean, no tienen grandes conocimientos pictóricos, mientras éstos pintaban bien hasta hace poco. Los solutrenses no parecen haber sido tampoco, en general, paralelamente tan buenos pintores como los hombres del período anterior, «Auriñaciense», y los del posterior, «Magdaleniense».

Este último parece en muchos sitios una continuación ininterrumpida del «Auriñaciense», pues falta el intermedio, «Solutrense», de que se ha hablado: se caracteriza su industria lítica porque es menos perfecta que en los dos anteriores, reproduciéndose hasta la saciedad una serie de láminas finas, raederas y buriles. En cambio, el trabajo del hueso, cuerno y marfil adquiere singular florecimiento, llamando sobre todo la atención los arpones, que a lo largo de los siglos fueron tomando distintos rasgos que han contribuido a subdividirlo con detalle. Al lado de ellos hay agujas con orificio muy bien hecho, punzones y puntas de flecha. Pero lo que más ilustra para saber algo muy concreto sobre los hombres que hicieron todas estas armas, sobre las ideas de aquellos cazadores cavernarios, es el gran arte que nos han dejado, primera manifestación conocida del genio del hombre de la Europa occidental, tan pródiga luego en grandes pintores.

El arte paleolítico y su significado historicocultural

Se ha supuesto, a causa de la semejanza de la industria «Magdaleniense» con la de algunos pueblos árticos de la actualidad, y también debido a que las especies que cazaban los hombres de aquel período son típicas de zonas frías, que eran originarios del norte de Europa y que llegaron al sur, a la zona francoespañola, persiguiendo a tales especies, que se retiraban del norte a medida que avanzaba el último período glaciar. Parece, sin embargo, que este gran arte «Magdaleniense» hispánico es producto, es creación de un grupo limitado, y que no conviene abusar de la idea de las migraciones para explicar la expansión de las formas culturales, señalándose, además, su relación con el arte que en zona aproximada se produjo en el período «Auriñaciense» [13]. Hay que reconocer, en efecto, que la pintura europea que se puede admitir sin discusión como paleolítica tiene, por hoy, un área de extensión muy limitada. Sólo se encuentra al sur de Francia y en la península ibérica con cierta abundancia, sobre todo en la zona cántabropirenaica. De aquí que en cierto momento se bautizara a este arte con el nombre de francocantábrico. Los hallazgos de la gruta de Romanelli, en tierra de Otranto; de la Pileta, en Málaga; del Parpalló, en Valencia, y de la cueva de los Casares, en Guadalajara, nos hacen ver que aquella denominación es limitada en exceso. Pero la acumulación de obras magistrales en las cuevas francesas de la Moute,

[13] Obermaier, *El hombre fósil*, pp. 243-301, estudio de conjunto hasta la fecha. Pericot, op. cit., pp. 81-84, 94-95, etc.

Font-de-Gaume y Les Combarelles (Les Eyzies), Lascaux (Montignac, Dordogne), Pech-Merle (Cabrerets, Lot), Trois Frères y Tuc d'Audoubert (Montesquieu, Avantés, Ariège), Niaux (Foix, Ariège), Marsoulas y Montespan (Salies du Salat, Alto Garona), que se enlazan, por medio de algunos ejemplares menos importantes de la zona vasconavarra [14], con los de las españolas de Cortezubi (Vizcaya), Altamira, Castillo, La Pasiega, Hornos de la Peña (Santander), Pindal, Buxu y Peña de Candamo (Asturias), nos indican una comunidad de pensamientos y tradiciones que no deben obedecer sino a identidades sociales y, acaso, lingüísticas.

Se considera que la pintura paleolítica tiene sus primeras manifestaciones en ciertos toscos dibujos y grabados auriñacienses, sin pretensiones de copiar una realidad concreta, y que luego, por una progresión lenta, alcanza en el «Magdaleniense» rango supremo. El abate Breuil ha trazado su historia en forma detallada, y acaso excesivamente sistemática [15]. Según muchos autores, hay que rechazar de sus resultados todo lo que se refiere a la cronología de las pinturas del Levante español, que coloca —con Obermaier— en época muy temprana, cuando lo más probable es que correspondan al período «Mesolítico». Convencido por los argumentos de quienes niegan la condición paleolítica a tales pinturas, volveré a ocuparme de ellas más adelante, pues son, desde el punto de vista etnológico, muy importantes, ya que los que las hicieron no vacilaron en representar al hombre en sus diversas actividades [16]. Para explicar la repartición limitada del arte naturalista francohispano, conviene tener en cuenta ciertos hechos de

[14] Recientemente se tiene noticia de nuevos descubrimientos hechos por J. M. de Barandiarán en las inmediaciones de San Juan de Luz.

[15] Obermaier, op. cit., p. 268.

[16] Desde que Obermaier, op. cit., pp. 274-276, hizo su inventario, los hallazgos se han multiplicado y hay más que los reseñados por Pericot, op. cit., pp. 84-94, 96-98.

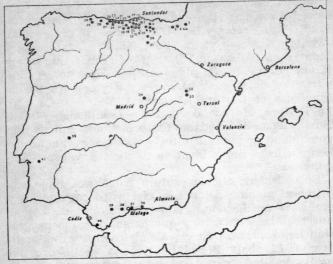

Fig. 2. Dispersión del arte rupestre parietal, según Ripoll: arte rupestre parietal paleolítico.

1. Alquerdi (Navarra).
2. Santimañe (Vizcaya).
2 bis Altxerri (Guipúzcoa).
3. Sotarriza (Santander).
4. Venta de la Parra (Vizcaya).
5. La Haza (Santander).
6. Covalanas (Santander).
7. El Salitre (Santander).
8. El Castillo (Santander).
9. La Pasiega (Santander).
10. Las Chimeneas (Santander).
11. Las Monedas (Santander).
12. Hornos de la Peña (Santander).
13. El Pendo (Santander).
14. Santián (Santander).
15. La Clotilde de Santa Isabel (Santander).
16. Altamira (Santander).
17. Las Aguas de Novales (Santander).
18. La Meaza (Santander).
19. La Loja (Asturias).
20. El Pindal (Asturias).

21. Mazaculos o La Franca (Asturias).
22. Las Herrerías (Asturias).
23. Balmori (Asturias).
24. Las Coberizas (Asturias).
25. San Antonio (Asturias).
26. Les Prederes (Asturias).
27. El Buxu (Asturias).
28. Las Mestas (Asturias).
29. La Peña de Candamo (Asturias).
30. Penches (Burgos).
31. Atapuerca (Burgos).
32. Los Casares (Guadalajara).
33. La Hoz (Guadalajara).
34. Reguerillo (Madrid).
35. Maltravieso (Cáceres).
36. Nerja (Málaga).
37. La Cala (Málaga).
38. Ardales (Málaga).
39. La Pileta (Málaga).
40. Las Palomas (Cádiz).
41. Escoural (Alemtejo, Portugal).

carácter sociológico sobre los que no se ha insistido debidamente.

El nomadismo de los pueblos del «Paleolítico superior», sobre todo en el «Magdaleniense», no era ilimitado, como pudiera creerse a simple vista, sino que debía tener un carácter análogo al que ostenta entre varios pueblos cazadores del presente, los bosquimanos, por ejemplo. Una serie de grupos de éstos, que tienen comunidad de lenguaje y que se suponen de ascendencia también común, forman la unidad superior existente, que se caracteriza por ocupar un determinado territorio de caza, ceñido por zonas forestales o desérticas consideradas neutrales, y en las que resulta peligroso el adentrarse. Es sagrada la inviolabilidad de semejante territorio de caza, y como, por otra parte, la propiedad individual, en lo que se refiere a la tierra, es desconocida entre ellos, podríamos hablar de la existencia de un comunismo absoluto, como el que gustaban de poner en los umbrales de nuestra Historia algunos economistas e historiadores de mentalidad romántica y positivista a la vez, si a tal comunismo no hubiera que hacerle restricciones muy poco de acuerdo con sus teorías igualitarias. El cazador hábil o la mujer trabajadora, que recoge mayor cantidad de vegetales que las otras, no disponen, entre los bosquimanos, de lo obtenido merced a su pericia personal de manera omnímoda, ni lo ceden de manera altruista a los más vagos e incapaces.

La repartición entre los actuales primitivos (y tenemos derecho a pensar que lo mismo ocurría entre nuestros antepasados prehistóricos) la efectúan jefes llenos de una serie de escrúpulos, asesorados por hechiceros o sacerdotes que de sus supuestas relaciones con la divinidad obtienen notable beneficio [17]. Un volteriano encontraría aquí argumento contra la

[17] Véase más abajo la descripción de la repartición de alimentos en pueblos cazadores actuales.

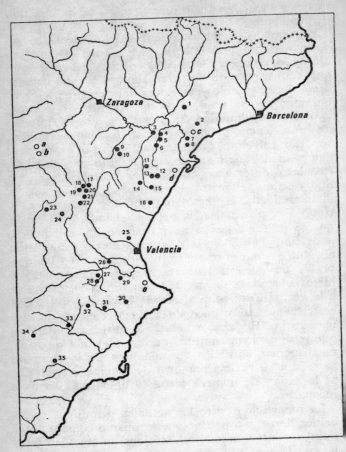

Fig. 3. Dispersión del arte rupestre parietal, según Ripoll: arte rupestre levantino. (Aunque el abate Breuil lo consideró como paleolítico, posteriormente se ha rebajado la fecha, incluso hasta la Edad del Bronce. Para Ripoll, que representa la opinión más extendida, las fases más antiguas de este arte se sitúan ya en el Mesolítico-Epipaleolítico.)

Arte hispánico francés

a. Cueva de los Casares (Riba de Saelices, Guadalajara).
b. Cueva de la Hoz (Santa María del Espino, Guadalajara).
c. Abrigo de Sant Gregori (Falset, Tarragona).
d. Moleta de Cartagena (San Carlos de la Rápita, Tarragona).
e. Cueva del Parpalló (Gandía, Valencia).

Arte levantino

1. Cogul (Lérida).
2. Mas de Llort (Prades, Tarragona).
3. Val del Charco del Agua Amarga (Alcañiz, Teruel).
4. Els Secans (Mazaleón, Teruel).
5. Caídas del Salbime (Mazaleón, Teruel).
6. Barranco de Calapatá (Cretas, Teruel).
7. Abrigos de Tivissa (Tarragona).
8. Abrigos de Cabra Feixet y Perelló (Tarragona).
9. El Mortero (Alacón, Teruel).
10. Cerro Felío (Alacón, Teruel).
11. Abrigos de Santolea (Teruel).
12. Les Dogues (Ares del Maestre, Castellón).
13. Abrigos del barranco de La Gasulla (Ares del Maestre, Castellón).
14. Morella la Vella (Castellón).
15. Abrigos del barranco de La Valltorta (Tirig y Albocacer, Castellón).
16. La Joquera (Borriol, Castellón).
17. Tormón (Teruel).
18. Abrigo del Arquero (Albarracín, Teruel).
19. Prado del Navazo (Albarracín, Teruel).
20. Barranco del Cabrerizo (Albarracín, Teruel).
21. Cocinilla del Obispo (Albarracín, Teruel).
22. Abrigo de las Tajadas (Bezas, Teruel).
23. Boniches de la Sierra (Cuenca).
24. Villar del Humo (Cuenca).
25. Cinto de las Letras y Cinto de la Ventana (Dos Aguas, Valencia).
26. Cueva de la Araña (Bicorp, Valencia).
27. Cueva de la Vieja y Cueva del Queso (Alpera, Albacete).
28. Monte Mugión (Almansa, Albacete).
29. Tortosilla (Ayora, Valencia).
30. La Sarga (Alcoy, Alicante).
31. Peliciego (Jumilla, Murcia).
32. Monte Arabí (Hellín, Albacete).
33. Minateda (Albacete).
34. Abrigos de Nerpio (Albacete).
35. Chiquita de los Treinta y otros abrigos de Vélez-Blanco (Almería).

religión en general, recordando la cantidad de falsedades que semejantes hombres inculcan en la mente de sus fieles, pero hay que recordar, por otro lado, que son los depositarios del genio de la colectividad; es probable que de ellos, en épocas prehistóricas, salieran los maravillosos artistas de las cavernas, que si no obtenían realmente los resultados apetecidos por los grupos humanos que asesoraban, desde el punto de vista mágico o religioso concreto en que tenían fe, es posible que mantuvieran más firme el espíritu de la colectividad en casos de peligro inminente. Dejando para un poco después el análisis de tales pinturas como documentos ilustrativos de una religión y mentalidad, vale la pena de señalar ahora que nos sirven para completar la visión del panorama económico y técnico que, en parte, ya nos ha abierto el estudio de las industrias de la piedra y hueso.

Las artes de caza que parecen estar representadas en las pinturas paleolíticas son las que siguen: I) Redes: como tales pueden interpretarse ciertos esquemas que se hallan en las cuevas de Altamira, La Pileta, La Pasiega, etc. En la citada en tercer lugar hay una figura de cérvido cuyo cuello y parte anterior parecen estar enredados, precisamente. II) Fosas: hay indudables representaciones de trampas consistentes en una hoya cubierta con ramaje, como la de una pintura de Niaux (Ariège). III) Trampas de peso: los llamados signos «tectiformes», tan abundantes en Font-de-Gaume, por ejemplo, y que se interpretaron como representaciones de casas o cabañas, es mucho más probable que lo sean de cierta clase de trampas que aún hoy día se han visto usar entre ciertos pueblos primitivos. La comparación entre varios de estos signos, muy divulgados en los manuales, en su relación con pinturas de animales, y el esquema que representa una trampa de peso de las usadas por los indios «pies-negros», según Wissler, es convincente a este respecto. En las cuevas españolas de Los Cantos de la Visera y el Buxu es probable que haya representaciones del mismo tipo de trampa, hechas desde otro punto de vista. IV) Lazos: parece que los hay representados, de forma muy sencilla, en la cueva de Pindal. V) Por último, abundan, sobre todo en La Pileta, y acaso haya que colocarlas en época posterior, pinturas que representan lugares acotados a los que, por medio de una persecución sistemática, se hacía ir a los animales, que, una vez encerrados allí, eran muertos con facilidad [18]. La persecución al ojeo (fig. 4) de los animales está en estrecha relación con todas estas artes y con algunas más, de las que no

Fig. 4. Cacería de ciervos al ojeo (*Cueva de los Caballos*, Barranco de Valltorta).

[18] Kurt Lindner, *Die Jagd der Vorzeit* (Berlín-Leipzig, 1937), p. 42.

podemos decir nada positivo porque no han dejado rastro.

Y ahora nos preguntamos: ¿por qué aquellos cazadores gustaban de representar a los animales de que se alimentaban y a los artilugios que idearon para cazarlos? Con ello abordamos un problema espiritual de gran importancia y que nos hace ver cuán relacionados están los negocios del cuerpo con los del espíritu. En los momentos actuales, los europeos, acaso por obra de una sutileza mental que en lo futuro haya que considerar como perniciosa, suelen marcar demasiado las fronteras de unos y otros. Pero es conveniente indicar que esto no ocurre ni ha ocurrido en sociedades menos dadas a razonamientos fríos: todo acto material tiene en ellas su aspecto espiritual y, si se quiere, religioso. Así, por ejemplo, el acto de comer adquiere caracteres variados pero que siempre tienen algo de ritual. Sabemos que entre pueblos muy arcaizantes, como los bergdama, el jefe del «kraal» nombra a un anciano que es el director de la alimentación, encargado de probar los platos, de recoger muestras de bayas, raíces y tubérculos y de repartir los alimentos una vez condimentados, de suerte que primero reciban su parte los viejos, luego los cazadores y luego el jefe, comiendo aparte las mujeres y los niños [19]. Las ceremonias que se practican para fomentar el desenvolvimiento y reproducción de las especies animales y vegetales que sirven de sustento especial a la sociedad humana, adquieren en muchos pueblos supremo rango entre las de tipo religioso, y la acumulación de tales animales y plantas constituye una de las más trascendentales, unida a recitaciones de mitos, etc.

[19] Thurnwald, op. cit., pp. 42-43.

Interpretación del arte paleolítico desde el punto de vista espiritual

La interpretación más vulgarizada de las pinturas rupestres del Paleolítico fue la de Salomón Reinach, que hace ya mucho defendió que estaban inspiradas por ideas mágicas. La magia, según la concebía aquel gran arqueólogo, inspirándose en las investigaciones de Frazer, sobre todo, sería consecuencia de la asociación, dentro de la mente humana, del sujeto pensante y un objeto o ser exterior. Mediante el contacto con, o la reproducción de este último, y por obra de la simple voluntad personal, podría llegarse a obtener los fines deseados con respecto a tal objeto o ser: así, mediante la reproducción gráfica de un animal de los que servían de alimento a los cazadores paleolíticos, y la ejecución sobre ella de un simulacro de caza, la caza real quedaría asegurada [20].

En uno de sus últimos libros, Lévy-Bruhl ha pretendido profundizar más en el estudio de la función de las pinturas prehistóricas por un procedimiento analógico. Tomando como punto de partida para ello los descubrimientos efectuados por Elkin sobre el significado de las pinturas de los karadjeri del noroeste de Australia, llega a deducir que la idea mágica, tal como se ha descrito, no fue la que dominó el pensamiento prehistórico. Los karadjeri, en efecto, estiman que las pinturas que hacen sirven para asegurar la reproducción y crecimiento de las especies animales y vegetales de que se alimentan. Ahora bien, para que esto ocurra es necesaria la intervención de los seres míticos en que creen, de los antepasados medio animales, medio humanos, de las especies y de las tribus. Mediante su representación y recita-

[20] «L'Art et la Magie, á propos des peintures et des gravures de l'âge du renne», en *L'Anthropologie*, XIV (1903), pp. 257-266: Obermaier, op. cit., pp. 272-274, 290-295.

ción, y por obra de ceremonias especiales, los mitos se convierten en una realidad. Las pinturas tienen una virtud fundamental a este respecto, a condición de que se retoquen al comienzo de la estación de las lluvias. En vista de ello, Lévy-Bruhl piensa que las prehistóricas podrían tener función análoga y que en el momento que se hacían o remozaban es posible se solicitara, como fundamental para los indicados fines reproductivos, la intervención de los antepasados míticos. La expresión humana de algunos de los bellos bisontes de Altamira y otras cuevas deja un poco dubitativo el ánimo del espectador respecto a su animalidad absoluta. Por otro lado, la existencia entre los citados australianos y otros pueblos primitivos del presente de la creencia en seres míticos medio humanos, medio animales, que se consideran, según va dicho, como antepasados de los hombres y de los animales, puede contribuir a explicar la razón de las pinturas y grabados de «antropomorfos» tan corrientes en las cuevas francocantábricas, y de los que don Juan Cabré ha descubierto, no hace mucho aún, unos notables ejemplares en la provincia de Guadalajara [21]. Ostentan éstos rasgos humanos y bestiales, y Lévy-Bruhl combate la opinión de que se trata de reproducciones de disfraces de caza o representaciones de máscaras ceremoniales llevadas por hechiceros, que simbolicen espíritus, para defender función análoga a la de las figuras semihumanas de los karadjeri [22]. Cada vez, en efecto, se aprecia mejor cómo las actividades del hombre primitivo están siempre envueltas en un misticismo que el hombre moderno de Europa y América no puede llegar a comprender bien. Por eso las explicaciones excesivamente racionalistas de los arqueólogos de comienzo de siglo nos

[21] Figuras antropomorfas de la Cueva de los Casares (Guadalajara), en *Archivo Español de Arqueología*, 41 (1940), pp. 81-96.

[22] *La mythologie primitive. Le monde mythique des australiens et papous* (París, 1935), pp. 144-154.

parecen hoy harto esquemáticas. Hay que insistir de todas formas en que las pinturas de los karadjeri no son de tipo parecido al de las paleolíticas, como tampoco lo son las de otros pueblos en que tienen funciones análogas [23].

Comienzos de nuevas eras

Coincidiendo con el final del período «Magdaleniense» sobrevienen en Europa del norte transformaciones geológicas que contribuyen a que el clima cambie en general y a que las especies animales y vegetales se desplacen. Grandes bosques empezaron a cubrir espacios ocupados antes por los hielos o por una fauna y flora de tipo ártico, produciéndose una serie de emigraciones humanas del sur al norte. En la parte cantábrica de la Península, cuando el clima todavía no era demasiado cálido, vemos que vivían unos pueblos cuyos vestigios revelan su relación íntima con los del «Magdaleniense», aunque en todos los aspectos de la vida indican una notable decadencia. Los hombres del «Aziliense», como se llama el nivel en que se encuentran tales vestigios, eran cazadores de especies del todo actuales, y a la par encontraban un poderoso auxiliar económico en la pesca y recolección. Caracterizábalos el uso de arpones anchos y groseros y de microlitos; no practicaban el arte parietal, si bien es necesario recordar que gustaban de pintar en ciertos cantos rodados una serie de puntos y signos esquemáticos de difícil interpretación, aun cuando lo más probable es que estén relacionados con el culto a los muertos.

Durante todo el Paleolítico superior los muertos eran inhumados, aunque de maneras distintas. Unas veces solían ser enterrados individualmente, otras en fosas colectivas. Al lado de los cadáveres se ponían

[23] Lévy-Bruhl, op. cit., pp. 132-138 (láminas I-II).

los objetos de uso personal, y aunque unas veces se les dejaba yacentes, otras se les obligaba a tomar posiciones forzadas, acurrucados y con los miembros sujetos. Se supone que tal disposición se hacía adoptar con preferencia a las personas que por su carácter o por las circunstancias en que habían muerto eran temibles; pero sea esto verdad o no, lo cierto es que tal manera de enterrar se encuentra en pueblos primitivos actuales como los andamanos y australianos, y debe obedecer a concepciones que podríamos llamar «preanimistas». Durante mucho tiempo se ha creído que la idea de que los muertos tienen una vida especial se halla suficientemente explicada mediante el Animismo, es decir, la creencia en un «alma» de las cosas que justifica a su vez la idea de la supervivencia de una parte no material del ser humano *post mortem*. Pero cada vez se va dibujando con más claridad que existen creencias en torno a la muerte más antiguas que las animistas: aquellas de los que conciben que, una vez llegado el trance, lo que nosotros llamamos el cadáver, la parte corporal del individuo y no sólo la espiritual, sigue viviendo de forma distinta, pero con vida al fin. El cadáver necesita comer y satisfacer otros instintos, y es peligroso para los vivos el no ayudarle, el provocar su aparición y sus reclamaciones y amenazas. Ahora bien, los cantos rodados del «Aziliense» son análogos a los «churingas» de Australia y Tasmania, que se usan en el culto de los antepasados, pero ya con cierto sentido animista, puesto que representan las almas de los muertos. Los libros de Prehistoria suelen recordar que cerca de Basilea, en Birseck-Arlesheim, se hallaron 133 cantos azilienses rotos con intención, lo cual se ha interpretado como un acto de venganza de una tribu hacia otra [24]. Sea esta interpretación exacta o no, cabe decir que durante el período «Aziliense» la mentalidad

---

[24] Obermaier, op. cit., p. 370; Obermaier y García Bellido, op. cit., p. 113.

de los hombres del occidente de Europa cambió algo, aunque no se pueda decir lo mismo del régimen de vida económica en conjunto. Algunos autores pretenden que ya entonces e incluso antes se conocían ciertos principios de agricultura, pero los hallazgos de trigo en las cavernas de Espelugues, Lorthet, Mas d'Azil, etc., no indican la existencia de cultivos, sino simplemente que los que en ellas vivieron conocían el valor alimenticio de aquel cereal en estado silvestre [25].

A la vez que en el norte de España vivían los azilienses descendientes de los hombres del «Magdaleniense» entre los años 9000-5000 a. de J.C. según la cronología de Obermaier, del 8300 al 5000 según la de otros autores [26], la generalidad de la Península se hallaba poblada por otros grupos de cazadores y pescadores, que incluso llegaron a mezclarse con aquéllos, y de los que sabemos que usaban en gran proporción de una industria microlítica que ya se encuentra antes en menores cantidades: anzuelos, puntas de flecha, arpones, etc., debían ser confeccionados por éstos combinando pequeñísimas puntas de piedra tallada con trozos de madera que han desaparecido. Buscaban los elementos de su sustento no sólo cazando y pescando, sino también recogiendo caracoles de los cuales han quedado considerables concheros [27]. Se ha solido defender que el núcleo principal de tales gentes llegó de Africa, y algunos han sostenido que las pinturas de Levante se deben a ellos. Pero esto último no se admite en forma unánime y lo primero es también dudoso [28].

[25] Elisabeth Schiemann, «Kritisches zur Datierung alter Getreidefunde», en *Prähistorische Zeitschrift.* XXX-XXXI (1939-1940), pp. 3-34; cfr. *Anthropos*, XXXV-XXXVI (1940-1941), pp. 391-392.

[26] Obermaier, op. cit., p. 399; Obermaier y García Bellido, op. cit., p. 399; Martínez Santa Olalla, op. cit., p. 150.

[27] Detalles en Pericot, op. cit., pp. 104-111.

[28] M. Almagro, «Los problemas del Epipaleolítico y Mesolítico en España», en *Ampurias*, VI (1944), pp. 1-38, precisa sobre las industrias a que parecen corresponder las pinturas

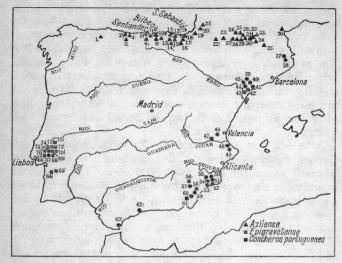

Fig. 5. Culturas epipaleolíticas (mesolíticas) I, según Jordá.

1. La Paloma.	22. Arudy.
2. Balmori.	23. Lourdes.
3. Riera.	24. Gourris.
4. Lledias.	25. Grotte des Harpons.
5. Castillo.	26. La Tourasse.
6. El Pendo.	27. Lorthet.
7. Morín.	28. Gourdan.
8. Rascaño.	29. Montespan.
9. Salitre.	30. Salies du Salt.
10. Valle.	31. Montfort.
11. Santimamiñe.	32. Trou Violet.
12. Lumentxa.	33. Mas D'Azil.
13. Balzola.	34. Massat.
14. Silimbranca.	35. La Vache.
15. Bolinkoba.	36. Bize.
16. Laminen-Escatza.	37. Reclau Viver.
17. Ermitia.	38. Sant Juliá.
18. Urtiaga.	39. Els Colls.
19. Berroberría.	40. La Jove.
20. Isturitz.	41. L'Areny.
21. Sordes.	42. La Roca.

Los cazadores mesolíticos del Levante español

Ya se sabe que en España se pueden señalar dos estilos fundamentales de pinturas rupestres. El primero, abundante en el Norte, es aquel en que se destacan las grandes figuras de animales, concebidos de una manera naturalista, cuya edad paleolítica no ofrece dudas gracias, entre otras pruebas, a las que suponen los hallazgos de grabados e incluso pinturas análogas a las parietales en niveles muy precisos. El estudio llevado a cabo por don Luis Pericot, de las placas grabadas y pintadas de la cueva del Parpalló (Valencia), es uno de los más importantes y definitivos que se han hecho sobre materiales semejantes[29]. Pero en la zona oriental de España se halla

---

levantinas de que luego se habla más. Sobre elementos africanos concretos en el Paleolítico superior peninsular, D. Fletcher, «Notas sobre el Paleolítico superior», en *Atlantis*, XVI (1941), pp. 80-89.

[29] *La cueva del Parpalló* (Madrid, 1942) y la reseña de Gordon Childe, «La cueva del Parpalló y el Paleolítico superior en el Sudeste de España», en *Ampurias*, VI (1944), páginas 340-346.

←

43. La Mallada.
44. Sant Gregori.
45. El Filador.
46. Barranc Blanc (Valencia).
47. La Cocina.
48. El Parpalló.
49. Les Mallaetes.
50. Palomarico.
51. Las Palomas.
52. Tesoro.
53. Ahumada.
54. Tazona.
55. Rates Penaes (Valencia).
56. Ambrosio.
57. Fuente de los Molinos.
58. Humosa.
59. Serrón.

60. Murciélagos.
61. Perneras.
62. Hoyo de la Mina.
63. Gorham.
64. Portancho.
65. Quita da Baixo.
66. Cabeço dos Môrros.
67. Magos de Baixo.
68. Barragem.
69. Magos de Cima.
70. Cabeço da Amoreira.
71. Cabeço da Arruda.
72. Flor da Beira.
73. Fonte de Padre Pedro.
74. Moita do Sebastiâo.
75. Monte dos Ossos.
76. Cova da Onça.

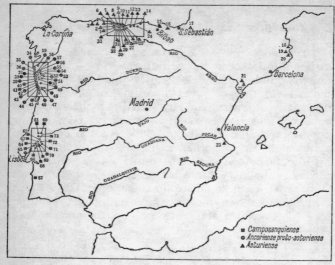

Fig. 6. Culturas epipaleolíticas (mesolíticas) II, según Jordá.

1. Infierno.
2. Penicial.
3. Valduno.
4. San Antonio.
5. Coberizas.
6. Alloru.
7. Fonfría.
8. Colomba.
9. Cueto de la Mina.
10. Arnero.
11. Balmori.
12. Conchas.
13. Hornos de la Peña.
14. Playa de Ciriego.
15. Santimamiñe.
16. Lumentxa.
17. Berroberría.
18. Trairé o de la Raparada.
19. Cau del Duc. Torroella de Montgrí.
20. Cau del Duc. Ullá.
21. Las Burgueras.
22. Solá del Pep.
23. Parpalló.
24. Castillo.
25. Tres Calabres.
26. Sabina.
27. Panes.
28. Franca o de Mazaculos.
29. Llongar.
30. Riera.
31. Bricia.
32. Lledias.
33. Vidiago.
34. Ancora.
35. Afife.
36. Albelheira.
37. Anha.
38. S. Româo de Neiva.
39. Castelo de Neiva.

otro estilo de pinturas que se caracteriza por el gusto en representar la figura humana y por las escenas de diversa índole en que hombres y animales forman conjuntos llenos de movimiento y expresión.

Descubiertos los primeros ejemplares en el año 1903 por don Juan Cabré, de entonces acá diferentes lugares de las provincias de Lérida y Tarragona, Teruel y Cuenca, Castellón y Valencia, Albacete y Murcia, Jaén y Almería, han sido explorados, de suerte que hoy día se conocen alrededor de treinta puntos o zonas de una extensión regular en donde las hay. Generalmente abundan las pinturas, siendo escasísimos los grabados, y en vez de haberse aprovechado las paredes de cuevas profundas para hacerlas, están en abrigos rocosos y bastante expuestas al aire libre. Desde una época ya lejana hubo dudas respecto al carácter paleolítico de estas pinturas. Cabré mismo se mantuvo en una posición al principio dubitativa; el señor Durán Sanpere, que exploró algunos barrancos de la provincia de Castellón en 1917, hizo constar que en la poca tierra que quedaba al pie de ellas se hallaba una industria no paleolítica al parecer.

←

40. Aldreu.
41. Durrâis.
42. Fâo.
43. Ervilha.
44. Manhufe.
45. Madalena.
46. Lavadores.
47. Boa Nova.
48. S. Bray.
49. Apulia.
50. S. Bartolomeu do Mar.
51. Belinho.
52. S. Paio de Antas.
53. Vila de Punhe.
54. Alvarâis.
55. Vila Fria.
56. Rodanho.

57. Carreço.
58. Areosa-Viana do Castelo.
59. Moledo.
60. Pero Filho.
61. Ponte do Coleiro.
62. Porto Sabugueiro.
63. Bemfica do Ribatejo.
64. Cocharrino.
65. Vale do Zêbro.
66. Grenho.
67. Vilanova de Mil Fontes.
68. Gloria.
69. Ponte do Coelheiro.
70. Vale da Raposa.
71. Boa Vista.
72. Joào Boieiro.
73. Quinta do Grainho.

Pero después se generalizó la opinión de Breuil y Obermaier, que defendían la fecha paleolítica, imponiendo su autoridad (*magistri dixerunt*) sin aducir grandes argumentos frente a la negativa rotunda de Hernández Pacheco [30]. Un hecho contrario a ella es el de la frecuencia con que aparecen los hombres y las mujeres con porción considerable del cuerpo desnudo. No resulta probable que mientras el *mammut* y el reno alcanzaban las costas del Cantábrico y el rinoceronte lanudo vivía en tierras de Guadalajara, en las montañas de Cataluña y Valencia (hoy día bastante frías en invierno) hiciera un clima tan benigno que permitiera casi la desnudez. Habría que poner la fecha de las pinturas muy al comienzo del «Auriñaciense» para poder deshacer este argumento, pero si se admite la evolución del arte rupestre levantino hacia el esquematismo de las pinturas neolíticas y de la Edad del Bronce, lo cual es probable, no se concibe que, partiendo de tal período cálido, se persistiera a lo largo de otros frigidísimos, hasta llegar a la Edad del Bronce, pintando figuras desnudas. Por otro lado, el mismo Obermaier afirma que en los yacimientos paleolíticos no aparecen nunca vestigios de la existencia de perros domésticos [31]. Pues bien, en las pinturas de Levante, sobre todo en las de la Cueva de la Vieja, se ven representados perros que parecen amenazar, asociados al hombre, a manadas de ciervos [32], y sabemos que en los yacimientos neolíticos, incluso en los concheros, se hallan huesos de canes [33].

---

[30] *Las pinturas prehistóricas de las cuevas de La Araña (Valencia), evolución del arte rupestre de España* (Madrid, 1924), pp. 129-178. Anterior es la publicación del mismo titulada *Estudios de arte prehistórico, I. Prospección de las pinturas rupestres de Morella la Vella. II. Evolución de las ideas madres de las pinturas rupestres* (Madrid, 1918). El material reunido por Durán y Matías Pallarés en Valltorta en 1917 ha sido analizado por Almagro en el trabajo citado en la nota 28 y por J. Maluquer.
[31] Obermaier y García Bellido, op. cit., p. 63.
[32] Kurt Lindner, op. cit.,p p. 72-74.
[33] Kurt Lindner, op. cit., p. 72.

Es, pues, lo más probable que estas pinturas fueran hechas por gentes que vivieron durante aquel período posterior a la última glaciación, que se distinguió por el aumento considerable de la temperatura en Europa, período que conocemos con el nombre de *optimum postglaciaris* y del que luego hablaremos más. Se trataba, sin duda, de un conjunto de pueblos cazadores como los del Paleolítico, cuyos rasgos espirituales, gracias a las pinturas, nos son bastante conocidos. Acaso lo componían restos de antiguas poblaciones, en vías de extinción u obligadas a abandonar las tierras llanas a otras gentes más numerosas: los pintores de Levante son hombres que viven en las rocas y no en las fértiles llanuras próximas al mar. Agrupados formando unidades compuestas de varias familias, cabe decir de ellos que estaban jerarquizados: el nacimiento y ciertas riquezas, muebles, debían influir para diferenciarlos. Así, en la Mola Remigia (barranco de Gasulla, Castellón) hay una pintura que representa un grupo de cuatro guerreros armados con arcos, al frente de los cuales va otro que parece ser el jefe, que en la cabeza lleva un gorro alto y que es más corpulento.

Aunque el clima permitiera entonces la desnudez, el gusto por los adornos de plumas, cuero, etc., era muy extendido entre aquellos cazadores y sus mujeres, adornos en cuyo uso hay motivo para pensar que regiría una reglamentación estrecha. Es decir, que el guerrero que hubiera efectuado tales o cuales hazañas, o el cazador que se hubiera distinguido de un modo u otro, tendría derecho a usar este o aquel distintivo [34]. Aunque la mayor parte de las escenas reproducidas en Valltorta (Castellón), Gasulla, Bicorp (cueva de la Araña, Valencia), etc., sean de caza o guerra, hay algunas también de aspecto más pacífico. Así, por ejemplo, en la cueva de la Araña se halla

---

[34] J. B. Porcar, H. Obermaier y H. Breuil, *Excavaciones en la Cueva Remigia (Castellón)* (Madrid, 1935).

una pintura en que está reproducido el acto de recoger la miel por dos hombres (fig. 7) que, mediante cuerdas, suben a una colmena [35]. En Alpera (Albacete) hay escenas de danza, y en Cogul (Lérida) vemos a un grupo de mujeres con pechos fláccidos rodeando a una pequeña figura de forma fálica que se presta a varias interpretaciones [36]. Aprovechemos la ocasión para señalar que no se han encontrado en España esculturas femeninas como las que se han hallado desde las Landas (Brassempouy) hasta Siberia, que deben corresponder al «Auriñaciense», y que pueden considerarse como representación de una «diosa madre», o de una divinidad de la fecundidad, en las que los caracteres sexuales están muy exagerados [37]. El valor místico de las pinturas de Levante, comparado con el que cabe asignar a las magdalenienses, parece, pues, que debía ser mucho más complejo. La interpretación «mágico-utilitaria» que se dio al principio a aquéllas no pudo aplicarse a éstas de forma clara, ni tampoco la «totémica» esquemática. En cambio, las sugerencias de Lévy-Bruhl encuentran aquí pleno apoyo. Los cazadores de ciervos, jabalíes, cabras, etc., los recolectores de miel, los danzantes, las mujeres con faldas de plumas y fibras que han aparecido ante nuestros ojos no nos dan sólo la imagen más o menos fiel de un pueblo que vivió en parte de la Península en época determinada, sino que representan la mitología de aquel pueblo, mitología a la que, periódicamente, en el momento en que se repintasen y refrescasen aquellas obras debía de recurrirse con fines especiales de reproducción y fertilización [38]. Acaso un estudio de las concepciones de pue-

[35] E. Hernández Pacheco, *Las pinturas prehistóricas de las cuevas de La Araña*, pp. 88-93.
[36] Obermaier, op. cit., pp. 282, 288, 289.
[37] Obermaier, op. cit., pp. 244-249.
[38] E. Hernández Pacheco, *La caverna de la peña de Candamo (Asturias)* (Madrid, 1919), pp. 204-240, adelantó algunas ideas provechosas, partiendo de puntos de vista algo diversos a los comúnmente seguidos por entonces.

blos actuales con una vida semejante podría aclararnos muchas escenas de éstas de manera bastante concreta.

Fig. 7. Recolección de miel (*Cueva de la Araña*, Bicorp).

Valor de los paralelos etnográficos para reconstruir aspectos de su vida prehistórica

No hay que perder de vista que la idea de los «paralelos etnográficos» que tan de moda está y a la que no nos hemos sustraído en este libro, pues es fundamental, hay que aplicarla con toda clase de reservas críticas. Sin necesidad de volver a discutir principios teóricos de los que algo se dijo en el prólogo, hay que insistir en que cada pueblo, dentro de su ámbito geográfico y de su época, ofrece rasgos únicos al lado de otros comunes con los de otros pueblos. Una comparación fructífera es la que se hace no por medio de aislados ejemplos, sino aquella en que la inducción da de sí resultados homogéneos y estadísticas de cifras positivas superiores. No se vaya a creer que es tan fácil, sin embargo, ni que cualquiera de las investigaciones que arrojen resultados positivos deja de prestarse a equívocos.

A comienzos de este siglo, un eminente investigador inglés, W. J. Sollas, quiso establecer un paralelismo entre los hombres de los diversos períodos de la edad de la piedra tallada y ciertos primitivos actuales. Comparando lo que nos queda de los unos con lo que conocemos de los otros, llegó a encontrar analogías notables entre los tasmanios y ciertos pueblos del Paleolítico inferior, considerando a los primeros como representantes de una cultura especializada de aquel período. Los australianos serían en muchos aspectos análogos a los pueblos del «Musteriense» europeo, los bosquimanos a los del «Auriñaciense» y los esquimales a los del «Magdaleniense» [39]. Posteriormente algunos descubrimientos sensacionales contribuyeron no poco a que la cuestión de los paralelos se estudiara más, hasta llegar al gran intento de sistematización hecho por Menghin, que no fue acogido con aplauso unánime. Admitido éste, quedarían dentro de un mismo ciclo el «Auriñaciense», «Solutrense» y «Magdaleniense» europeos, el «Capsiense», «Aziliense» y «Tardenoisiense», las esculturas del norte, sur y este de Australia, de varias regiones oceánicas, de las pequeñas Molucas, de los batak de Sumatra

[39] *Ancient hunters and their modern representatives* (Londres, 1911).

y otras. El «ciclo patriarcal totemista» del padre Schmidt hace el gasto con tal ocasión. Todo nos indica que estamos ante un edificio que no tiene los cimientos muy fuertes [40]. Dejando, pues, tales abstractas construcciones, pero usando las observaciones concretas en que se basan, resulta evidente que el paralelismo establecido entre los pueblos del Paleolítico y los contados cazadores que viven en la actualidad son provechosas y significativas. Lo que ocurre es que estos últimos han conservado de manera desigual rasgos que eran característicos de las viejas culturas prehistóricas, por razón del medio distinto en que se mueven y por sus relaciones con pueblos de vida económica distinta, cuyo origen hay que buscar en períodos posteriores al Paleolítico. Los indios «pies-negros» usan un tipo de trampa que aclara el significado de los signos tectiformes, los esquimales emplean arpones parecidos a los magdalenienses, pero en su cultura hay interferencias de otras que el hombre paleolítico estaba lejos de vislumbrar. Dentro de la totalidad de pueblos semejantes tienen ahora mayor interés para nosotros, en conjunto, los bosquimanos. Relegados hoy a las partes más inhóspitas del desierto de Kalahari, ocuparon en otra época áreas mucho más extensas, de las que fueron desalojados en sus guerras perpetuas con los bantus, y con sus parientes desde el punto de vista antropológico, los hotentotes. La acción de los blancos ha sido también causante de que los bosquimanos se encuentren diezmados y en trance de desaparecer en un futuro no muy lejano. Se calcula que en la actualidad hay de 5.000 a 1.000 individuos (acaso la cifra verdadera esté más cerca de la primera que de la segunda), individuos repartidos en tres grupos fundamentales: el septentrional, el medio y el meridional, que se descom-

---

[40] *Weltgeschichte der Steinzeit* (Viena, 1931): la edición posterior es igual.

ponen en veinticuatro subgrupos [41]. Ocupan las zonas centrales del citado desierto del Africa meridional; los hotentotes y los bantus, conocidos con los nombres de bakalahari y bechuanas, poseen los bordes. La clasificación en tres grupos tiene un valor lingüístico y es particular de su lenguaje lo que se llaman «klicks», es decir, sonidos breves a modo de chasquidos. Su situación, caracteres culturales y raciales hacen pensar que se relacionan bastante con los pigmeos, aun cuando no se haya determinado la exacta proporción de la relación indicada. Clara es su parentela con los hotentotes, con los que forman el grupo antropológico de los llamados «khoisanidos» por algunos especialistas (del nombre de «khoi» o «koin-kain» que se dan a sí mismos los hotentotes, y que quiere decir «los hombres verdaderos», y el de «san», propio de los bosquimanos). Se encuentran elementos de tipo «khoisanido» en Nyassa y en el territorio del Tanganyika, así como en otras partes. Para Baumann es clara la existencia de una cultura bosquimana primitiva que comprendería también a los bergdama, kindiga y sandawe, con caracteres lingüísticos especiales en otra época, según lo revelan algunos vestigios. Pero lo más curioso para nosotros no es señalar el parentesco de los bosquimanos con otros pueblos muy inferiores del continente africano, sino el insistir en que muchos autores son los que hallan entre ellos restos lingüísticos, antropológicos y culturales de mezclas con pueblos del norte de Africa, de los llamados hamíticos o camíticos, y que afirman que sus rasgos de cultura, como la técnica de pintar y otros de los que se han citado, fueron importados a Africa por un pueblo de tipo europoide y captados de él por los bosquimanos. Ahora bien, si hay algún paralelismo que parezca más extraño y sorprendente que otros es el que resulta de

[41] Las descripciones de la vida y costumbres de los bosquimanos hasta fecha relativamente moderna han sufrido de gran imprecisión y disparidad.

la contemplación de una pintura del Levante español y otra bosquimana [42]. ¿Cuándo y por qué razón los cazadores de la Península y del norte de Africa se relacionaron con los antecesores de estos humildes pueblos actuales que emplean arcos análogos a los representados en las pinturas prehistóricas y cuyos adornos son parejas a las que debían llevar los hombres de Valltorta y Gasulla? Esta es una cuestión sin resolver. Pero hay que rechazar la hipótesis de que las relaciones culturales entre unos pueblos y otros haya que buscarlas en un parentesco físico que revelara gran primitivismo. Todo lo que se ha dicho acerca de rasgos «africanos» de los cazadores y guerreros de las pinturas de Levante, las observaciones anatómicas extraídas del examen de algunas figuras en que se ve, sin duda, un desarrollo intencionado de ciertas partes, como, por ejemplo, las piernas, son poco dignas de tenerse en cuenta, ya que las exageraciones provienen de determinadas ideas y no de la observación directa del natural. En un pueblo de cazadores, el poseer unas piernas robustas y resistentes es ventaja excepcional; de aquí la desproporción de muchas figuras que, posiblemente, representaban a grandes cazadores, héroes y guerreros veloces. El culto a la velocidad es rasgo característico de los hombres mesolíticos del Levante español. En las pinturas de los bosquimanos son frecuentes también representaciones de hombres veloces y de seres que participan de caracteres humanos y animales, que pueden considerarse como «antropomorfos» míticos en la mayoría de los casos, aunque hay otros en que se trata de imágenes evidentes de cazadores disfrazados, como ocurre en una de las primeras pinturas

[42] Es el que ha originado estudios como el de J. Pérez de Barradas «Relaciones entre el arte rupestre del levante de España y el del sur de Africa», en *Investigación y Progreso*, VIII (1934), pp. 54-59.

que se conocieron del Africa del Sur, que representa la caza del avestruz [43].

Es de julio a septiembre, en el momento de la mayor sequía, cuando los bosquimanos demuestran máxima actividad y cuando la caza resulta más fácil. Pero, a pesar de ello, son horas y horas las que deben pasar los hombres (auxiliados por los niños desde que éstos pueden andar y correr) antes de coger la presa. Buscan los manantiales donde las bestias sedientas aplacan su sed y alrededor de ellos montan guardias larguísimas hasta conseguir lanzar la flecha envenenada, que a veces no surte efecto sino horas, y aun días, después de haberse clavado en las carnes del animal. Una vez que está en poder del grupo empieza el gran festín. Las carnes se asan entre las cenizas del fuego, los huesos se rompen para sorber los tuétanos, y hasta los intestinos son comidos crudos. Luego hay que volver a empezar y, en casos de escasez, contentarse con raíces y animales pequeños, repugnantes para nosotros, de los cuales suelen ser las mujeres las que hacen provisión. Vida análoga, aunque no hay derecho a pensar que en condiciones tan precarias, llevarían nuestros cazadores del *optimum postglaciaris* (años 6000-4000 a. de J.C., según Obermaier; del 5000 al 3500 según otros), rodeados probablemente de otros pueblos más fuertes aunque no tan conocidos para nosotros.

Hace poco que en la localidad valenciana de Dos Aguas (friso del «cinto de las letras») se han descubierto unas cuantas pinturas entre las que destaca la que representa una mujer [44]. Vemos por ella que en la sociedad de cazadores levantinos las mujeres, cubiertas con una falda de cuero y con un saco también

---

[43] Sobre el arte bosquimano, H. Obermaier y H. Kühn, *Buschmannkunst, Felsmalereien aus Südwestafrika* (Munich-Berlín, 1930). Hay otros buenos repertorios.
[44] J. J. Senent Ibáñez, «El arte rupestre de Dos Aguas», en *Anales del Centro de Cultura Valenciana*, año IV, 5 (Valencia, 1943), pp. 32-39, fig. 3.

de cuero a espaldas (igual que las bosquimanas, precisamente), se dedicaban a recoger materias de interés económico general. La figurilla de Dos Aguas, al parecer, está cogiendo leña para encender una hoguera, aunque también es posible que los palos hacia los que se inclina representen determinadas plantas alimenticias. En el saco llevaría toda clase de pequeños hallazgos hechos en el transcurso de un continuo andar: ranas, langostas, raíces, etc.

Otras unidades sociales mesolíticas
(véanse mapas, págs. 46 y 48)

Podemos considerar que los «pintores de Levante» constituían unidades culturales y étnicas un poco aisladas, rodeadas por pueblos distintos, y que conservaban mejor frente a éstos (a los que se conoce con el nombre de «Tardenoisienses») las tradiciones económicas y artísticas del Paleolítico superior hispánico[45]. Las relaciones estilísticas entre las pinturas magdalenienses y las de Levante, en lo que se refiere a la manera de concebir la silueta de algunos animales, podría explicarse por una herencia espiritual directa que fuera luego poco a poco modificándose, tendiendo cada vez más los artistas a un esquematismo expresivo y a la abstracción. Consideran algunos autores que este proceso de abstracción supone una superioridad intelectual. El *optimum*, en conjunto, hay que estimarlo como período en el que se efectúan un número de observaciones que terminan modificando completamente la estructura de las sociedades del antiguo continente. En las cuevas próximas a las orillas de las rías y de las playas de la mayor parte de Europa, e incluso al aire libre, es posible encontrar vestigios de poblaciones bastante sedentarias que se alimentaban preponderantemente de

[45] Opinión sustentada por Pérez de Barradas.

moluscos, peces y vegetales, dejando enormes depósitos de detritus. En las costas españolas y portuguesas, de la región del Miño hasta Vizcaya y, sobre todo, en Asturias (además de lo que se señala en Cataluña), se ha podido estudiar un número considerable de yacimientos que reflejan una variedad especial de esta clase de pueblos recolectores, que vivían en los umbrales de las cuevas, amontonando allí mismo los residuos de lo que comían: conchas, algunos huesos de animal y vegetales carbonizados. El pueblo «Asturiense», como lo llamó su descubridor, el conde de la Vega del Sella, empleaba unos útiles muy rudimentarios aunque adaptados a sus necesidades, entre los cuales llama la atención el pico, que recuerda formas de una época remotísima [46], anteriores al Paleolítico superior, y que servía para separar las conchas de las rocas donde estuvieran adheridas. Utiles de tipo «Tardenoisiense» dieron, por otra parte, los niveles del inmenso conchero de Muge(m), en la desembocadura del Tajo, y otros muchos de la Península. Pero ahora, más interesante que seguir la tipología de ellos es indicar cómo es muy posible que de la observación de semejantes depósitos surgiera la idea de que cabía provocar la reproducción de las plantas, la noción de que el hombre podía hacer algo más que cazar y recolectar frutos naturales para asegurarse la existencia. Algún individuo de las familias que, durante años y años, arrojaban los restos de las comidas diarias a un sitio especial pudo darse cuenta de que allí donde había echado multitud de veces las pepitas, las partes duras de un fruto de cierta planta conocida por él crecía, al cabo de algún tiempo, planta semejante. Es probable que este descubrimiento lo hiciera alguna mujer, ya que las mujeres, de acuerdo con la tradicional manera de repartir el trabajo que hoy día

[46] Obermaier, op. cit., pp. 382-388; Pericot, op. cit., pp. 105-107.

conservan los pueblos cazadores y recolectores, eran las encargadas de recoger los vegetales y animales pequeños. Una vez hecha esta observación, la agricultura pudo tener principio. Pero sabemos muy poco de los primeros focos del cultivo de las plantas y de los cambios que pudo producir en la sociedad en general. Sería un error creer que tales cambios fueron rápidos y homogéneos. Aún hoy vemos que, a pesar de siglos de vecindad, los bergdama, cazadores, y los hereros, cultivadores, no han tomado rasgos unos de otros, y los pigmeos del Congo, que viven junto a los yaudes, agricultores, no practican la agricultura. Sólo después de una mezcla biológica, las asociaciones humanas se toman unas a otras los grandes elementos de cultura económica[47]. ¿Cuántos siglos serían necesarios para que las sociedades prehistóricas comenzaran en Europa a tener como base económica generalizada la agricultura? A esta pregunta no vale la pena de responder de una manera categórica, pues una vez descubierta y propagada la posibilidad del cultivo de las plantas desde lugares que desconocemos (siendo, sin embargo, uno de los focos más grandes de tal cultivo la zona de la desembocadura y curso inferior del Tajo) no pasó, comparativamente, demasiado tiempo sin que a éste se agregaran otros descubrimientos importantes. Pero de ellos es cuestión de hablar aparte.

[47] Thurnwald, op. cit., p. 61.

2

LA VIDA DE LOS AGRICULTORES Y PASTORES DE LOS PERIODOS NEOLITICO Y DEL BRONCE

Formas nuevas de vida y relaciones culturales del período Neolítico y Edad del Bronce

El «Neolítico antiguo» se mezcla de tal forma con las culturas de épocas anteriores de otro tipo que su estudio es dificultosísimo. En cambio, el «Neolítico tardío», al que sin temor podemos llamar «Neolítico propiamente dicho», cada vez se va aclarando más, por lo menos en lo que se refiere a Europa, ya que es sincrónico a culturas históricas de otras partes de la tierra que influyen mucho sobre nuestro continente y de las que conservamos gran cantidad de monumentos y noticias escritas. No es sólo la agricultura; es también la ganadería, y la combinación de ambas, lo que llegan a conocer bastantes unidades sociales neolíticas, y al lado de esto la fabricación de cerámica y, en último lugar, el trabajo de los metales, trabajo que si bien es verdad que, desde el punto de vista arqueológico, autoriza a que se establezca una era a partir del momento en que se divulga, no supone una revolución económica tal como la que implican la explotación agrícola y la pastoril[1].

[1] L. Franz, «Las etapas de la economía prehistórica», en *Investigación y Progreso*, XIII (1942), pp. 115-118. Además de las obras citadas en la nota 7 del capítulo anterior, es fun-

Guardémonos, de todas suertes, de hacer una pintura uniforme de la vida neolítica como la que gustan de efectuar muchos autores contemporáneos. Hoy día sabemos que hay pueblos que cultivan la tierra y que no tienen idea de la posibilidad de asociar esto con la tenencia de ganado mayor; otros, por el contrario, son pastores que apenas se cuidan de cultivar, y, por último, hay quienes han alcanzado, no por su genio, sino por imitación, un nivel económico superior mediante el cultivo arativo, es decir, la combinación de la agricultura y el pastoreo. Ahora bien, si del origen de la agricultura no podemos saber gran cosa, dada su extensión por casi toda la superficie de la tierra, del pastoreo y cultivo con arado parece posible indicar algo concreto, puesto que la expansión de ambos es mucho menos amplia. España, con ser país relativamente próximo a los focos en que todos estos medios de producción se combinaron más armónicamente en períodos remotos, no ofrecía en el «Neolítico», como tampoco antes ni después, una fisonomía homogénea desde el punto de vista cultural y económico.

Según las investigaciones de los arqueólogos más autorizados entre los que estudian este período, hay que colocar el comienzo del «Neolítico tardío», del «Neolítico propiamente dicho», hacia el año 3000 antes de Jesucristo. Desde tal fecha se hallan conjugados en ciertas regiones de la Península, el sur, por ejemplo, elementos culturales que en otras partes, y en pleno «Neolítico» también, se hallaban separados aún, siendo debida esta conjunción preponderantemente a la influencia de uno de los más grandes pueblos de la Antigüedad, el egipcio, que por aquella fecha ya había alcanzado unas formas de vida basa-

damental para la época que nos ocupa y las sucesivas la gran síntesis de P. Bosch-Gimpera, *Etnología de la península ibérica* (Barcelona, 1932), de un valor mucho más grande desde el punto de vista arqueológico que del etnológico, pese al nombre que lleva.

das en una economía muy superior. Los relieves de la pirámide de Gizeh, correspondientes a la V dinastía, ostentan curiosas escenas de la vida agrícola egipcia, entre las cuales pueden verse varias de hombres arando[2]. El adjunto cuadro muestra el sincronismo de las edades neolíticas de España y las civilizaciones del antiguo Egipto, según Menghin[3].

BAJO EGIPTO	ALTO EGIPTO	NUBIA	ESPAÑA
Hacia el año 4000 Merimdiense Benisalame y Fayum	Tasiense		
	Badariense		
? Vacío Hacia el año 3600	Cultura antigua de Nagada (Amratiense)	Cultura de Kubanieh (Neolítico nubio)	Tardenoisiense tardío
			Asturiense
Maadiense	Cultura media de Nagada (Gerzeiense)		Cultura de las hachas cilíndricas
? Vacío	Cultura reciente de Nagada (Semainiense)		
Hacia el año 3000	Imperio Dinástico Antiguo. Dinastías I - II	Grupo A	
Hacia el año 2800	Imperio Antiguo. Dinastías III - IV	Grupo B	I Período neolítico (Neolítico tardío)
Hacie el año 2400	Imperio intermedio Dinastías VII - XI		II Período neolítico (Eneolítico inicial)
Años 2000 - 1788	Imperio Medio. Dinastía XII	Grupo C	III Período neolítico (Vaso campaniforme; pleno Eneolítico)
Años 1788 - 1680	Dinastías XIII-XIV		Comienzos del Bronce

[2] Lepsius, *Denkmäler aus Aegypten und Aethyopen*, III, 2 (Berlín, 1849-1860), 51, 56.
[3] «Egipto y la península hispánica», en *Corona de estudios...*, cit. de la Sociedad Española de Antropología, I, pp. 167-183.

La existencia de pueblos que son *sólo* pastores casi, y otros que son cultivadores y desconocen la cría de ganados grandes, fue la que dio base a los etnólogos historicoculturales para fijar los rasgos de un «ciclo cultural de nómadas pastores» y de otro «matriarcal agrícola»[4]: de aquí partieron algunos autores sistemáticos, como Montandon, para establecer la equivalencia entre el «Neolítico» y el «ciclo matriarcal»[5]. Pero aunque en la Península y en otras partes del antiguo continente encontremos, en períodos más modernos, pueblos que ostentan bastantes de los caracteres de los asignados a este mismo ciclo[6], debemos rechazar, como se ha indicado, toda generalización, no sólo etnográfica, sino también arqueológica, que llegue a establecer grandes ciclos o áreas o unidades culturales. No hay que perder de vista tampoco que cuando las lenguas difieren de manera profunda, los cambios de elementos culturales producen menores resultados[7], y esta diversidad debía existir ya por entonces.

Es cierto que se puede señalar, dentro del territorio español, una evolución cultural y económica desde el «Tardenoisiense» tardío hacia el «Neolítico». Pero esta evolución de pueblos recolectores hacia la agricultura no hubiera producido nunca los resultados que produjo el contacto de ciertos de los pueblos del sur con los egipcios y gentes del Mediterrá-

---

[4] J. M. de Barandiarán. «Breve historia del hombre primitivo», en *Anuario de Eusko-Folklore*, XI (Vitoria, 1931), pp. 176-188, 190-195.
[5] «Les cycles de culture et la Préhistoire», en *L'Anthropologie*, XLV (1935), pp. 521-523.
[6] Los arqueólogos rusos han subrayado, al parecer, la importancia de la mujer en el Neolítico de Ucrania y otras regiones de la U.R.S.S.; R. Kozoubovski, «Les stations des communautés tribales dans les dunes du Polissja», extracto en francés, en *Mémoires de l'Institut d'Histoire de culture matérialle,* fascículo I (Kief, 1934), pp. 38-39; K. Korchak, «Les instruments d'agriculture des communautés tribales primitives en Ukraine», en la misma publicación y fascículo, p. 53.
[7] Thurnwald, op. cit., p. 75.

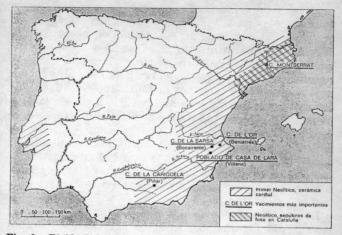

Fig. 8. El Neolítico en la Península Ibérica, según Tarradell.

neo oriental en general. Primero es algún elemento aislado el que nos revela este contacto: por ejemplo, el hacha cilíndrica. Pero luego lo revelan otros, como la formación de ciudades, de núcleos urbanos propiamente dichos, la creación de estilos arquitectónicos y otros muchos progresos de la técnica, culminando la civilización del sur de España con influjos orientales en los primeros tiempos de la Edad del Bronce, que se colocan entre el año 2000 y el 1700 antes de Jesucristo. La distinción dentro del «Neolítico» hispano de una «cultura hispanomauritana», caracterizada por la cerámica incisa y estampillada con conchas, o pintada, propia de pueblos pastoriles, y otra «iberosahariana», con cerámica lisa trabajada excelentemente y propia de pueblos agricultores, distinción que apoya Martínez Santa-Olalla [8], tiene una

_____

[8] Op. cit., pp. 151-152, aparte, claro es, del Neolítico antiguo en que hay pervivencias asturienses, etc., como nota el mismo Martínez Santa-Olalla, «Sobre el Neolítico antiguo en España», en *Atlantis*, XVI (1941), pp. 90-105.

gran base de verdad, ciertamente, pero el estudio de cómo se reparten otros elementos culturales que no son sólo la cerámica, de su gradación, nos hace ver que la unidad cultural no se extendía a todos los órdenes de la vida. Por otra parte, el que ciertos objetos de cerámica se hayan encontrado en una región u otra no prueba que fueron fabricados en ella [9]. Por eso estimo que para señalar las variedades de la vida neolítica peninsular lo mejor es hacer un estudio analítico y cronológico de lo que se encuentra en las distintas regiones, formando conjuntos, partiendo de aquellas en que los contactos con las grandes culturas africanas y mediterráneas son más claros y posibles, y marchando hacia aquellas en que tales contactos se esfuman.

La primera zona que podemos marcar es la del sudeste de España, cuyo núcleo principal lo forman las provincias de Almería y Granada, exploradas bastante bien desde hace mucho.

El Neolítico en el sur de la Península

Uno de los lugares más interesantes con objetos neolíticos de esta zona era la cueva de los Murciélagos, situada en el término de Albuñol (Granada). Dentro de ella, y en la parte más próxima a la entrada, como en lugar privilegiado, los que penetraron allí en 1857 toparon con tres cadáveres, uno de los cuales ceñía una diadema de oro toscamente hecha. Más adentro aparecieron otros tres, uno de los cuales tenía al lado un gorro de esparto con manchas de sangre. Todavía más al interior se vieron doce más colocados en semicírculo en torno al de una mujer vestida con túnica de piel abierta por el costado izquierdo y sujeta mediante correas enlazadas. De su cuello pendía un collar de anillas de esparto con ca-

---

[9] Thurnwald, op. cit., p. 66.

racolas de mar colgando de cada anilla, a excepción de la central, bastante mayor, y de la que pendía un colmillo de jabalí. Sus orejas debían estar adornadas de zarcillos de piedra negra. La generalidad de los cadáveres que la rodeaban estaban vestidos de túnicas cortas de esparto, finísima en el hombre de la diadema, más toscas en los restantes, que, además, llevaban gorros de la misma sustancia, ofreciendo forma semiesférica o cónica. El calzado era de esparto muy bien labrado, y junto a ellos se veían armas de piedra tales como hachas pulimentadas, cuchillos tallados en piedra y hueso y puntas unidas a palos mediante un fuerte betún o guardadas en bolsas, vasijas de barro y cucharas de madera con el cazo ancho y el mango corto con agujero para colgar. Más al fondo aún, se hallaron otros cincuenta cadáveres con una especie de cotas, también de esparto. Los tres situados en el segundo lugar tenían cerca de sí, cada uno, un gran cesto o bolsón de esparto, de seis a quince pulgadas, llenos dos de ellos de una sustancia negra y terrosa y varios cestillos con mechones de cabello o flores y semillas de adormidera [10]. Sin duda, se trataba del sepulcro de un jefe poderoso, al que se rodeó de sus familiares y sirvientes para que siguiera «viviendo» normalmente en su nueva condición. Cuevas usadas como sepulcro o habitadas en época aproximada se encuentran en bastantes partes de España, de suerte que hace tiempo se pretendió establecer la existencia de una «cultura de las cuevas», teniendo en cuenta su repartición y el hecho de que en ellas se hallaba un tipo de cerámica, que es el que Santa-Olalla llama «hispanomauritano» [11]. Pero lo cierto es que no hay modo de marcar de forma

[10] M. de Góngora, *Antigüedades prehistóricas de Andalucía* (Madrid, 1869), pp. 23-36.
[11] Op. cit., p. 151. Pérez de Barradas, «La cueva de los Murciélagos y la Arqueología de Canarias», en *Archivo español de Arqueología*, 40 (1940), pp. 60-66, ha señalado una interesante relación entre la civilización canaria y la almeriense.

definida la extensión de tal «cultura», pues en Andalucía mismo casi sincrónicamente aparecen vestigios de gentes que sabían explotar el mineral de cobre, que habitaban en aldeas construidas en alto, con casas de piedra rectangulares, fortificaciones y conducciones de agua, y dedicadas a un comercio activo con Africa al final del Neolítico, como lo indican los objetos de marfil, el ámbar, los vasos de mármol y alabastro, los huevos de avestruz, etc., que poseían. Los hermanos Siret descubrieron y exploraron semejantes poblados, en los que, por encima de todo, se nota una influencia mayor, a medida que pasa el tiempo, del Egipto faraónico [12], influencia a la que al comenzar la Edad del Bronce se agrega la de otros pueblos del Oriente mediterráneo, acaso insulares [13]. Si tenemos en cuenta que las relaciones con Africa, y en particular con Egipto, tenían lugar por vía marítima, nada nos ha de chocar que del año 2000 al 1700 a. de J.C. otros pueblos marineros alcanzaran las costas del Mediodía. La semejanza de los grandes sepulcros de cúpula españoles y de otros países de Occidente con los del Mediterráneo oriental ha hecho pensar al eminente arqueólogo inglés Gordon Childe que su expansión se debe a inmigrantes poseedores de nuevas concepciones religiosas, frente a los que seguían enterrando en cuevas, etc. [14]. Ello es muy posible, pero la existencia de tales sepulcros se presta a otros comentarios interesantes desde los puntos de vista sociológico y económico. Señalemos, en primer lugar, que es en las provincias de Almería, Málaga y Sevilla, así como en la región portuguesa del Algarve, y más al Norte esporádicamente, donde se encuen-

[12] *Las primeras edades del metal en el sudeste de España* (Barcelona, 1890), con un atlas magnífico. Al mismo conjunto hay que referir la monografía de F. de Motos, *La edad neolítica en Vélez-Blanco* (Madrid, 1918).
[13] Pericot, *Historia de España*, I, pp. 110-198.
[14] Véase la reseña de su libro *Prehistoric Communities of the British Isles* (Londres, 1940), en *Ampurias*, VI (1944), p. 352 especialmente.

tran ejemplares de los sepulcros llamados de cúpula, consistentes en una larga galería que termina en una cámara de planta circular con bóveda cónica, o falsa cúpula, cerrada, por lo común, con una gran losa. Ejemplares importantes entre los de este género son los que se hallan en Alcalar, en el Algarve; Castilleja de Guzmán (Cueva de la Pastora) y Valencina del Alcor (de Matarrubilla), en la provincia de Sevilla;

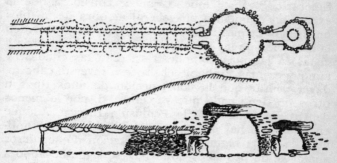

Fig. 9. Planta y sección de la *Cueva del Romeral* (Antequera, Málaga).

el del Romeral, en Antequera (fig. 9) y los de los Millares y Almizaraque, en Almería. El más grandioso es el antequerano, de 25,05 metros de longitud, con una cámara de 5,20 metros de diámetro. Hay que señalar en la misma localidad la existencia de otro enorme sepulcro de 27 metros de largo, hecho de grandes bloques de piedra y sin recinto final con cúpula, que se llama la «Cueva de Menga». Para dar impresión del esfuerzo que supuso su construcción, bastará decir que la piedra más grande de que consta debe pesar unas 170 toneladas [15].

[15] Obermaier y García Bellido, op. cit., p. 177; Pericot, op cit., p. 189, mapa de repartición. Monografías importantes son las de Obermaier, *El dolmen de Matarrubilla (Sevilla)* (Madrid, 1919), pp. 1-42 (datos generales) y «El dolmen de Soto, Trigueros (Huelva», en *Boletín de la sociedad española de excursiones*, XXXII (1924), pp. 1-31.

La estructura de los sepulcros de cúpula y de corredor hispánicos es parecida a la de otros que se hallan desde Creta (minoico primitivo) a la Gran Bretaña, y se ha supuesto, como he dicho, que fueron construidos por gentes llegadas por vía marítima y que marcharon del Este hacia el Oeste y luego al Norte, enseñando a las poblaciones antes establecidas una nueva religión o, por lo menos, nuevos ritos funerarios [16]. Hace mucho que se considera que la expansión dolménica en general es obra de pueblos marítimos primordialmente. Pero hoy no se cree en la evolución de las formas más sencillas (de galería y cistas) a las más complicadas, como las citadas: y aunque es más probable el proceso inverso, cabe todavía pensar que la construcción de unos tipos u otros no tiene nada que ver entre sí, por lo menos dentro del ámbito de la Península Ibérica. Aunque en Andalucía hay cistas sencillas de época muy antigua, en otras regiones la construcción de sepulcros análogos, de pequeños dólmenes, se sigue llevando a cabo muy tardíamente y por pueblos de origen diverso. Los hechos de decadencia y regresión en la técnica y el arte son de importancia considerable en todos los pueblos [17], y los de adaptación de una forma cultural complicada, que requiere una sociedad igualmente complicada, a ambientes más sencillos están relacionados de modo estrecho con ellos. Pero volviendo a los sepulcros de corredor, y dejando a un lado su significación religiosa, no hay más remedio que reconocer que los que los elevaron tenían que estar organizados dentro de un Estado propiamente

[16] Además del libro citado en la nota 14 de este capítulo, el de C. Hawkes, *The prehistoric foundations of Europe to the Mycenean Age* (Londres, 1940), reseñado también en *Ampurias*, VI (1944), pp. 361-362 especialmente. Sobre los monumentos megalíticos es hoy fundamental la gran monografía de G. y V. Leisner, *Die Megalithgräber der Iberischen Halbinsel* (Berlín, 1943), 2 vols., reseñada asimismo en el citado número de *Ampurias*, pp. 364-375.
[17] Thurnwald, op. cit., pp. 78-79.

dicho. Las personas enterradas dentro eran, sin duda, jefes (y familiares de éstos), con poderes mucho más concretos y definidos que los que pudiera tener uno cualquiera de épocas anteriores, en sociedades de recolectores o cultivadores primitivos, o cazadores más o menos nómadas. La sociedad que regían, con sus labriegos, pastores y ganaderos, alfareros, albañiles e incluso metalúrgicos, tenía que estar por fuerza estratificada. La reunión de diferentes grupos étnicos que poseen un conjunto de conocimientos particulares en cuestiones técnicas contribuye de modo poderoso al progreso de la industria [18], y ésta se dio en el sur de España probablemente; aunque no todos los que vivían allí en un momento dado fueran, desde los puntos de vista antropológico y lingüístico, parientes próximos, hubieron de someterse a un poder nuevo que borra con frecuencia las diferencias somáticas e idiomáticas: el del Estado. Es posible —dice Thurnwald— que varios grupos étnicos establecidos en lugares próximos entre sí y que ostenten distintos rasgos culturales se sirvan durante mucho tiempo de útiles y aperos diferentes y observen distinciones de rango, aunque, desde el punto de vista político, se hallen bajo la autoridad de un mismo jefe. Este —añade— es un punto de vista que no hay que despreciar al estudiar las estaciones prehistóricas [19] y que encaja como anillo al dedo al objeto de estas líneas.

Inducciones sociológicas que se basan en el examen del material arqueológico meridional

Los etnólogos historicoculturales consideraban que las grandes tumbas, las construcciones funerarias pétreas, nacen de un esfuerzo colectivo y de una so-

[18] Thurnwald, op. cit., p. 64.
[19] Thurnwald, op. cit., p. 53.

ciedad estratificada, obra en general de pueblos que han alcanzado una cultura compleja, originada por la fusión de un «ciclo secundario», llamado «totémico matriarcal», con otro de pastores y agricultores y

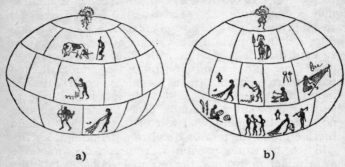

a)   b)

Figs. 10 a) y b). Esquemas sociológicos de Thurnwald.

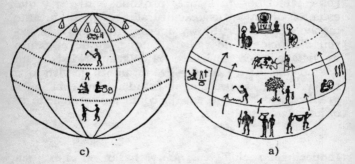

c)   a)

Figs. 10, c) y 11 a). Esquemas sociológicos de Trurnwald.

otro, más oscuro y problemático aún, de «pastores totémicos», y precisamente ponen al egipcio y a otros del Asia anterior entre ellos [20]. Es evidente que los rasgos de cultura semejante han sido traídos a Es-

[20] Barandiarán, op. cit., pp. 195-196.

paña ya «elaborados» del Oriente mediterráneo. Pero, por desgracia, su existencia no nos da derecho a pensar que estuvieran asociados de modo seguro con otros muy concretos, como lo establece la escuela de los ciclos de cultura. Hay que tener presente que, partiendo de un tipo de economía análogo al de la Edad del Bronce meridional, el número de posibilidades en la variación del régimen de vida debidas a los distintos rasgos culturales heredados, o a los que se van adquiriendo, o a un impulso interno que siempre hay en las sociedades y que de ningún modo tiene la misma dirección constantemente, son numerosas. Cada conquista técnica y material abre al hombre una serie de horizontes sociales distintos: la

b)   c)

Figs. 11, b) y c). Esquemas sociológicos de Thurnwald.

precisión un tanto esquemática de las construcciones de etnólogos católicos como Graebner y Schmidt es engañosa, como la de ciertos marxistas; su aire de «proceso químico», comprobado experimentalmente, no pasa de ser una ficción, aunque provechosa y genial si se quiere. Thurnwald, desde un punto de vista funcional, ha matizado más que los historicoculturales, indicando varias evoluciones que puede sufrir un grupo humano de cierta complejidad, como éstos de que nos ocupamos, es decir, un grupo que haya heredado el fructífero contacto entre pastores y agricultores. Quiero dar un resumen de sus puntos de vista, que considero muy útiles para la comprensión ulterior de la historia de las distintas zonas de la Península. Examinemos el esquema o diagrama *a)* de la figura 10, en que se expresa la asociación, en una gran comunidad estratificada, de pueblos pastores y agricultores. Los matrimonios se verifican en cada estrato horizontal compuesto de diferentes clanes. El primero es el de los pastores: el gran hechicero que produce la lluvia es el personaje principal, como ocurre entre los bakitara (este de Africa). El esquema *b)* de la misma figura representa una asociación estrictamente estratificada de agricultores y artesanos con pescadores y cazadores como los de Borneo, Micronesia y Polinesia. A veces se establecen grandes dominios y las familias de pastores rivales reúnen bajo su mando a una cantidad de agricultores, artesanos, prisioneros, etc., de suerte que predomina una organización vertical, como se dice ahora: la estratificación horizontal indica la existencia paralela de otras familias (esquema *c*); esto ocurre, en cierto modo, en Marruecos. Pero puede ocurrir también que una comunidad de pastores, agricultores y cazadores llegue a desembocar en organizaciones despóticas. Los dominios familiares rivales expresados en el esquema anterior se suprimen o los une una dinastía única hereditaria apoyada por otras familias aristocráticas, de las que salen los grandes funcionarios y sacerdotes. La clase rica queda un poco distanciada, y los agricultores, artesanos, etc., ocupan sus estratos respectivos. Los esclavos, que no pertenecen a clan o tribu alguna, ocupan el rango inferior, cual ocurre entre los banyankole (fig. 11, esquema *c*). Pero a veces estas situaciones expresadas en los dos esquemas anteriores se convierten en verdaderas tiranías, en las que el jefe es un advenedizo que debe rodearse de un grupo de guerreros, y que procura respetar las antiguas clases superiores, aunque la riqueza cuente más que la alcurnia bajo régimen semejante y la artesanía adquiera, junto a la agricultura, mayor estima social (esquema *b*, fig. 11). Los baganda y achanti, así como los viejos imperios de Oriente, fueron gobernados de esta suerte con frecuencia.

Por último, hay un tipo de Estado arcaico con régimen despótico administrado por funcionarios en el que la sociedad está clasificada según la descendencia, la riqueza y el rango oficial. Los labradores y pastores se funden, y la agricultura se perfecciona con el uso del arado, y el progreso técnico en general es considerable. Existe un régimen de impuestos según el cual cada clase paga a la superior lo que le corresponde, que se recoge en almacenes especiales (los que se ven a la izquierda del esquema *c*, fig. 11). El poder central tiene una serie de funcionarios a los que paga y que se encargan de esta recaudación (los sentados a la derecha del mismo esquema). Los esclavos juegan un gran papel en la vida pública y privada. En Abisinia se hallan casos típicos de esta organización que ya era la propia del gran Egipto [21].

El arado y el cultivo de las plantas

Hay vehementes sospechas de que los pueblos del sur de España, al final del Neolítico y sobre todo en la primera Edad del Bronce, llegaron a vivir en un régimen despótico de este tipo, régimen que luego continuó. Sin embargo, la falta de documentos escritos y lo frágil de la mayor parte de los objetos que pueden caracterizar a una sociedad son causa de que todos los estudios positivos que cabe llevar a cabo sobre períodos semejantes sean algo monótonos. Por un método puramente deductivo hay que colocar entonces la introducción del arado y de muchas espe-

[21] Thurnwald, op. cit., pp. 370-375.

cies animales y vegetales en el sur de la Península.

La combinación genial del cultivo de plantas con la domesticación de la vaca parece haberse efectuado en un punto y momento determinado para difundirse después. Y lo más probable es que tuviera lugar en la Edad del Bronce de Mesopotamia, como creía E. Hahn, sea o no cierto el origen religioso que él mismo daba al apero. Sostenía aquel eminente investigador que los antiguos babilónicos eran un pueblo de cultivadores con azada que conocían varios cereales y sobre todo el trigo: su divinidad más importante era la diosa Luna, que regía la vida del universo, y a la que se sacrificaba una vaca sagrada. Para tener en toda ocasión oportuna dispuesto el sacrificio, guardaban muchas vacas en grandes recintos o dehesas en estado de semilibertad, y de aquí poco a poco se fueron convirtiendo en animales domésticos. Hahn derivaba (al parecer con error) el nomadismo pastoril de este hecho y también el cultivo con arado: el arado en principio sería una representación del miembro viril que penetraría en las entrañas de la tierra en determinada fiesta religiosa. El hombre y la vaca sagrada serían los principales agentes [22].

Que el arado es una invención local y no excesivamente antigua parece demostrarlo su difusión parcial en el mundo. Aunque hay autores que defienden la posibilidad de la creación de diferentes tipos de este apero en lugares y tiempos distintos, por obra de la convergencia [23], es fundamental la distinción entre arados derivados de la azada y arados deriva-

[22] «Von der Hacke zum Pflug» (Leipzig, 1914), 114 pp. (Cfr. «Zeitschrift für Ethnologie», XLVII (1915), pp. 379-380; del mismo Hahn, «Die Entstehung der Pflugkultur» en la misma revista, XLVIII (1916-1917), pp. 340-348). Koppers, Graebner y otros hicieron críticas interesantes a sus puntos de vista, que en lo de la localización, al menos, parecen admitidas.

[23] R. U. Sayce, *Primitive Arts and Crafte* (Cambridge, 1933), pp. 114-118.

dos de otros aperos primitivos del tipo de la laya de
que luego hablaremos. Los primeros tipos ya compuestos, de cama-curva, debieron ser los que llegaron
al sur de España más pronto[24] y los que hasta el
presente han tenido representantes, como se verá.
Por otra parte, en la Andalucía actual queda todavía
la costumbre de tener grandes vacadas sin utilizar
desde el punto de vista agrícola, y parece probado
que el toro andaluz de las dehesas y cortijos des-
ciende directamente de especies prehistóricas[25]. No
parece despreciable la hipótesis de que semejante afición a la cría del toro provenga de la época en que
la región que nos ocupa estaba en relaciones estrechas con la cretomicénica, en donde ésta, por razones
no sólo económicas, sino también religiosas, adquirió
un incremento considerable. Con respecto a las especies cultivadas, tampoco se pueden hacer sino deducciones extraídas del conocimiento general.

Según modernas investigaciones, las especies del
trigo hay que dividirlas en los grupos que siguen[26]:

I	II	III
T. *aegilopoides* (silvestre)	T. *dicoccoides* (silvestre)	No hay forma silvestre
T. *monococcum*	T. *dicoccum*	T. *vulgare*
	T. *durum*	T. *compactum, spelta* y *sphaerococcum* (de poca importancia).
Poco importantes	T. *turgidum*	
	T. *polonicum*	
	T. *persicum*	

A estos grupos se les buscan distintos orígenes.
Y de las variedades, la que más pronto pudo conocerse en el sur de España sería el *T. dicoccum*, la

---

[24] Véase el diagrama que publicó Nopcsa en su artículo
«Zur Genese der primitiven Pflugtypen», en *Zeitschrift für
Ethnologie*, LI (1919), pp. 232-242.
[25] E. Hernández Pacheco, *La caverna de la peña de Candamo*, pp. 181-182.
[26] A. A. Watkins, «The origin of cultivated plants», en *Antiquity*, VII (1933), p. 74.

más vieja de las cultivadas, existente en Egipto a partir del «Badariense». Hay que encontrar su origen en el Mediterráneo o en Abisinia, como, en general, a todas las del segundo grupo: el *T. dicoccoides* se halla, en estado silvestre, en un área que va de Palestina al Cáucaso y Persia [27]. Ya veremos cómo el *T. dicoccum* se cultiva aún en España (en Asturias y Vascongadas). Al lado de él los hombres del Mediodía debieron cultivar en el «Eneolítico» y Edad del Bronce el mijo y la cebada.

El origen del *T. vulgare* hay que buscarlo al este de Afghanistán. Pero el estudio de la expansión de éste nos plantea el mismo problema que el de otros rasgos culturales que se expanden durante la Edad del Bronce: el de la existencia de relaciones entre la Península y el resto de la Europa continental.

La religión de los pueblos neolíticos y del comienzo de la Edad del Bronce

Mientras de Almería a Portugal se creaban las sociedades cuyo carácter se ha procurado precisar en las páginas anteriores, en el resto de España los testimonios arqueológicos, análogos muchas veces, pero formando conjuntos distintos, nos autorizan a pensar que existían sociedades de estructura muy diversa. Unas veces tales testimonios reflejan algo que pudiera definirse como producto de la evolución de los pueblos conocidos en épocas anteriores. Otras relaciones estrechas con el Sur y a veces relaciones nuevas, o la llegada, como se ha dicho, de elementos por el Norte. Por eso el marcar áreas culturales a base de la mera expansión del vaso campaniforme o de otros objetos, como han pretendido algunos, es inadecuado. Entre aquellos testimonios arqueológicos que indican cierta secuencia con respecto a lo que

[27] Watkins, op. cit., pp. 74-76.

se hacía en la Península en épocas anteriores se puede colocar en primer término a las pinturas rupestres esquemáticas. Examinando el gran *Corpus* que está formando con las conocidas hasta la fecha el abate Breuil, se puede llegar a admitir que dependen en gran parte de las expresionistas de la zona oriental de que se habló [28], como puede expresar un mapa que indique la repartición de los abrigos rosocos donde se encuentran [29]. Pintadas con rojo de ocre, por lo general, suelen representar con mucha frecuencia hombres y animales, como la cabra montés, el ciervo. La oveja, cánidos y aves, bóvidos, caballos domésticos conducidos por hombres y felinos aparecen menos, aunque los hay. Pero al lado de estas representaciones claras existen otras mucho más enigmáticas que los prehistoriadores suelen interpretar de modo más o menos distinto, considerando que en conjunto tienen un significado religioso y que se relacionan con el culto a los muertos. Creo que hoy día puede afinarse más sobre el tema y marcar las diferencias funcionales que posiblemente tenían con respecto a las de períodos anteriores, así como señalar las diversas épocas a que pertenecen y la individualidad de determinados focos. Aunque Obermaier haya podido recoger en un cuadro esquemas iguales o semejantes en los cantos azilienses y en estas pinturas [30], otros suponen en sí una verdadera revolución en la técnica y en las creencias.

Entre las representaciones pictóricas de seres evidentemente míticos, llaman la atención, sobre todo, varias que encajan muy bien dentro de una sociedad de agricultores primitivos. Parece, en efecto, que el desarrollo de los cultos animistas es entre los cul-

---

[28] *Les peintures rupestres schématiques de la péninsule ibérique,* I (Au Nord du Tage), II (Bassin du Guadiana), III (Sierra Morena) (Lagny, 1933), IV (Sud-Est et Est de l'Espagne) (Lagny, 1935).

[29] Obermaier y García Bellido, op. cit., p. 183.

[30] Obermaier, *El hombre fósil,* pp. 368-369 (lámina xxiv); Breuil, op. cit., IV, p. 139 (fig. 85).

tivadores de la tierra entre quienes alcanza una vigencia mayor en un principio; la idea muy antigua del «cadáver viviente», el culto a antepasados medio animales medio hombres, y otras concepciones oscuras a que se ha hecho referencia, son desplazadas más y más en las sociedades agrícolas por la creencia en demonios de la fecundidad en relación estrecha con espíritus de los muertos; a su vez, demonios y fantasmas suelen ser representados en ocasiones solemnes por máscaras con caracteres varios, pero entre las que hay muchas de aire obsceno. Entre las pinturas de Minateda (Albacete) hay evidentes representaciones de demonios itifálicos de la fecundidad [31], que recuerdan de un lado a los griegos y de otro a los mejicanos antiguos, entre las cuales señaló hace ya mucho Preuss analogías curiosas [32] (fig. 12). Y en

Fig. 12. Demonios itifálicos de Minateda (Albacete), según Breuil.

la Cueva de los Letreros (Vélez Blanco), en el extremo sudeste de la Península, existe una interesantísima que parece representar a uno de aquellos seres míticos que Mannhardt y Frazer estudiaron haciendo larga investigación en los pueblos clásicos, de la Antigüedad en general, y los modernos europeos, y a

[31] Breuil, op. cit., IV, pp. 48 (fig. 17), 49 (fig. 18).
[32] También los egipcios tenían representaciones de éstas: Herodoto, II, 48 las adscribe al culto del Dionysos egipcio.

los que dieron el nombre genérico de «espíritus vegetales» [33]. Se trata de una figura humana en conjunto que, sin embargo, ostenta gran cornamenta y cola (o pene largo). Acaso esta figura no tuviera más que un solo ojo. En las manos lleva dos hoces o segures y de uno de los cuernos surge una flor o un fruto colgante [34] (fig. 13). Es muy probable que en

Fig. 13. Figura de la *Cueva de los Letreros* (Vélez Blanco), según Breuil.

determinadas fechas del año, entre los que pintaron tal figura salieran máscaras de tipo parecido a cumplir ciertos actos, y que otros muchos de los grupos humanos que hicieron estas pinturas adoraran especialmente a un ser que podríamos denominar la «Gran Máscara». La razón que hay para sostener esta hipótesis es la siguiente: Entre los negros dogons, que forman una sociedad de pastores y, fundamental-

[33] J. G. Frazer, *The Golden Bough, Part V. Spirits of the Corn and of the Wild*, 2 vols. (Londres, 1933): hoy día habría que revisar muchos de los puntos de vista allí expuestos.
[34] Breuil, op. cit., IV, p. 12 (fig. 3). En derredor hay indudables representaciones de vegetales: láminas IX, X.

mente, agricultores, con influencias de las viejas culturas mediterráneas, existe un sistema religioso y mitológico que encierra una explicación muy complicada de la vida y del cosmos; dentro de este sistema juegan papel fundamental el culto a las almas y la institución de las máscaras, ambas en relación con los antepasados muertos. Las máscaras salen en determinadas fiestas, efectuando un rito procesional: las hay de mamíferos, aves, reptiles, hombres pertenecientes a la comunidad, extranjeros, y hasta de cosas. Cada máscara se caracteriza por ciertos atributos. Ahora bien; el punto de partida de los largos itinerarios que llevan a cabo suele ser un abrigo rocoso precisamente, en el que se guarda una «gran máscara» y donde los iniciados practican ciertos ritos; y junto a la «gran máscara», pintadas en la roca, hay muchas representaciones esquemáticas de las que sa-

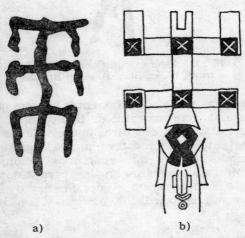

a)   b)

Fig. 14. a) Representación pictórica de una máscara dogon. b) Máscara real, según Griaule.

len en el ritual de «Dama», que es el más importante entre los que llevan a cabo [35].

Es provechoso comparar ahora una máscara dogon real, por ejemplo la llamada *kanaga*, con una representación pictórica de ella (*a*, *b*, fig. 14) [36], pues nos ilustra en cuanto a nuestras pinturas esquemáticas a la par que nos hace desconfiar de la utilidad de ciertos estudios sobre la «evolución» de los temas de éstas. El abate Breuil, por ejemplo, considera que ciertas pinturas de las Moriscas (Helechal, Badajoz) son una evolución extrema de la figura humana (*a*, fig. 15) [37]. Pero si comparamos una de tales pinturas con la que por ejemplo representa la máscara de la gacela «wilu» entre los dogons (*b*, fig. 15) [38], tendre-

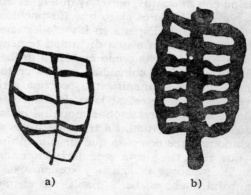

a)   b)

Fig. 15. a) Pintura esquemática española de las Moriscas (Badajoz), según Breuil. b) Representación pictórica de la máscara de la gacela «wilu» hecha por los dogons, según Griaule.

[35] M. Griaule, *Masques dogons* (París, 1938), pp. 43-78 (mitos), 230-252 (grandes máscaras), 343-604 (ritual de las máscaras).
[36] Griaule, op. cit., pp. 473 (fig. 111) y 619 (fig. 166).
[37] Breuil, op. cit., II, p. 91 (fig. 30).
[38] Griaule, op. cit., p. 641 (fig. 184).

mos derecho a dudar de la exactitud de ciertos estudios estilísticos. Considero, además, que muchas de las representaciones esquemáticas están en relación con rituales de máscaras, porque, como luego se verá, hasta la época actual han quedado bastantes de ellos y no demasiado diferentes de los dogons desde el punto de vista formal, según he procurado demostrar en otro lado [39].

Entre las pinturas halladas al norte del Tajo, llama poderosamente la atención la de Peña Tu, en Asturias, situada en una roca solitaria y separada por muchos kilómetros de distancia de las demás parecidas, y en ella se ve representado una especie de ídolo que se ha solido relacionar con las placas de pizarra de Portugal, etc. [40]. Idolo y placas podían también estar en relación con máscaras, pero hay que tener en cuenta que, por otro lado, es claro que los pueblos de la mitad meridional de España en las edades eneolítica y del bronce adoraban a una divinidad femenina (la Tierra acaso) y al hacha como emblema probable de otra celeste, en lo cual coincidían con los cretominoicos. Ambos cultos se manifiestan por una serie bastante variada de objetos, al lado de los cuales hay otros de difícil interpretación, aunque no podrían tener otro uso que el ritual. Es triste de todas suertes que cuando no sabemos para qué sirve un objeto tengamos que recurrir a esta caracterización vaga que nos dan las palabras «mágico» y «religioso».

El culto al hacha se halla manifiesto en multitud de objetos minoicos, y sobre todo son conocidas las representaciones de toros con una doble entre los

[39] En mi obra sobre las fiestas y cultos agrarios en España, que no tardará en comenzarse a publicar.
[40] Breuil, op. cit., I, pp. 39-42. Nuevos estudios sobre representaciones de la índole de las estudiadas por Breuil son los de S. Vilaseca, «Los grabados rupestres esquemáticos de la provincia de Tarragona», en *Archivo español de Arqueología*, 52 (1943), pp. 253-271; del mismo, «Las pinturas rupestres naturalistas y esquemáticas de Mas del Llort en Rojals (provincia de Tarragona», en *Archivo*... cit., 57 (1944), pp. 301-324.

dos cuernos, representaciones que se repiten después en algunas partes[41]. En la Península hay representaciones de hachas en objetos rituales que a la par ostentan un carácter antropomorfo, siempre en la zona meridional, donde también se hallaron unos ídolos cilíndricos que parecen ser figuraciones de una divinidad femenina en estrecha relación con los muertos (puesto que cilindros semejantes se hallan en los sepulcros de cúpula) que bien pudiera ser la Tierra. En Portugal los ídolos ostentan una modalidad distinta: son placas de pizarra con adornos geométricos rectangulares en las que los rasgos humanos desaparecen casi en absoluto[42].

Rasgos sociales y económicos de otras zonas

Pero, fuera de estos focos antiguos de civilización y comercio, ¿qué ocurría en España? Gentes que vivían en cuevas sabemos que existían desde el Sur hasta la Navarra meridional: hay derecho a pensar que su organización social y económica era mucho más sencilla que la de los habitantes del Sur.

[41] G. Glotz, *La civilización egea*, traducción de Pericot (Barcelona, 1926), pp. 296-303; Frobenius, en *Kulturgeschichte Afrikas* (Viena, 1933), pp. 135-141, hizo algunas observaciones sobre el significado y repartición de las cabezas que sería curioso ampliar.

[42] L. Siret, «Religions néolithiques de l'Ibérie» (extr. de la *Revue préhistorique*, III, 7-8 (1908), 79 pp.), reunió un material importante con comentarios sugestivos, aunque no seguros. Amplias referencias en Pericot, op. cit., pp. 198-239 (Edad del Bronce): breves en Martínez Santa-Olalla, op. cit., pp. 152-154. Proceden de ellas las de B. Sáez Martín, «Nuevos precedentes chipriotas de los ídolos placas de la cultura iberosahariana», en *Actas y Memorias de la Sociedad Española de Antropología*, XIX (1944), pp. 134-136. Para detalles concretos puede verse también J. de M. Carriazo, «La escultura tartesia. Nuevos cilindros grabados con estilizaciones humanas del Eneolítico andaluz», en *Archivo español de Arte y Arqueología*, 20 (1931), pp. 97-111 (8 láminas) y la conocida monografía de V. Correia, *El neolítico de Pavia (Alemtejo-Portugal)* (Madrid, 1921).

Resulta muy probable que muchas de las comunidades agrícolas de esta época cultivaran todavía las tierras con azadas y no con arado. Al final de su estudio sobre las pinturas esquemáticas, reúne Breuil todas las representaciones de hombres, empuñando —dice— hachas o azadas [43]: son susceptibles éstas (fig. 16) de comparaciones provechosas en vista de las

Fig. 16. Representaciones de hombres empuñando hachas o azadas en las pinturas esquemáticas (según Breuil).

cuales yo me inclino a pensar que en general más bien representan hachas que azadas [44]. De todas suertes, estas últimas debían de usarse al lado de otros instrumentos del tipo de la laya, con los cuales se explotarían pequeñas parcelas de tierra de redondeados límites. En semejante trabajo debía tomar parte activa y principal la mujer, así como en el de la fa-

[43] Breuil, op. cit., IV, p. 141 (fig. 86).
[44] Véanse, por ejemplo, las pinturas que se han interpretado como hachas enmangadas de la gruta del Pindal, H. Schmidt, *Estudios acerca de los principios de la edad de los metales en España* (Madrid, 1915), p. 41, y la auténticamente enmangada de los Blanquizares que publicó J. Cuadrado Ruiz, «El yacimiento eneolítico de Los Blanquizares de Lébor, en la provincia de Murcia», en *Archivo español de Arte y Arqueología*, 16 (1930), pp. 51-56 (p. 54 especialmente y figuras 6 y 7).

bricación de cacharros, como ocurre hoy día en multitud de pueblos.

Pero el torno de alfarero es desconocido aún durante varios milenios. Según modernas investigaciones, apareció ya por vez primera a fines del siglo v a. de J.C. en Mesopotamia (Uruk-Warka). En el cuarto se ve empleado en la parte sur de aquella región, y en el tercero se corre hacia el Norte, hacia la India (Mohenjo-Daro), al oeste de Asia Menor y Egipto. En el segundo aparece en Creta y Grecia, y sólo en el primer milenio llega al Occidente por conducto de griegos y fenicios. En esta marcha va perfeccionándose: el torno de pie sucede al de mano [45]. Es muy probable que las labores de trenzado y cestería inspiraran a la mujer para fabricar las primeras obras de cerámica, como también después la alfarería debió inspirar a los primeros metalúrgicos, aunque la forja de los metales pudo ser descubierta gracias a incendios casuales o voluntariamente producidos de bosques, etc. Contaban los autores griegos que los Pirineos en tiempos remotos estaban cubiertos de selvas espesísimas y que unos pastores les prendieron fuego (para obtener nuevos pastos, práctica muy usual aun hoy día, como se verá), de suerte que, ardiendo durante muchos días, se puso la tierra de tal manera caliente que corrió gran cantidad de plata fundida y se formaron torrentes [46]. Luego los fenicios hicieron conocer el valor de este metal a los indígenas.

La importancia de la mujer debía de ser grande en la Edad del Bronce de Occidente. Pero no se puede

[45] Adolf Rieth y Günther Groschopf, *Die Entwicklung der Töpferscheibe* (Leipzig, 1939), IV + 117 pp. (Cfr. *Anthropos*, XXXV-XXXVI (1940, 1941), pp. 392-393. Con una fase muy primitiva de la construcción de cacharros está relacionado el problema de la cerámica cardial planteado por J. San Valero, «Notas para el estudio de la cerámica cardial de la cueva de la Sarsa (Valencia)», en *Actas y memorias de la Sociedad Española de Antropología*, XVIII (1942), pp. 87-126.
[46] Diodoro, V, 35.

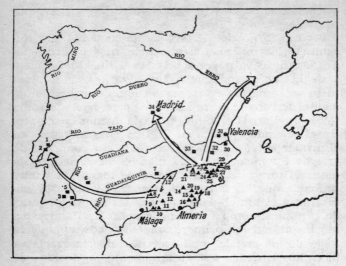

Fig. 17. España en la Edad del Bronce: área de la cultura del Argar y sus influencias, según Arribas.

1. Almonda.	18. El Oficio.
2. Vilanova de San Pedro.	19. Campos.
3. Santa María de Lobelhe.	20. Fuente Alamo.
4. Castro Marim.	21. Puebla de Don Fadrique.
5. Alcaria de Pocinho.	22. Cehegín.
6. Almonaster.	23. Cañaderosa.
7. Linares.	24. Archena.
8. Montefrío.	25. La Bastida de Totana.
9. Lenteji.	26. San Antonio de Orihuela.
10. La Herradura.	27. Callosa de Segura.
11. Monachil (Cerro de la Encina).	28. Mola Alta de Serelles.
	29. Mas de Menente.
12. Guadix.	30. Torrente.
13. Quesada.	31. Losa del Obispo.
14. Baza.	32. Montealegre del Castillo.
15. Fuente Vermeja.	33. Tiriez.
16. Lugarico Viejo.	34. Villaverde Bajo.
17. Argar.	

afirmar, como lo ha hecho un arqueólogo, que todos los elementos culturales «iberosaharianos» que dominan durante el Neolítico y la primera parte de él estén matemáticamente relacionados con una organización matriarcal. Pudo existir una forma de derecho materno entre los cultivadores del Neolítico, en lo que se refiere a la consideración de los lazos familiares sobre todo. Pero no parece posible que las sociedades mixtas de pastores y agricultores de la Edad del Bronce lo aceptaran sin más. Cabe sostener, por las razones que luego se darán, que donde el derecho materno y las instituciones matriarcales perduraron fue en todo el norte y noroeste de la Península, donde quedan también vestigios menos concretos de poblados, etc.

En algunas localidades de Galicia se ha sospechado que existieron palafitos, es decir, casas construidas sobre pilotes, en lagos y charcas o en seco. No es seguro que esto sea cierto; dado que la zona septentrional es país húmedo y de vegetación espesa, es explicable que no haya vestigios seguros de estas y otras habitaciones, construidas sobre todo de materias vegetales, que debieron existir con seguridad y cuya tradición técnica ha perdurado hasta el presente, como lo prueban los hórreos de que se hablará luego, y las grandes «pallazas» de los montes del Cebrero de planta circular o redondeada. Un tipo de construcciones relacionadas morfológicamente con hórreos y palafitos, que existen hoy día en Galicia, los «cabazos», pueden tener ya su origen en culturas de pueblos estrictamente recolectores. Es muy significativo que construcciones parecidísimas a ellos, hechas de ramaje y de planta circular, se encuentren entre recolectores de bellota como los pomo, maidú y miwok, de California, cuya economía descansa, ante todo, en la acumulación de grandes cantidades de este producto natural alimenticio [47], que sabemos también

[47] F. Krause, *Die Kultur der Kalifornisches Indianer in*

que era una de las bases de la vida de cántabros, astures y otros pueblos prerromanos peninsulares de los más arcaizantes [48]. Como quiera que en el período anterior al Neolítico, en área análoga a la que ocupaban estos pueblos, vivieron otros que eran sólo recolectores, como los del «Asturiense», etc., podemos sostener que de ellos heredaron ya éste y otros rasgos perdurables, rasgos que han alcanzado nuestros días, ya que una base de la vida económica de los aldeanos españoles ha sido la bellota hasta el momento no muy lejano en que el roble y la encina fueron atacados por una gran enfermedad que en vastas extensiones hizo clarear y aun desaparecer viejos bosques [49]. En cuanto a los palafitos, los hórreos propiamente dichos y las grandes casas comunes de planta rectangular, hay que notar que se hallan en varias partes de Nueva Guinea y Sumatra oriental en relación con instituciones de tipo matriarcal, encontrándose también asociados al derecho materno en América del Norte y del Sur [50]. Esto fue causa de que algunos etnólogos generalizaran hasta el punto de decir que eran construcciones típicas de los «agricultores matriarcales», mientras que las de planta circular, etc., eran más propias de pueblos cazadores y pastores [51]. La generalización es excesiva. En la Edad del Bronce español existían casas de planta redonda habitadas por cultivadores (las de la provincia de Almería, en El Garcel y Tres Cabezos) y coexistiendo casas de planta rectangular. La riqueza de las familias y su estabilidad en una zona fueron sin duda factores que produjeron la mayor o menor reproducción de un tipo u otro. La casa rectangular, en general, supone mayores recursos técnicos que la

---

ihrer Bedeutung für die Ethnologie und die nordamerikanische Völkerkunder (Leipzig, 1921).

[48] Se aludirá a esto más adelante.
[49] Esto ya lo indicó Joaquín Costa.
[50] Thurnwald, op. cit., p. 53.
[51] Véase la obra citada en la nota 4 de este mismo capítulo.

simple choza circular: en este sentido es únicamente en el que se puede admitir una mayor frecuencia de casas rectangulares y de tamaño en una sociedad de agricultores sedentarios, destinadas a diversos usos. En la Antigüedad semejantes tipos de construcciones perduraron en uso en multitud de pueblos de vida muy compleja, pero especialmente donde la madera era abundante. Del Neolítico suizo se conocen hasta 289 estaciones palafíticas y 95 correspondientes a la Edad del Bronce [52]. Posteriormente fueron los pueblos tracoilirios los que siguieron construyendo con preferencia palafitos lacustres y terrestres, como los que describe Herodoto, de la laguna Prasia, acerca de cuya construcción da curiosos detalles sociológicos que acaso pudieran aplicarse a otros núcleos palafíticos: «en medio de dicha laguna —dice— vense levantados unos andamios o tablados sostenidos sobre unos altos pilares de madera bien trabados entre sí, a los cuales se da paso angosto desde tierra por medio de un solo puente. Antiguamente todos los vecinos ponían en común los pilares y travesaños sobre los que carga el tablado; pero después, para irlos reparando, hanse impuesto la ley de que por cada una de las mujeres que tome un habitante (y cada uno se casa con muchas mujeres) ponga allí tres maderos, que acostumbraban acarrear desde el monte llamado Orbelo. Viven, pues, en la laguna, teniendo cada cual levantada su choza encima del tablado donde moran de asiento...» [53]. Hoy día, en la cuenca del Save (Yugoslavia) hay aldeas palafíticas en terrenos que anualmente se inundan, y en la Península Ibérica existen algunas en las costas de Portugal. Las chozas circulares y cabañas de planta rectangular, de sustancias vegetales, han estado en uso en áreas mayores y en sociedades diferenciadas. En la columna de Marco Aurelio en Roma se reproducen algunas de

[52] Obermaier y García Bellido, op. cit., pp. 169-171.
[53] V. 16.

las usadas por los germanos, que pueden darnos idea de un tipo de vivienda muy común en la época de que estamos hablando en toda Europa, y que hoy día emplean pastores y pescadores de diversas regiones [54]. Paralelamente, gran cantidad de granjas de planta rectangular y tejado a dos vertientes que se encuentran en un territorio comprendido entre la Alemania oriental y las costas del Atlántico europeo puede decirse que son descendientes de las mansiones que ya en el Neolítico hubieron de construir los agricultores primitivos, y este tipo, perfeccionado en las Edades del Bronce y del Hierro, alcanzó una pequeña parte del norte de España por lo menos, aunque en otras la piedra y el adobe pronto fueron de uso muy común para levantar los muros [55]. No podemos extendernos en detalles acerca de determinadas construcciones de tipo urbano que, sin duda, debieron de existir también en unas u otras zonas de la Península.

Casas especiales para que en ellas tengan lugar las reuniones de los ancianos que llevan las riendas del poder, son conocidas entre muchos pueblos actuales: a veces también estas reuniones se celebran en lugares sagrados, señalados por árboles determinados bajo los que tienen lugar sus asambleas [56]. Pero en la Edad del Bronce y acaso antes es muy posible que las asambleas tuvieran lugar en emplazamientos en los que hoy día se han encontrado dos tipos de monumentos megalíticos: los que son conocidos con los artificiosos nombres de «cromlech» y «menhir». En España se han encontrado «cromlechs» muy pe-

---

[54] R. Mielke, «Die angeblich germanischen Rundbauten an der Markussäule in Rom», en *Zeitschrift für Ethnologie*, XLVII (1915), pp. 75-91, las compara con las cabañas del Lacio.

[55] En general, véase el artículo «Haus» de F. Behn en *Reallexikon der Vorgeschichte* de M. Ebert, V (Berlín, 1926), pp. 190-200; del mismo, *Das Haus in Vorrömischer Zeit* (Ma[yenza, 1922), pp. 21-24.

[56] Thurnwald, op. cit., p. 53.

queños en una zona también pequeña del País Vasco, donde son conocidos con los nombres significativos de «Mairu» y «Gentilbaratza», es decir, «huerto de moros» o de «gentiles» [57], y en donde acaso fueron de uso funerario primordialmente, y en Galicia, en las cercanías de La Coruña [58]. Más abundantes son los «menhires», de los que existen ejemplares curiosos en Cataluña, Navarra y Soria, siendo más raros en el Sur [59]. Mucho más abundantes son los «dólmenes», tercer tipo de monumentos «megalíticos» de los que hablan todos los manuales: sepulcros que están en relación no sólo en el Sur, sino también en el Norte, con concepciones especiales acerca de la vida de ultratumba a las que ya se ha hecho referencia.

El estudio de algunos sepulcros megalíticos alemanes ha puesto de relieve la existencia en la pared exterior frontal de ellos de unos orificios, y entre ésta y la piedra que los cubre de un espacio. Se interpreta que se han dejado con la idea de que el muerto, al que se debía considerar como un «cadáver viviente», pudiera tener comida, etc. [60]. Orificios parecidos o de otro tipo se encuentran en los dólmenes del Cáucaso, del sur de España, etc., de los de tipo más elemental. Muchos también tienen orientado el eje mayor de Este a Oeste, con la entrada a Oriente, de suerte que los cadáveres se enterraban en el mismo sentido, lo cual parece tener relación con el culto al Sol, del que hay indicios muy abundantes, que hasta hoy día han perdurado en el pueblo europeo con una rara homogeneidad. Pero de ellos se ha de hablar en páginas posteriores.

La expansión de las galerías y cistas dolménicas

[57] Barandiarán, *Mitología del pueblo vasco*, II (Vitoria, 1928), pp. 69-71.
[58] Pericot, op. cit., p. 120.
[59] Pericot, op. cit., pp. 160, 165.
[60] Hans-Lütjen Janssen, *Die glaubensgeschichtliche Bedeuntung des jungsteinzeitlichen Grabes von Blengow, Kr Wismar* (Mecklenburgo, 1939), 10 pp. (cfr. *Anthropos*, XXXV-XXXVI (1940-1941), pp. 393-394.

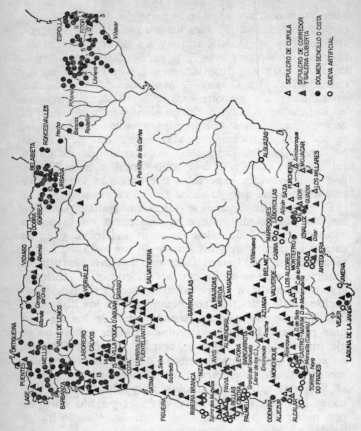

Fig. 18. Dispersión de los sepulcros megalíticos en la Península Ibérica, basado en Pericot y Nieto.

1. Creu d'en Cobertella (Rosas).
2. Com. Solsona.
3. Romanyá de la Selva.
4. Pises Lloses.
5. Com. Vich.
6. Fonelas.
7. S. Vicente de A.
8. Valencia de Alcántara.
9. C. Rodrigo.
10. Aralar.
11. Vilapuiga.
12. Torrent.
13. Arcos de Valdevez.
14. Montealegre.
15. Villa Real.

sencillas es muy irregular en España (fig. 18). Hay zonas en las que la densidad de estas construcciones es enorme, y otras en que es muy débil. Por otro lado, las especulaciones de algunos autores que pretendieron señalar su relación con los sepulcros de corredor, etc., han producido gran desorientación entre los que quisieron explicarse las razones de la abundancia o ausencia de dólmenes en determinadas partes. Hoy día es posible creer —como se ha indicado— que la expansión de una u otra clase de monumentos en territorio peninsular no se debe a una evolución *in situ*, sino que obedece a dos corrientes distintas, aunque relacionadas en un principio. Es posible que la expansión de los dólmenes obedezca a la difusión de determinada idea religiosa, pero resulta difícil admitir que haya sido llevada a cabo por un pueblo determinado, como pretendían algunos arqueólogos. Hay que subrayar que, dado que el esfuerzo y pericia que se necesita para elevarlos es menor que para construir un sepulcro de cúpula, su fabricación pudo ser pronto adoptada por pueblos de estructura social menos compleja que los del Sur.

El «estilo» de las construcciones no depende únicamente del medio, como creen muchos geógrafos. Si así fuera, no cabría explicación al hecho, puesto de relieve por Thurnwald, de que tribus distintas que viven en una misma zona queden obstinadamente adscritas a tipos distintos de vivienda y régimen de la localidad [61]. Con respecto a los dólmenes, cabe afirmar que hubo pueblos que los siguieron construyendo hasta mucho más tarde que otros por razón de su aislamiento. Por eso al estudiarlos hay que observar con cuidado el lugar en que se hallan. Faltan en extensas zonas del interior de la Península y, en cambio, se encuentran en la costa y en los países montañosos de la periferia. Un gran foco es el andaluz, otro el portugués, otro el extremeño salmanti-

---

[61] Thurnwald, op. cit., p. 51.

nozamorano, otro el cantábrico (de Galicia a Asturias, con contados ejemplares en la montaña), y otro el pirenaico, que comprende dos zonas relacionadas entre sí: la vasconavarra y la catalana. La expansión dolménica y la de las pinturas esquemáticas no tienen gran cosa que ver una con otra.

¿Qué relación puede haber entre todos estos focos? Si no contáramos más que con ellos, cabría hacer un estudio evolutivo dentro de España. Pero como resulta que hay dólmenes análogos a éstos desde el Cáucaso hasta el Africa del Norte, en vastas extensiones del Antiguo Continente, es lícito pensar que las conexiones entre unos y otros pueden ser mucho más complejas que lo que a primera vista parece [62]. Obermaier sospechó que los primeros dólmenes eran obra de un pueblo fundamentalmente costero y más antiguos cuanto más sencillos [63] Hoy no cabe sostener esto y, en cambio, es muy probable que muchos de los núcleos de dólmenes pequeños y focos de pinturas correspondan a pueblos llegados a la Península, en la segunda mitad de la Edad del Bronce, de la Europa continental, supieran o no supieran construir dólmenes o hacer pinturas antes de llegar. Esto no ha sido defendido por casi ningún arqueólogo, aun cuando hay sólidas razones para mantenerlo.

Los pueblos llegados a mediados y fines de la Edad del Bronce y el problema ibérico

Hay un foco de pinturas en el que se hallan representaciones claras de carros y trineos o rastras: es el

[62] Entre los dólmenes del Cáucaso occidental y los de Galicia hay coincidencias de detalle, por ejemplo en los signos colocados en ellos: sobre los primeros, véase A. T. Tallgren, «Sur les monuments mégalithiques du Caucase accidental» en *Eurasia Septentrionalis Antiqua*, IX (1934), pp. 1-46.
[63] Obermaier y García Bellido, op. cit., pp. 179-180. Quien señaló las dificultades que ofrecía la teoría simplista de Obermaier fue C. Daryll Forde, «Early Cultures of Atlantic Europe», en *American Anthropologist*, XXXII (1930), pp. 19-100.

de las cerámicas de Almadén. Característicos son los carros y rastras que vemos figurados en Nuestra Señora del Castillo, Los Buitres y Peñalsordo [64]. La importancia de tales representaciones, desde el punto de vista cronológico, es muy grande. Hace ya mucho que Haddon indicó que acaso en un principio el carro fuera propio, fundamentalmente, de los labradores del Mediterráneo antiguo y del Mediodía de Europa [65]. Hoy hay que concretar con respecto a su origen. Los descubrimientos de C. L. Woolley en Ur nos revelan que la rueda maciza se usaba allí en épocas muy remotas, y que hay que poner en la Mesopotamia el origen de su invención [66]. De allí se extendería: las ruedas cambiarían de estructura, y en Europa, a lo largo de la Edad del Bronce, se harían carros de tipos variados (que han sobrevivido hasta el presente). Sobre todo en la segunda mitad de aquélla, las variantes ofrecen mayor interés. La rueda maciza del carro vasco actual de Guipúzcoa, norte de Navarra y parte este de Vizcaya recuerda a las que se han hallado en las excavaciones de Ur, a las de los carros votivos de Mohenjo-daro [67] y a las de las carretas del Cáucaso actual. En cambio, la rueda del oeste de Vizcaya, Alava, etc., se parece a las que hay representadas en vasos griegos del siglo V a. de J.C. y en las pinturas esquemáticas que nos ocupan y a una de Mercurago; las ruedas gallegas, asturianas, leonesas y portuguesas ostentan diferencias que se prestarían a un interesante estudio comparativo, pero ahora me contentaré con señalar que las gallegas de tipo más sencillo son iguales en

[64] Breuil, op. cit., II, láminas V, XIV, XVIII, XIX: además, del mismo, «Le char et le traineau dans l'art rupestre d'Estremadure», en *Tierra Portuguesa*, II (1916), pp. 81-86 (fig. 3).
[65] «The evolution of the cart», en *The study of man* (Londres, 1898), pp. 161-199.
[66] R. Lowie, *Manuel d'Anthropologie culturelle* (París, 1936), p. 177.
[67] Ernest Mackay, *Die Induskultur. Ausgrabungen in Mohenjo-daro und Harappa* (Leipzig, 1938), p. 144, figs. 70-71.

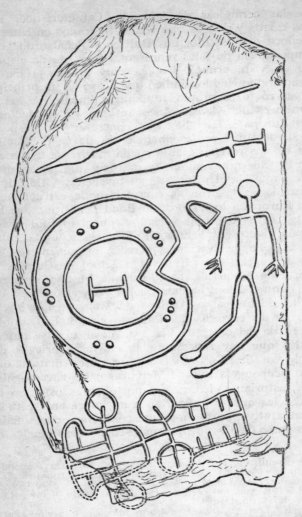

Fig. 19. La estela de Solana de Cabañas (Logrosán, Cáceres),
según Almagro.

su estructura a otra rueda famosa de Mercurago de hacia el 1500 a. de J.C. [68].

Esto nos da coyuntura para expresar la opinión de que representaciones como las de las rocas extremeñas citadas y como la de la losa de Solana de Cabañas, Logrosán (fig. 19), en que se ve a un guerrero con carro, escudo, lanza y espada [69], corresponden al momento más oscuro de la Edad del Bronce español, que es aquel en que las influencias continentales europeas se dejan sentir más que las afromediterráneas. Consideran los arqueólogos modernos que hacia el año 1700 a. de J.C. comienza a declinar la gran cultura de los pueblos del Sur, y que del 1500 al 1200 aquéllos no hicieron sino vivir del pasado, dejando de hacer gran parte de lo que antes hacían: los enormes sepulcros son sustituidos por cistas pequeñas, y las hachas, etc., se hacen conforme a modelos arcaicos. Pero del año 1200 hasta el 650, en que aparecen los celtas (dejando a un lado los procesos de colonización local, costera, de algunos pueblos navegantes), es evidente que existen grandes «influencias» de origen continental [70]. Desde el punto de vista etnológico, es aquélla la época sin duda más atractiva de todas las de la Protohistoria, y a ella corresponden en gran parte los monumentos megalíticos estudiados en último término y, por rara coincidencia también, las primeras noticias escritas sobre nuestro país, ya que hacia el año 1000 fundaron los

---

[68] Haddon, op. cit., p. 183, fig. 28: Dechelette, *Manuel d'Archéologie préhistorique, celtique et gallo-romaine*, II (París, 1924), p. 289.

[69] Pericot, op. cit., p. 238.

[70] Hay que tener en cuenta, sin embargo, que el comercio del bronce entre los pueblos del sur y los de las islas Británicas fue intenso por entonces. Estrabón, III, 5,11 (176), inspirándose en un autor antiguo, pinta a los habitantes de las islas Casitérides (Cornualles) como pastores nómadas. Iban vestidos de mantos negros, con una túnica encima, y se armaban de báculos. El estaño y el plomo de sus minas, así como las pieles de sus ganados, los cambiaban por sal y *objetos de bronce.*

fenicios la ciudad de Gadir (Cádiz) [71], hecho del que hay noticia digna de fe. Pero tales escritos no nos dicen nada seguro acerca del carácter esencial de los pueblos que encontraron los fenicios en sus comerciales empresas, y arqueólogos y filólogos se hallan en la triste situación de construir sus hipótesis fundamentales acerca de los pueblos históricos peninsulares sobre cimientos endebles. No creo, sin embargo, que toda la culpa esté en los datos que manejan: en parte, también la tiene el miedo a abandonar síntesis, llevadas a cabo por algún maestro consagrado, demasiado sencillas, como casi todas las que se hacían hasta hace poco.

Según la opinión comúnmente admitida por los tratadistas de Historia Antigua de España, los ascendientes directos de los iberos históricos eran unos pueblos de origen africano, cuya cultura más característica en la Edad del Bronce sería la de El Argar, es decir, la del período del Bronce arcaizante meridional a que se ha hecho referencia [72]. Estos iberos

[71] Pericot, op. cit., pp. 237, 238, 264, etc., exposición objetiva del punto de vista de Bosch.

[72] Además de la exposición de Hoyos en su discurso citado en la nota 5 del capítulo anterior, es todavía interesante para el estudio antropológico del Neolítico y épocas con él relacionadas de K. Saller, «Die rasen der juengesen Steinzeit in den Mittelmeerlaendern», en *Butlleti de l'Associació Catalana d'Antropología, Etnología i Prehistoria*, IV (1926), pp. 1-36. Es inútil pretender establecer la conexión de la expansión de determinadas formas cerámicas, como el vaso campaniforme, o de determinados objetos de bronce con la de un solo y constante tipo racial. Acerca de los problemas que plantea hoy la difusión de la cerámica citada, véase A. del Castillo, «Cronología de la cultura del vaso campaniforme en la península ibérica», en *Archivo Español de Arqueología*, 53 (1943), pp. 388-435, 54 (1944), pp. 1-67. De un tipo de hallazgo de la Edad del Bronce, característico de la zona septentrional de la meseta, da cuenta Martínez Santa-Olalla, «Escondrijo de la Edad del Bronce atlántico en Huerta de Arriba (Burgos)», en *Actas y Memorias de la Sociedad Española de Antropología...*, XVIII (1942), pp. 126-164. A base de estudios como el de F. López Cuevillas y F. Bouza Brey, «La civilización neo-eneolítica gallega», en *Archivo español de Arte y Arqueología*, 19 (1931), pp. 41-61, cabe señalar, cuando menos, ciertos complejos culturales en áreas determinadas.

primitivos volverían a tener un momento de esplendor y predominio en el siglo III a. de J.C., después de haber vencido a gran porción de pueblos invasores de la Edad del Hierro, como los celtas, y hoy sólo estarían representados por los vascos. Lo cierto es que el análisis histórico cultural está produciendo un desvanecimiento progresivo de esta «etnia» ibérica africana. No existe razón sólida para defender la «africanidad» de la población hispánica más antigua, desde los puntos de vista lingüístico y antropológico, ni desde el punto de vista cultural se puede señalar una dependencia absoluta entre lo argárico y lo «ibérico» de que se nos ha hablado: la dependencia se observa más bien entre la cultura del Neolítico y la Edad del Bronce andaluza y la que llamaremos turdetana o tartesia, claramente diferenciada de la ibera propiamente dicha. Y, por último, la relación entre la lengua ibérica, «común a toda España en un tiempo», y la vasca actual es más problemática de lo que se da a entender. Dejando ahora a un lado por un momento el análisis de los datos arqueológicos, vamos a hacer una pequeña excursión por el campo de la Lingüística.

PROBLEMAS HISTORICO-CULTURALES
Y LINGÜISTICOS RELATIVOS
A LOS PERIODOS NEOLITICO
Y DEL BRONCE

La lengua vasca como instrumento de investigación históricocultural

Al hacer C. C. Uhlenbeck, en un trabajo memorable, la descripción de las características fundamentales de la lengua vasca, se fijaba, para marcar la independencia de ella con respecto a los idiomas indoeuropeos, en los grupos de palabras que siguen: 1) los numerales; 2) los pronombres; 3) los nombres de parentesco; 4) los verbos [1]. Sin embargo, reconoció que entre una y otros había «hermosos puntos de analogía», aunque es verdad, por otra parte, que esta analogía podía hacerse extensiva a otras lenguas mucho más lejanas en el espacio y en el tiempo. La cuestión es determinar cuáles son debidos a un factor psicológico, a la identidad de la mente humana en toda la superficie de la tierra, y cuáles las que se deben a parentescos analizables desde un punto de vista histórico. El problema es, pues, paralelo a los que apasionan a la generalidad de los etnólogos, que quieren buscar las razones concretas de la extra-

[1] «Caractère de la grammaire basque», en *R.I.E.V.*, II (1908), pp. 505-534. También G. Lacombe y R. Lafon, «Indoeuropéen, basque et ibère», en *Germanen und Indo-germanen..., Festschrift für Herman Hirt*, II (Heidelberg, 1936), pp. 109-123.

ña difusión de los hechos culturales, de las creencias, usos y costumbres a través de zonas lejanísimas entre sí. La importancia particular que para nosotros tienen ahora las investigaciones de aquel tipo se apreciará al saber que, posteriormente, el mismo gran lingüista holandés ha defendido que la base fundamental del vasco hay que buscarla en un antiguo dialecto del Pirineo occidental, relacionado con otras lenguas del sur de Europa y con las del Cáucaso en varios aspectos importantes. Tal dialecto se hallaría en relación también con el «ibérico», venido del norte de Africa, lo cual explicaría las semejanzas puestas de relieve por Schuchardt entre el vasco y ciertas lenguas llamadas camíticas: sobre todo los elementos múltiples coincidentes en el vocabulario. Los primeros elementos indogermánicos recibidos serían algunas palabras célticas aisladas, o más bien, según el último pensamiento de Uhlenbeck, de un latín arcaico [2]. Las razones que ofrece para defender esto se hallan en la bibliografía más selecta, como veremos.

Si cogemos cualquier atlas lingüístico, nos encontraremos con que el vasco, rodeado de las lenguas indoeuropeas por todas partes, queda a una distancia considerable, geográficamente, de las africanas, a otra mayor aún de las caucásicas, y a otra históricamente infranqueable de las americanas, con las que ofrece analogías curiosas en los aspectos fundamentales de su estructura. Hay, a primera vista, una radical falta de relación entre la proximidad geográfica y la lingüística, como se expresa en las líneas que siguen, en que se indican los elementos del vasco que mejor pueden ser comparados con los de otras lenguas:

1) Vocabulario: con el indoeuropeo de diversas cepas, el africano y el caucásico.

2) Derivación y composición nominal: con la indoeuropea.

---

[2] «Vorlateinische indogermanische Anklänge im Baskischen», en *Anthropos*, XXXV-XXXVI (1941-1942), pp. 202-207.

3) Declinación: con las africanas del llamado en un tiempo grupo camítico y la caucásica (préstamos evidentes de lenguas indoeuropeas).

4) Flexión: con la caucásica y con ciertas lenguas de América del Norte.

Observando sobre todo el vocabulario vasco de los diccionarios, ha habido también quienes llegaron a sostener que se trata de una lengua romance formada en los comienzos de la Edad Media. Pero los argumentos de quienes tal defienden son forzados. Es muy posible hoy día marcar hasta dónde llega el elemento latino en el idioma vasco sin caer en generalizaciones extremadas, sin forzar las etimologías y teniendo en cuenta la Fonética, la Semántica y la Historia [3].

Que toda especulación basada en el vocabulario sólo prueba poco, es un hecho evidente. Cualquiera que coja una gramática latina y la compare con las del griego, sánscrito, etc., se encuentra con aquel sensacional paralelismo que Bopp fue el primero en poner de relieve de manera clara. Si luego toma entre sus manos una del vasco hallará cosas iguales o paralelas, pero las más, diferentes. Es en lo que se refiere a la derivación de las palabras donde el vascuence no ofrece ningún punto de diferencia fundamental con las lenguas indoeuropeas. Ello lo puso de manifiesto el siempre citado Uhlenbeck en un trabajo detallado en que se recogían los sufijos vascos que sirven para derivar y formar palabras nuevas [4]. Entre éstos hay una porción considerable que son de origen latino, y otros acaso lo tienen céltico. *Por ello, todo lo que podamos investigar en punto a toponimia y onomástica en la España antigua a base del vasco aclara muy poco la cuestión lingüística más*

[3] J. Caro Baroja, *Materiales para una historia de la lengua vasca en su relación con la latina* (Salamanca, 1945).
[4] «Suffixes du basque servant à la dérivation des mots», en *Revista internacional de Estudios Vascos* (R.I.E.V.), III (1909), pp. 1-16, 192-225, 401-430.

profunda. Dejando a un lado este tipo de derivación, encontramos en vasco una forma especial de declinación, bien puesta de relieve por Schuchardt frente a Van Eys y otros lingüistas de la segunda mitad del siglo XIX que hacían demasiado caso de la distinción entre lenguas monosilábicas, aglutinantes y de flexión, que popularizaron manuales como el de Hovelacque, en que el vasco aparecía en el segundo grupo[5]. El vasco, frente al latín, griego, etc., no tiene más que una declinación, que es válida para todos los nombres y pronombres sin distinción de sexo. En el análisis de los sufijos «casuales» encontraron motivo para establecer relaciones entre el vasco y los idiomas de los grupos ugrofinés y urálico algunos autores como Charencey y Von Arndt[6]. Pero consideradas las semejanzas en esto y en el vocabulario[7] como esporádicas por Schuchardt[8], Uhlenbeck[9] y H. Winckler[10], que admitía, sin embargo, una remota relación de préstamos entre el vasco y las lenguas referidas, las actividades en este campo de la especulación científica se dividen entre los que defienden que el vasco está fundamentalmente relacionado con los idiomas caucásicos y, en segundo término, con los camíticos, y los que, invirtiendo el orden, mantienen que la relación primordial hay que buscarla con los camíticos y, secundariamente, con los caucásicos. Parece, sin embargo, que a medida que pasa el tiempo la hipótesis camítica se resquebraja y la

[5] *La linguistique* (París, 1887), pp. 156-172.
[6] Del primero, *La langue basque et les idiomes de l'Oural...*, 2º *fascicule* (Montagne, 1866) pp. 125-131.
[7] R. Goutmann, «Lelo», en *R.I.E.V.*, IV (1910), pp. 305-318; del mismo, «Essai d'un petit vocabulaire basque-finnois», en *R.I.E.V.*, VII (1913), pp. 571-574. Ya antes L. L. Bonaparte había escrito *Langue basque et langues finnoises* (Londres, 1862), en donde pretendía haber reunido 250 ejemplos.
[8] «Finnisch und Baskisch», en *R.I.E.V.*, V (1911), p. 96; «Zu RB, 7, 571 ff.», en *R.I.E.V.*, VIII (1914), pp. 169-170.
[9] «Basque et ouralo-altaïque», en *R.I.E.V.*, VI (1912), páginas 412-414.
[10] «La langue basque et les langues ouralo-altaïques», en *R.I.E.V.*, VIII (1914-1917), pp. 282-323.

caucásica se robustece. Por esta razón vamos a examinar primero las causas de la decadencia de una, para aquilatar después el valor de la otra partiendo de las bases comparativas indicadas un poco antes.

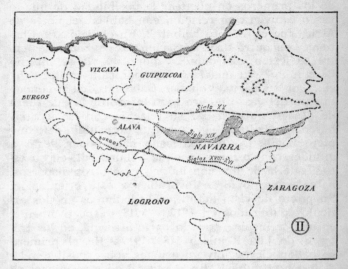

Fig. 20. Límites históricos conocidos de la lengua vasca.

El vasco y las lenguas del norte de Africa

La idea de un parentesco «total» de los antiguos habitantes de la Península Ibérica con los del norte de Africa flota en el ambiente desde hace tiempo y se basa en razones que están al alcance de todo el mundo. Es «lógico» pensar en él. Sin embargo, las pruebas más importantes de tal parentesco no han sido estudiadas hasta nuestros días, en que comienzan a precisarse con claridad. Respecto al aspecto lingüístico de este posible parentesco, hay que considerar, sin embargo, que el más científico de sus examinadores, Hugo Schuchardt, que lo estudió con especial cuidado en los últimos años de su vida tomando a la lengua vasca como base, lo trataba como algo interesante pero inseguro. Recordemos que uno de los primeros en plantear la posibilidad de que el vasco estuviera en relación con hablas del norte de Africa fue el filósofo Leibniz[11]. En el siglo XIX, Charencey encontró unas sensacionales equivalencias entre su léxico y el copto, y por esta vía se internó Giacomino[12] en una larga comparación con el egipcio. Por su parte, Von der Gabelentz, cuyo conocimiento del vasco no era todo lo profundo que fuera de desear, quiso hallar su relación con las lenguas bereberes. Faltaba, sin embargo, un estudio del complejo lingüístico norteafricano para poder llegar a grandes conclusiones, aunque Schuchardt, en su estudio de la declinación ibérica y en otros dispersos, había expuesto ideas favorables a esta orientación. Su punto de vista definitivo lo hallamos en dos artículos publicados en 1912 y 1913, respectivamente, en que se inspira, para la parte africana, en los trabajos de Leo Reinisch (1832-1919). En el primero se hallan ciertas investigaciones sobre posible relación con el nubio[13]. En el segundo, las relaciones se extienden al bereber, al egipcio y al copto, al mismo nubio, a las lenguas semíticas, al alto kuschítico, al bajo kuschítico, nilótico y sudanés medio[14]. Del análisis del vocabulario de tan inmenso conjunto y de su comparación con el vasco sacó hasta 154 palabras de este idioma que podían relacionarse con africanas

[11] Los textos en Vinson, *Essai d'une bibliographie de la langue basque*, II (París, 1898), pp. 711-712 (núm. 1172).
[12] «Delle relazioni tra il basco e l'egizio», en *Archivio glottologico italiano. Supplementi periodici. Serie gen.*, II pp. 15-96 (cfr. Vinson, *Essai...*, cit., II (París, 1893), p. 740.
[13] «Zur methodischen Erforschung der Sprachverwandtschaft (Nubisch und Baskisch)», en *R.I.E.V.*, VI (1912), páginas 267-281.
[14] «Baskisch-Hamitische Wortvergleichungen», en *R.I.E.V.*, (1913), pp. 289-339.

y asiáticas de diverso origen. En punto a analogías de orden gramatical y fonético, señaló la coincidencia del vasco y el nubio en su trato de la *r* y *p* en comienzo de palabra; en la declinación de ambos idiomas también hallaba semejanza: en el plural (vasco, *-k;* nubio, *-ku,* etc.), el genitivo (vasco, *-en;* nubio, etcétera, *-n*) y el dativo (vasco, *-i,* *-k;* nubio, *-ki, -gi*). En punto a sintaxis, algunas supuestas analogías fueron expuestas, asimismo, por Schuchardt, pero hay que recordar ahora, antes de discutir las posibles relaciones de léxico vascoafricanas, que las diferencias en la estructura gramatical entre un grupo de lenguas y la otra han sido puestas de relieve modernamente por Ernest Zyhlars, de tal suerte que el trabajo de Schuchardt, cuando menos, queda muy rebajado en trascendencia[15]. En primer lugar, Zyhlars considera las clasificaciones de Reinisch como anticuadas: lenguas que éste juzgaba camíticas (el nubio, el barea, el ful, etc.) se separan fuertemente de aquella supuesta familia. En segundo lugar, las comparaciones léxicas de Schuchardt adolecen de irregularidades fonéticas, y Zyhlars, en consecuencia, sostiene que las semejanzas son casuales, y para apoyar su posición presenta una lista de voces alemanas que ostentan semejanzas evidentes con las coptas. En lo que se refiere a la flexión, Schuchardt había mantenido que, como es muy difícil pensar en la forma del camita primitivo, no hay modo de ver cuáles serían los sistemas verbales característicos de aquél que pudieran ser comparados con el vasco. Zyhlars sostiene que se puede llegar a reconstruir una conjugación del antiguo camita que nada tiene que ver con la vasca, y niega que en la sintaxis haya las concordancias importantes de que hablaba Schuchardt. La impor-

---

[15] «Zur angeblichen Verwandtschaft des Baskischen mit Afrikanischen Sprachen», en *Prähistoriche Zeitschrift*, XXIII (1932), pp. 69-77; reseña de G. Bähr, «El vasco y el camítico», en *R.I.E.V.*, XXV (1934), pp. 240-244 (cfr. *Anthropos*, XXXVIII (1933), pp. 788-789.

tancia del ataque de Zyhlars es muy grande desde el punto de vista general del «iberismo» lingüístico. Pero desde otro punto de vista, que pudiera ser cultural fundamentalmente, muchos de los paralelismos señalados por Schuchardt son de gran interés.

Suponiendo que todas sus comparaciones arrojaran un resultado positivo, nos encontraríamos con que son mucho más abundantes las que se establecen con determinadas lenguas que las fijadas con otras. El primer lugar habría que concedérselo en este punto al bereber, con más de cuarenta paralelismos léxicos. El segundo, al copto, con una cifra que también alcanzaría la cuarentena. El tercero, al nubio en conjunto. El cuarto, al árabe, que, como el anterior, ofrecería más de treinta. El quinto, al egipcio y al hebreo. El sexto, al bilin y al badauje. En séptimo lugar irían el kunama, el etiópico y el asirio. En octavo, el quara y el chamir. En noveno, el bareo y el saho, cafar, somalí, galla y hausa. En décimo, el kemant y el kafa... Los órdenes de las comparaciones que restan no vale la pena de tenerlos aquí en cuenta. Si examinamos ahora un mapa lingüístico de África, vemos que cuanto más nos acercamos al Mediterráneo, a la zona de las grandes culturas protohistóricas e históricas, hay mayores semejanzas, y que estas semejanzas de léxico encierran a veces conceptos culturales concretos, aunque otras son de índole muy general. He aquí algunos casos interesantes desde el punto de vista etnológico. Es curiosa, en primer término, la comparación del nombre vasco de Dios, registrado en el siglo XII de Jesucristo, *Urcia*, con el de la divinidad suprema de los bereberes en el siglo VI, Gurzil (núm. 1 de la lista de Schuchardt). Pero acaso lo sean más la del nombre del hierro, *burdin*, *burni*, con el fenicio y hebreo *barzal* (26); la del vasco *gari* con el hausa *gero* = = trigo (29); la de la palabra vasca *azal* con la somalí *asal* = corteza (35); *azeri* o *asari*, en vasco zorro, con *bassária* y *basar*, que en libio antiguo y copto servían para designar al mismo animal; *zakur* = perro con el sudanés *sagar* (48 *a*); *a(h)untz* = cabra con el asirio *enzu*, el árabe *'anz*, etc. (52); *ak(h)er* = macho cabrío con el bereber *ankuar, ikerri, iker* (53); *marro* = carnero con el 'afar *mara* (54); *umerri* = = cordero con el asirio *immeru* y el árabe *immar* (55); *be(h)i* = vaca con el tuareg *ta-beggiu-t* (59); *nagusi* = señor en vasco, con el hebreo *nogés* = soberano y el etíope *negus* = rey (87); *(h)iri, uri* = ciudad con el hebreo *'ir* (sumerio *uru, eri*) (89); *berri, barri* = = nuevo con el copto *bere, berre, berri* (124).

Teniendo en cuenta las reservas de Zyhlars, pruebas que se consideraban como decisivas en la cuestión del vascoiberismo quedarían reducidas a poca cosa desde el punto de vista lingüístico, aunque cobrarían marcado interés histórico y cultural. Pongamos por caso, siempre, el de *Illiberris* = ciudad nueva. Si en el hebreo hay *'ir* = ciudad y en sumerio *uru, eri;* si en el copto surge *berri* = nuevo, podemos poner las palabras vascas correspondientes *(iri, uri, berri)* en relación con el complejo cultural mediterráneo en el que florecen los Estados con grandes ciudades, sin pretender probar por ello la existencia de una antigua unidad lingüística. Son interesantes también los paralelismos en los nombres de la cabra, el macho cabrío, el carnero y el cordero. Pero como ocurre que, a veces, nombres análogos se encuentran en otros grupos de lenguas, el problema, que parecía aclararse, se vuelve a oscurecer.

Las coincidencias, que son a veces sorprendentes, entre el léxico vasco y el africano u otros no pueden ser tenidas en cuenta más que desde un punto de vista cultural, y entonces, mejor que seguir teorizando sobre parentescos lingüísticos y creyendo en la unidad que el «substrato» parece revelar, será aplicar a su estudio un método objetivo de tipo etnológico. Varias veces he pensado, en efecto, que en los casos en que se vea identidad de bastantes palabras, para averiguar la conexión entre los idiomas dispersos en que se halla tal identidad sería muy útil emplear como preliminar el método estadístico que ideó hace ya años el antropólogo polaco Czekanowski, y que hoy día se usa con éxito en los Estados Unidos y Alemania para puntualizar el fundamento de varias hipótesis históricas en etnología [16]. Este método, u otro análogo, arrojaría también gran luz en lo que se refiere a las relaciones de los idiomas hispanos con las lenguas indoeuropeas más viejas de Occidente, cuyo estudio pasa ahora por grave crisis teórica.

El vasco y las lenguas caucásicas

La hipótesis de una relación entre el vasco y los idiomas caucásicos, que es acaso la que menos interés ha producido en España, fuera de ella ha tenido defensores que a las observaciones de orden lingüístico y morfológico estricto han añadido ciertos datos antropológicos que podrían apoyar la relación del actual tipo vasco con tipos urálicos y caucásicos. Ya Roland Dixon señaló en el tipo vasco que consideraba más característico un elemento urálico que afirmaba haber tenido gran influencia en Europa durante el Neolítico final y que, combinado con otros, produjo la forma triangular de la cara, peculiar del pueblo euskaldún [17]. Por su parte, G. Montandon, más recientemente, ha insistido en que en lo de la cara triangular y la nariz estrecha y larga hay una rara semejanza entre los vascos y los caucásicos [18] que resulta sugestiva para el lingüista, aunque hay que tener en cuenta que las lenguas y las variedades raciales caucásicas no coinciden del todo.

El problema de las relaciones del vasco con los

[16] «Objektive Kriterien in der Ethnologie», en *Korrespondenz Blatt der Deutschen Gesellschaft für Anthropologie, Ethnologie und Urgeschichte*, XLII (1911), pp. 71-75.

[17] *The Racial History of Man* (Nueva York, 1923), p. 161.

[18] *Le race, les races, mise au point d'Ethnologie somatique* (París, 1933), p. 252; *L'ethnie française* (París, 1935), pp. 125-137.

idiomas caucásicos interesó ya a Hervás y a Humboldt, pero ninguno de los dos poseía datos suficientes acerca de los segundos, que en su época apenas eran conocidos. En el año de 1879, el padre Fita señaló unos paralelos con el georgiano en general [19] y, antes, A. d'Abbadie marcó otros vagamente. Fue Schuchardt el que, usando de nuevas investigaciones, indicó analogías o paralelos más trascendentales [20], y, siguiendo sus sugestiones, o por impulso propio, Trombetti llegó a reunir las pruebas más definitivas de parentesco, labor en la que se ocupó desde comienzos de siglo hasta que, en 1925, dio a la estampa su gran monografía *Le origini della lingua basca* [21]. Otros autores, menos afortunados, se lanzaron simultáneamente a la misma empresa, como H. Winckler [22] (criticado con fuerza por Uhlenbeck [23] y Gavel [24]) y N. Marr, lingüista ruso cuyas teorías generales no consiguieron gran aceptación en Occidente, aunque se le reconoce como gran caucasólogo. Pero, en realidad, es a partir del momento en que Uhlenbeck publicó su estudio positivo (y favorable en parte a Trombetti) sobre las posibilidades de un parentesco del vasco y los idiomas caucásicos [25] cuando muchos especialistas de Italia, Francia y Alemania, etc., acogen la idea como hipótesis de trabajo útil. Así, Adolf Dirr [26], Karl Bouda [27] y otros muchos. Gracias a los

[19] *El Gerundense y la España primitiva* (Madrid, 1879), pp. 70-75.
[20] *Literatur Blatt für Germanische und Romanische Philologie*, XIII (1892), col. 426; véase, también, nota 33.
[21] (Bolonia, 1925), 163 pp., 4ª.
[22] *Das Baskische und der vorderasiatischmitteländische Völker und kulturkreis* (Breslau, 1909), 52 pp.
[23] *R.I.E.V.*, XI (1920), pp. 62-66.
[24] «Le basque et les langues caucasiques», en *R.I.E.V.*, III (1909), p. 520; «Le basque et les langues caucasiques, 2», en *R.I.E.V.*, IV (1910), pp. 121-124.
[25] «De la possibilité d'un parenté entre le basque et les langues caucasiques», en *R.I.E.V.*, XV (1924), pp. 565-588.
[26] *Einführung in das Studium der kaukasischen Sprachen* (Leipzig, 1928), pp. 24-28.
[27] *Beiträge zur kaukasischen und sibirischen Sprachwissenschaft 4. Das Tschuktschische* (Leipzig, 1941), pp. 42-51.

estudios de los investigadores rusos, hoy día poseemos un excelente mapa lingüístico del Cáucaso y una ordenación de materiales que hacen sugestivo el trabajo. Desde época muy antigua es conocida aquella parte de la tierra como lugar en que vivían gentes con gran diversidad idiomática. Estrabón, refiriéndose a Dioscurias, puerto del Mar Negro, dice que en su tiempo constituía el centro comercial de setenta grupos humanos con distintas lenguas, que vivían dispersos y sin relaciones en un ambiente de soledad y fiereza [28]. Esta cifra la elevaban algunos a trescientos. Al hablar de Albania, región situada más al este sobre el Mar Caspio, el mismo geógrafo da cuenta de la existencia de 26 idiomas en su ámbito [29]. Pero el conocimiento exacto de los idiomas caucásicos es conquista de nuestros días. Muchos de los existentes entonces han podido, pues, desaparecer. Con arreglo a las más concienzudas investigaciones, R. Bleichsteiner ha hecho una ordenación de los que hoy existen en tres grandes grupos. El primero, el caucásico del Noroeste, con cuatro idiomas fundamentales; el segundo, caucásico del Nordeste, con cinco subgrupos y 29 idiomas, y, por último, el caucásico meridional, con cuatro, entre los cuales está el georgiano [30]. Las diferencias entre los idiomas son considerables, pero hay autor que llega a afirmar, como Dumezil, que el vasco está muy relacionado con los del grupo del Noroeste sobre todo [31]. Ello parece exagerado. Si se examinan las tablas de las correspondencias de orden gramatical entre el vasco, el «camitosemítico» y el «caucásico», que van al final de la larga monografía

28   XI, 2, 16 (499).
29   XI, 4, 6 (502).
30   «Die kaukasische Sprachgruppe», en *Anthropos*, XXXII (1937), pp. 61-74.
31   *Introduction à la grammaire comparée des langues caucasiennes du Nord* (París, 1933), pp. 123-124. Reflexiones análogas, pero sin pruebas que las justifiquen, en «Langues caucasiennes et basque», del mismo, en *Germanen und Indogermanen*, cit., II, pp. 183-198.

de Trombetti, se encuentran, en efecto, bastantes más hechos sugestivos que los que admitía Uhlenbeck en su trabajo poco antes publicado[32], y aunque parece que el georgiano es el que da más cantidad de analogías, otros idiomas las ofrecen en variable número, siendo de los del Norte el abchásico el que mayores da, según mi cuenta. Es muy difícil en un libro de la índole de éste el extenderse en un análisis de gramática comparada: únicamente diré que en los sufijos que sirven para la derivación del nombre, en la flexión nominal, en los sufijos de caso y en los pronombres personales, así como en los nombres de número, existen analogías (empleándose el sistema vigesimal tanto en georgiano como en vasco), y que el verbo presenta, por último, raras coincidencias de estructura, existiendo la pasividad del transitivo en una lengua y otras, correlación psicológica que Schuchardt puso de relieve en 1896[33]. Ahora bien, ¿qué valor tiene todo esto desde el punto de vista etnológico-histórico? Como Trombetti no estaba guiado más que por su idea fija de probar la «monogénesis del lenguaje», no pretendió acomodar sus observaciones a ningún esquema histórico. Pero nosotros debemos indicar que entre las comparaciones léxicas que constituyen la parte segunda de su siempre citada obra (que alcanzan el número de 355, y en las que las hay con lenguas africanas e indoeuropeas también) existen varias de interés cultural[34]. Es evidente. decía Uhlenbeck, que la palabra vasca *gari* es la misma que la armenia *gari* = cebada, tomada a una lengua caucásica (en ingiloi, *kher;* en georgiano, mingreliano

---

[32] Trombetti, op. cit., pp. 157-159. Las posiciones eclécticas, fundadas en la consideración de hechos semejantes, pueden adolecer de falta de un nervio central, cual se ve que ocurre a P. Fouché, «A propos de l'origine du basque», suplemento a *Emerita*, V (1943), 83 pp.

[33] «Ueber den passiven Character des Transitivs in den kaukasischen Sprachen», en *Stitzungsberichte der Phil. Hist. Classe der Kais. Akad. der Wissenschaften* (Viena, 1896).

[34] Trombetti, op. cit., pp. 108-149.

y otros idiomas, *kheri*). Además, la concordancia del vasco *garagar* = cebada con el tabassárico *gargar* = = avena y el kürinio *gerger* produce mayor sorpresa [35]. Que el nombre vasco *bas(a)* = desierto, bosque, se halle relacionado con el chürkila*waça* y otros análogos, y que haya cierta correspondencia igualmente entre los nombres caucásicos y vascos del día, el fuego, la nuez, la manzana, el abedul, el perro, el asno, la vaca, el macho cabrío y el verraco, la manteca, la medida, la harina, el carro (*gurdi*, en vasco; *warda-n*, *warda*, *uardy-n*, en varias lenguas caucásicas), la ciudad (*yir* = villa, en kandjaga; en varios dialectos turcos, *ili*, *il* o *al* significan pueblo, tribu), el castillo (?) (*kala*), son hechos de una importancia histórico-cultural muy grande [36]. Si el caucásico y el vasco son parientes, la separación no ha podido efectuarse ni antes de la Edad del Bronce ni después de ésta; ya hemos visto que el carro debió de ser introducido en España y generalizado su uso por entonces, y que el tipo de rueda vasca es parecido al de la rueda caucásica. Pero no es posible señalar una conexión de estos hechos con los que revela la Arqueología de una manera segura. La Edad del Bronce es el término *post quem* no hay modo de comprender la génesis del pueblo antecesor del vasco actual. Pero dentro de ella, ¡cuántas posibilidades no se dan!

La suprema caracterización de la lengua vasca

La suprema caracterización de la lengua vasca se encuentra estudiando la estructura del verbo. Aunque parezcan un poco pesadas en un libro de la índole

[35] Uhlenbeck, «De la possibilité...», p. 581.
[36] Se considera que en nombres como «Calagurris» aparece tal palabra que tendría en vasco más bien la acepción de altura a la variante «gara». Sobre otros nombres compuestos de ella, A. Rauzat, «*Cala* dans la toponymie gauloise et espagnole», en *Zeitschrift für Ortsnamenforschung*, II (1926-1927), pp. 216-221.

de éste, quiero hacer varias observaciones sobre ella de tipo vulgarizador, ya que los historiadores han despreciado demasiado toda exploración lingüística. Durante mucho tiempo, en las gramáticas vascas se calcaba de manera imprecisa la teoría de cualquier gramática de un idioma indoeuropeo moderno, latino o germánico, y se pretendía que el verbo vasco se adaptara a tal teoría. Pero, en la segunda mitad del siglo XIX, Federico Müller [37] expuso en líneas generales otra teoría, la pasiva, que luego defendió Stempf [38], siendo adaptada, ampliada y perfeccionada por Schuchardt [39]. Aunque algunos vascólogos distinguidos, como J. Vinson [40], no la aceptaron y en el país muchos la han ignorado, fue, sin embargo, patrocinada por los elementos científicos más jóvenes. Albert Leon [41], Sarohïandy [42], Gavel [43] y otros han aducido nuevas pruebas o ejemplos escogidos que la apoyan. Los defensores de la teoría pasiva demuestran que en vasco no existe un verbo transitivo como el del latín y otras lenguas romances; hay, en cambio, unos verbos intransitivos y otros que, en punto a su relación con su sujeto y complemento, se comportan como el verbo pasivo o romance. La definición del sujeto de las gramáticas elementales, es decir, la de que «es la palabra que designa la persona o cosa

---

[37] *Grundiss der Sprachwissenschaft*, III, 2 (Viena, 1885), pp. 1-47 (p. 18 en especial).
[38] *La langue basque possède-t-elle oui ou non, un verbe transitif* (Burdeos, 1890), 15 págines in 8ª.
[39] «Baskische Studien I. Ueber die Entstehung der Bezugsformen des baskischen zeitworts», en *Denkschriften der kaiserlischen Akademie der Wissenschaften in Wien. phil. hist. Classe*, XLIII, 3 (1893), 82 pp., 4ª; del mismo, «Baskische Konjugation», en *R.I.E.V.*, X (1919), pp. 157-163.
[40] «Les théories nouvelles sur le verbe basque», en *Revue de Linguistique*, XXVII (1894), pp. 95-111.
[41] «Quelques reflexions sur le verbe simple dans la conjugaison basque», en *R.I.E.V.*, V (1911), pp. 472-493 (pp. 489-493 en especial).
[42] «Puntos obscuros de la conjugación vascongada», en *R.I.E.V.*, X (1919), pp. 83-97.
[43] «Quelques observations sur la passivité du verbe basque», en *R.I.E.V.*, XXI (1931), pp. 1-14.

que está en la situación o que efectúa la acción expresada por el verbo», es mala porque no se puede aplicar al verbo pasivo. En realidad, un sujeto es —como dice Gavel— una palabra, bien sea nombre, pronombre o locución sustanciada que, expresada o sobreentendida, tiene especiales relaciones con la forma verbal y ejerce sobre ella una influencia preponderante [44].

Dejando a un lado los verbos intransitivos, pongamos unos ejemplos en que se vea la pasividad bien clara. Los tomaremos también de Gavel, adaptándolos al castellano. Sean éstos los siguientes: «El herrero ha vendido el caballo» y «El herrero ha vendido los caballos». En vasco, la traducción es: *Arotzak zaldia saldu du* y *Arotzak zaldiak saldu ditu*. Resulta claro que en las frases españolas el sujeto no es ni «caballo» ni «caballos», puesto que ninguna de las dos palabras modifican la forma verbal «ha vendido», sino «herrero», que en ambas frases mantiene el verbo en la tercera persona del singular en concordancia con ella: de donde resulta que «vender», en castellano, es verbo transitivo, puesto que tiene por sujeto a la palabra que expresa el autor de la acción y no a la que expresa la persona o cosa que la experimenta. Pero si ahora hacemos examen paralelo de las frases vascas encontramos que las palabras que ejercen influencia preponderante sobre la forma verbal son *zaldia* = el caballo o *zaldiak* = los caballos, y no *arotzak* = herrero (agente), ya que en la segunda frase el verbo ha tomado la forma *ditu*, que expresa pluralidad, para estar acorde con *zaldiak* = los caballos. Los verdaderos sujetos son, pues, *zaldia* y *zaldiak*, que están en nominativo, mientras que *arotza* tiene la *k* del activo, de otro caso de la declinación que en castellano puede interpretarse como equivalente a un complemento de agente precedido de la preposición *por*. Así, *Arotzak zaldiak saldu ditu* ten-

[44] Gavel, op. cit., pp. 1-2.

dría su traducción literal en la que sigue: «Por el herrero los caballos han sido vendidos».

Frente a lo embrollado de las reglas que dan los gramáticos que desconocen esta teoría pasiva, o no la admiten, aquellos que la defienden pueden formular tres reglas de gran simplicidad que definen la real contextura del verbo transitivo.

1) El verbo acuerda en número con su sujeto.

2) El sujeto del verbo se pone en nominativo.

3) El activo expresa siempre un complemento agente [45].

La teoría pasiva explica otros hechos sobre los que no se ha de insistir ahora. Volviendo a nuestros problemas generales, debemos señalar ahora que este carácter pasivo del verbo de acción que se descubre en vasco existe también en lenguas de Norteamérica, de la familia algonkina y de otras varias (atapasca, haida, chimesia, chinuk, cus, pomo, etc.). Un lingüista que es tan buen conocedor del vasco como de ellos ha hecho estudio detallado de tal carácter pasivo [46]. Sin embargo, no ha querido explotar semejante paralelismo y explicarlo por razones históricas, sino que se ha limitado a pensar que se trata de una coincidencia de tipo psicológico. Ahora bien, dentro del campo de la Psicología lingüística ha habido quienes han defendido que hay una evolución interna que permitiría señalar estadios sucesivos, y dentro de esta evolución el carácter pasivo supondría uno más antiguo que el activo en los verbos de acción. Hermann Moller quiso demostrar que la primitiva conjugación indoeuropea fue completamente pasiva antes de alcanzar el activismo, y el mismo Uhlenbeck consideró que existe cierta prioridad general de la pasividad.

Admitido esto, el vasco nos traslada a períodos remotos de la Historia de Europa y todos los présta-

[45] Gavel, op. cit., pp. 3-4.
[46] C. C. Uhlenbeck, «Le caractère passif du verbe transitif ou du verbe d'action dans certaines langues de l'Amérique du Nord», en *R.I.E.V.*, XIII (1922), pp. 399-419.

mos y semejanzas de origen indoeuropeo no son bastantes para negarle su originalidad, aunque ha habido quienes lo han hecho, más bien guiados por espíritu político que por otra causa. Una vez que el problema del parentesco histórico del vasco se plantea en esta forma, ¿hay que pensar que las semejanzas entre él y los idiomas caucásicos se deben a la emigración de un pueblo a través de áreas culturales y lingüísticas distintas, hasta llegar al Occidente, o, por el contrario, es más probable que desde el Cáucaso al Pirineo, en época anterior a la de las grandes expansiones indoeuropeas, existiera cierta gran familia o entronque al que pertenecerían como últimos vestigios adheridos a la tierra conservadora de las montañas?

Parentesco de lenguas y difusión cultural

La opinión más corriente es la segunda. Ya se ha visto cómo Uhlenbeck la sostiene y también la defiende el padre Schmidt en un libro muy discutido que publicó por los años 30 sobre las familias de idiomas y los ciclos lingüísticos de la tierra, en donde establece la existencia de una familia de idiomas jaféticos en la que incluye los siguientes: *a*) cario, lidio, misio, licio, pisidio, licaonio, cilicio y capadocio en sus más primitivos estadios; *b*) etrusco; *c*) idiomas caucásicos; *d*) elamita; *e*) mitanni; *f*) hitita; *g*) vasco; *h*) sumerio [47]. En la clasificación partía del análisis de los idiomas mejor conocidos, como los caucásicos y el vasco precisamente, pero se da cabida en ella a otros cuyo conocimiento era entonces imperfecto y que se han englobado entre los indoeuropeos después. En la manera de relacionar a unos con otros existen variaciones notables entre los que aceptan un esquema análogo y es muy difícil conexio-

[47] *Die Sprachfamilien und Sprachenkreise der Erde* (Heidelberg, 1926), pp. 64-78.

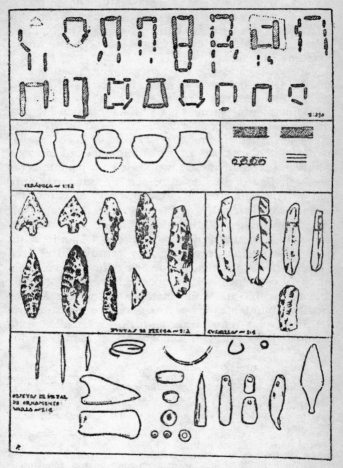

Fig. 21. Cuadro resumen de la cultura pirenaica vasca, según Pericot.

narlo con los datos de la Arqueología, etc. El problema del parentesco de las lenguas estudiado en términos generales y en relación con tiempos tan remotos se presta a los mismos equívocos que el del parentesco de las formas culturales [48] sobre el que ahora conviene insistir.

Hace ya tiempo que los arqueólogos [49], estudiando la expansión dolménica, marcaron en la Edad del Bronce una «cultura pirenaica» (fig. 21). Tenía dos focos fundamentales, uno en Cataluña, otro en las provincias Vascongadas y Navarra [50]. El nexo entre ambos va siendo cada vez más conocido [51]. El foco catalán ofrece ejemplares más ricos de dólmenes que el vasco y hay que señalar que un grupo de galerías cubiertas que se hallan dentro de él ofrece un ajuar más antiguo que bastantes de los dólmenes pequeños o cistas megalíticas, lo cual nos da acaso razones para sostener que todos los pirenaicos son de fecha no tan alta como en un principio se creía. Dejando a un lado el problema arqueológico y estudiando el área de repartición y situación de los dólmenes vasconavarros y catalanes, vemos que no los pudo construir sino un pueblo de tendencias pastoriles. Las sierras medias, abundantes en pastos donde se hallan a granel, impropias para la agricultura, explanadas como las de Urbasa y Encia, son aun ahora puntos en los

[48] Véase, por ejemplo, un artículo de Schuchardt titulado también (como el citado en la nota 13) «Zur methodischen Erforschung der Sprachverwandtschaft», en *R.I.E.V.*, VIII (1914-1917), pp. 389-396.

[49] Bosch-Gimpera, «Los pueblos primitivos de España», en *Revista de Occidente*, III, 26 (1925), p. 178; del mismo, *Etnología de la península ibérica*, pp. 124-142.

[50] Aranzadi, Barandiarán y Eguren exploraron el vasco; Pericot sistematizó lo sabido sobre el catalán y sobre éste en *La civilización megalítica catalana y la cultura pirenaica* (Barcelona, 1925: última aportación del mismo maestro y amigo es «Exploraciones dolménicas en el Ampurdán», en *Ampurias*, V (1943), pp. 5-37.

[51] M. Almagro, «Exploración de los primeros sepulcros megalíticos aragoneses», en *Actas y Memorias de la Sociedad Española de Antropología...*, XIII (1934), pp. 271-279.

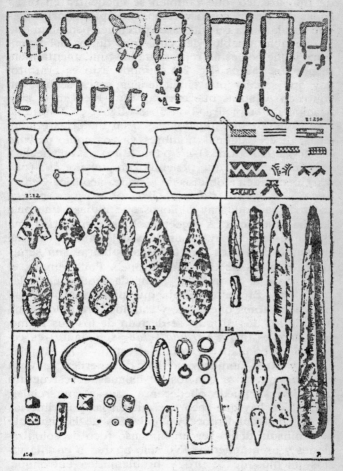

Fig. 22. Cuadro resumen de la cultura pirenaica catalana, según Pericot.

que se ha podido estudiar una organización pastoril de tipo arcaico, que también se encuentra en otras zonas del Norte, como veremos. Los prehistoriadores que señalaron la referida área pirenaica pensaban que la ocupaban pueblos descendientes de los del Paleolítico y que hoy están representados fundamentalmente por los vascos (fig. 22). Aunque esto es gratuito, hay que señalar que en la lengua vasca se han encontrado palabras que encajan muy bien en la civilización de la piedra. Don José Miguel de Barandiarán, el mejor investigador vasco en materias etnológicas, dice: «Algunos nombres vascos como *aizkora* (hacha), *aitzur* (azada), *aizto* (cuchillo), *azkon* (flecha), *zukalaitz* (cincel), que tienen el componente *aitz* (piedra), responden a objetos de la época neolítica y eneolítica o de las anteriores» [52]. Esta observación parece acertada (aunque hay filólogos que indican que pueden hacérsele ciertas objeciones), así como otras muchas que se derivan del análisis del actual vocabulario vasco. Notemos que algunas palabras son semejantes a otras de tipo indoeuropeo. Por ejemplo, el nombre de la plata *zillar* recuerda mucho el inglés *silver*, etc. El vasco refleja que plata y oro fueron conocidos antes que cobre y estaño, porque los nombres de los dos últimos se derivan de los dos primeros: *urre* es oro y *urraida* (*aide*=semejante) es cobre; *zillar* es plata y *zirraida* el estaño [53]. Al estudiar estos y otros nombres no hay que perder de vista que su semejanza con los de lenguas de estructura muy diversa puede obedecer a causas comerciales. Y también hay que recordar que en las postrimerías de la Edad del Bronce y comienzos de la siguiente la Península debió ser un inmenso foco de colonizaciones y asentamientos. No sólo aparecen en ella varios pueblos de oscuro y problemático entronque,

[52] *El hombre primitivo en el país vasco* (San Sebastián, 1934), p. 72.
[53] Barandiarán, op. cit., pp. 77-78.

sino también otros pertenecientes ya a la gran familia indoeuropea, el origen de cuyos movimientos decisivos está todavía envuelto en tinieblas. Hasta hace unos años se englobaba en la designación general de «celtas» a estos indoeuropeos venidos a la Península. Pero hoy día el panorama de los pueblos de lengua «aria» se ha hecho más abigarrado. La hipótesis etnológica tradicionalmente admitida es la expuesta por Diodoro, que dice que habiendo luchado celtas e iberos entre sí por la posesión del territorio ibérico, hicieron la paz y habitaron en común la misma tierra, celebrándose matrimonios mixtos que dieron origen al pueblo celtíbero, de cuyas costumbres hace una descripción general; en hipótesis y descripción se le estima inspirado en las observaciones de Posidonio hacia 160-130 a. de J.C. [54]. Pero si la expresión «celta», desde el punto de vista lingüístico, parece contener algo relativamente claro, a la de «ibero» o «ibérico» no le ocurre lo mismo. Acabamos de ver, en efecto, que el análisis de lo conceptuado lingüísticamente ibérico, de origen africano, da lugar a varios equívocos, que en sustancia son análogos a los que producen los análisis de lo que los arqueólogos conceptúan «pre-ibérico». Resulta provechoso por esta razón, antes de proseguir, el indicar sinópticamente hasta dónde llegan las relaciones con Africa que se han señalado en la totalidad de las páginas anteriores, relaciones que en ningún caso implican el que aquel continente haya sido siempre el que ha influido de modo activo sobre la Península.

a) Según Baumann y otros conocidos africanistas, es evidente la existencia de una antigua cultura bosquimana, relacionada con la de ciertos pueblos cazadores que en un tiempo muy remoto se extendieron por el occidente de Europa y por Africa, dejando allí vestigios incluso a través del Sahara. Dentro de este gran complejo de cazadores habría que

[54] Diodoro, V, 33.

colocar a los pueblos que hicieron las pinturas del Levante español, que tanto se parecen a las de los bosquimanos, los cuales habrían captado la técnica pictórica, así como otros rasgos culturales y lingüísticos (e incluso varios caracteres físicos) de aquellos cazadores que serían de tipo europeo y que vivieron en el Paleolítico superior y en el Mesolítico.

b) Englobando, rodeando a los bosquimanos y a otros pueblos de cultura aún más rudimentaria, como los pigmeos, se hallan las civilizaciones agrícolas de los paleonégridos y negros de la familia lingüística bantu. Los rasgos de estas culturas son parecidos en muchos aspectos a los propios de las del Mediterráneo europeo del período Neolítico. Una cultura agrícola muy semejante a la que podría reflejar un estudio concreto de ciertas áreas prehistóricas hispánicas se halla, por ejemplo, en Angola, parte de Rhodesia, Nyassa y en la costa oriental de Africa, desde el río Rovuma al Zambeze, en la colonia portuguesa de Mozambique.

c) A su vez, estas culturas negras están limitadas por el Norte (dejando aparte el desierto) por las de pastores y agricultores superiores que desde el Neolítico tienen relación con la Península [55].

d) Por último, encontramos en ésta una gran cantidad de rasgos, a partir de la Edad del Bronce, que en vez de ser debidos a grandes relaciones intercontinentales de tipo muy general, se deben a una actividad colonizadora con focos locales, bien sea de pueblos semíticos, bien sea de pueblos mediterráneos de origen vario. La repetición, pues, de unas palabras en lenguas de España y Africa no se ha de considerar más que la realidad de los otros hechos señalados en las páginas anteriores para sentar la verdad de una teoría que nadie se atrevería a defender alegándolos. Dejando ahora los problemas que suscita el es-

---

[55] «Negerafrika und Nordostafrika», en *Die Grosse Völkerkunde*, de Bernatzik, I (Leipzig, 1939), pp. 266-267.

tudio de la lengua vasca y las relaciones de la Península con Africa y con los pueblos no indoeuropeos del Cáucaso, debemos tratar de los que han planteado ciertos investigadores en relación con expansiones de pueblos de la ya citada familia lingüística indoeuropea anteriores a la céltica, que corresponden al comienzo de nuestra Edad del Hierro.

Pero de ello será cuestión de hablar en el capítulo que sigue.

4

LOS PUEBLOS DE HABLA INDOEUROPEA EN LA PENINSULA

Problemas generales

Desde que tuvo lugar el gran descubrimiento de Bopp, la lingüística indoeuropea no ha cesado de perfeccionarse. Pasado el primer período de puro comparativismo, vinieron los neogramáticos, que orientaron sus investigaciones por diferentes vías, y otros autores que estudiaron desde un punto de vista sociológico, etnológico y arqueológico el vocabulario de las grandes lenguas de nuestro continente. No es ahora cuestión de hacer la reseña de obras muy conocidas (siquiera sea de oídas) por el gran público. Sólo, sí, hay que insistir en que desde un punto de vista histórico-cultural el estudio de las relaciones entre las diversas lenguas indoeuropeas y otras que existieron en Europa, de entronque diferente al parecer, pasa hoy día por una grave crisis teórica, sucediéndose las hipótesis y teorías con una rapidez vertiginosa. Excusado es señalar la importancia que para la Historia Antigua de España tiene estudio semejante. Pero sí conviene hacer algunas observaciones sobre diversas maneras de plantearlo, para que el lector no reciba en lo futuro, envuelta con el brillo engañoso de algunos datos concretos, una impresión de seguridad que no hay razón para dar.

Dentro de las lenguas indoeuropeas hay una serie

de elementos (todos los que ya sirvieron de base a los antiguos comparatistas) que se pueden estudiar en conjunto. Pero una vez hecha la enumeración y recuento de ellos, queda fuera otro número de rasgos con difícil explicación y, además, el problema de la relación genética de los rasgos comunes se enfoca de varias suertes. En una palabra, ocurre hoy, en lingüística, algo parecido a lo que acaece en etnología: pasado el período comparativo en que se pusieron de relieve las semejanzas, hay que buscar sus razones y las de las divergencias que se observan junto a ellas; y así como ciertos etnólogos procuran hallar las de los problemas que estudian mediante una investigación histórica y otros sólo por vías funcionales, los lingüistas se ven en la alternativa de buscar aclaraciones en la historia de la lengua y de los que las hablan, o en sus rasgos funcionales, gramaticales y fonéticos. Muchas veces los que toman un **camino** tienen tan poco en cuenta lo que encuentran los que siguen otro, que hay gran desarmonía lógica en los resultados. Por otra parte, el viejo comparatismo no ha sido desterrado del todo y parece que aún tiende a remozarse con nuevas apariencias. Nada hay más desconsolador, sin embargo, que la lectura de muchos de los estudios llevados a cabo sin tener en cuenta la fecha, ni la función de las palabras comparadas, labor de la que los historiadores han procurado beneficiarse sin gran crítica. La repetición de palabras y sufijos, como alguno de los citados en el capítulo anterior, en vastas porciones del territorio europeo, y el hallazgo de elementos oscuros y a la vez análogos en lenguas lejanas entre sí en el espacio y en el tiempo, ha dado lugar, entre otras, a la llamada «teoría del substrato», que puede tener varios desarrollos. Así, por ejemplo, filólogos contemporáneos pretenden que con anterioridad a la gran expansión de las lenguas indoeuropeas, a lo largo del Mediterráneo y sus aledaños, existía cierta unidad lingüística como la que sostenía Schmidt que existía, por otras razones. Para ello se apoyan en el estudio de los elementos que hay en las lenguas clásicas indoeuropeas colindantes que no parecen ser indoeuropeas, como la toponimia, onomástica personal y mitológica, etc., y con todo forman un «corpus» [1]. La teoría del «substrato», que puede ser muy fructífera bien entendida y limitada, se presta, sin embargo, a esquematismos desprovistos de contenido real. La persecución de unas sílabas, desinencias o palabras oscuras a través del espacio y del tiempo, sin contar demasiado con criterios funcionales e históricos, puede ocasionar tantos trastornos teóricos como los que ha causado a la arqueología el determinar la existencia de varias culturas complejas, considerando la aparición o ausencia de un tipo de elementos en determinados niveles de un país y haciendo válido el esquema estratigráfico particular para áreas extensas. En conjunto, hemos de combatir con toda energía la idea de que los residuos de otras lenguas que contenga una actual, incluso en la toponimia, autorizan para que afirmemos que en el área donde hoy se habla dicha lengua, en otra época se hablaban aquéllas. Esto puede ser verdad unas veces; otras, no. Las voces griegas que hay en el vasco labortano o en el castellano de Burgos, o en la toponimia de otra parte cualquiera (por ejemplo, «Balsegas», de «basílicas»), no pueden indicarnos que en tales zonas haya habido núcleos lingüísticos griegos. En suma, combatimos aquí el principio, del que ya se ve libre afortunadamente la etnología moderna, según el cual la comparación de un hecho observado en un país y momento dados, con otros tenidos por semejantes de otros países y momentos, sirve para establecer leyes de relación y homogeneidad de carácter igual siempre y riguroso. Cuando las consecuencias del estudio del «substrato» se quieren apoyar en argumentos arqueo-

[1] La exposición de G. Devoto *Storia della lingua di Roma* (Bolonia, 1940), pp. 36-69, es de las más críticas, desde este punto de vista.

lógicos, se llega a una gran arbitrariedad si no se procede desapasionadamente[2]; y, para proceder sin pasión, a los hallazgos lingüísticos y arqueológicos hemos de someterlos a un examen ceñido en que han de tenerse en cuenta factores sociales y económicos inclusive.

La cuestión ligur

Pero mejor que argumentar, en general, es examinar algunas de las aplicaciones de la teoría del substrato con relación a España.

Correspondiendo al comienzo de nuestra Edad del Hierro, o a fines de la del Bronce, se ha colocado una gran expansión ligur por la Península. Fue defendida la base étnica ligur de varios pueblos hispánicos ya hace mucho por el padre Risco[3] y especialmente por Hervás y Panduro[4]. Este punto de vista lo reforzaron después D'Arbois de Jubainville[5], C. Jul-

[2] Véase, por ejemplo, aparte de otros artículos que luego citaremos, el de V. Pisani, «L'unità culturale indo-mediterranea anteriore all'avvento di semiti e indoeuropei», en *Scritti in onore di Alfredo Trombetti* (Milán, 1938), pp. 199-213; el de C. Battisti, «Ricostruzioni toponomastiche mediterranee» en la misma obra, pp. 313-320; orientados en el mismo sentido hay otros muchos trabajos, entre los que cabe recordar por su interés teórico general: C. Battisti, «L'etrusco e le altre lingue preindoeuropee d'Italia», en *Studi etruschi*, VIII (1934), pp. 179-196; E. Lewy, «Sprachgeographische probleme des Mediterranen Gebietes», *íd., íd.*, pp. 171-178; G. Alessio, «Fitonimi mediterranei» en la misma publicación, XV (1914), pp. 177-224. La relación de este grupo de investigadores con Trombetti puede apreciarse leyendo el artículo del citado C. Battisti, «Alfredo Trombetti e il problema dell'origine mediterranea della lingua etrusca» en la misma, XV, pp. 165-170. Concomitancias de lo «mediterráneo» con lo «caucásico» se señalan por R. Lafon, «Mots "méditerranéens" en georgien et dans quelques autres langues caucasiques», en *Revue de études anciennes*, XXXVI (1934), pp. 32-46.

[3] *España Sagrada*, XXXII (Madrid, 1878), pp. 7-11.

[4] *Catálogo de las lenguas*, IV (Madrid, 1804), pp. 244-267.

[5] *Les premiers habitants de l'Europe*, 2ª ed., I (París, 1889), pp. 330-393; II (París, 1894), pp. 3-215.

lian[6] y otros autores como A. Schulten[7], pero partiendo de distintas bases, pues mientras los dos franceses sostenían que los ligures pertenecían a la estirpe indoeuropea, el alemán creía que no y relacionaba al vasco con el idioma ligur. Pero, al hablar de tal idioma, estamos ante un problema que se resuelve de modos diversos. Kretschmer, Danielsson y extremadamente Rhys sostienen que las inscripciones ligures más famosas (las lepónticas) reflejan un habla relacionada muy estrechamente con el celta; Pedersen y Whatmough piensan más en semejanzas con lenguas itálicas como el latín, pero, por su parte, Terracini, Schiaffini y otros eruditos italianos pretenden hallar elementos no indoeuropeos en ellas[8], de suerte que se ha llegado a posturas eclécticas, como la de Menéndez Pidal, que piensa que el ligur clásico era idioma no indoeuropeo, fuertemente indoeuropeizado[9].

Antes de proseguir por este laberinto lingüístico, vamos a introducirnos por un momento en otro igualmente erudito, geográfico y arqueológico. Los ligures históricos, propiamente dichos, son bastante bien conocidos: podemos señalar, por ejemplo, dónde vivían, qué rasgos físicos tenían y a qué actividades se dedicaban poco antes de la Era Cristiana[10].

En los textos clásicos (cuya fuente es Posidonio) nos son representados como gente pequeña, morena, robusta y resistente que vivía en chozas de madera y sobre todo en cuevas. Cultivaban con picos y arados

[6] *Histoire de la Gaule*, I (París, 1926), pp. 110-192.
[7] *Numantia (Die Keltiberer und ihre Kriege mit Rom)*, I (Munich, 1914), pp. 60-78.
[8] Bibliografía en C. Hernando Balmori, «Sobre la inscripción bilingüe de Lamas de Moledo», en *Emerita*, III (1935), pp. 96-98, especialmente.
[9] «Sobre el substrato mediterráneo occidental», en *Ampurias*, II (1940), pp. 3-16.
[10] Resumen, anticuado ya, en el artículo «Ligurer» de G. Herbig, en el *Reallexikon der Vorgeschichte* de M. Ebert, VII (1926), p. 294. Materiales generales de Hans Krahe, «Ligurisch und Indogermanisch», en *Germanen und Indogermanen*, II, pp. 241-255.

tierras pedregosas junto al mar y en las montañas alpinas mediterráneas, en cuya labor les ayudaban mucho sus mujeres. Además de a la agricultura, eran dados a la caza y criaban ganados de cuya carne y leche también se alimentaban, completando su vida económica con el comercio de las maderas de sus bosques [11]. Desde lo alto de las montañas en que vivían causaron gran inquietud a los celtas y a los latinos. Es cierto que Estrabón señala paralelismo entre ellos y los pueblos del norte de España [12], pero ni éste ni otros datos autorizan a defender de modo sistemático la primitiva gran expansión ligur, ya que el mismo geógrafo establece otros paralelos entre pueblos lejanos. Los ligures son un pueblo concreto, con una cultura arcaizante a ojos de los griegos y romanos del siglo I a. de J.C. Pero antes hay un período en el que el Occidente está dominado por el mito ligur. En la *Ora Maritima* de Avieno se habla de un lago «Ligustino» cercano a Tartessos [13]. Tucídides, en cierto pasaje muy traído y llevado, dice que un pueblo ibérico, el de los sicanos, fue expulsado de las orillas de un río con el mismo nombre por los ligures [14], y Eratóstenes, citado por Estrabón, consideraba a la Península Hispana como poblada por ligures [15]. Sobre estos tres textos y sobre algún otro, corregido o enmendado modernamente, se ha construido la base de todo el edificio hispanoligur, cuyos materiales lingüísticos luego examinaremos con brevedad. Ahora conviene indicar que los arqueólogos más eminentes como Bosch, después de haber seguido a Schulten, rechazaron la existencia de ligures peninsulares como desprovista de base arqueológica [16], y que historiadores como Berthelot procuran deshacer el

---

11 Diodoro, V, 39, 1-15. Estrabón, IV, 6, 2 (202); V, 2, 1 (218).
12 III, 4, 17 (165).
13 284.
14 VI, 2 (377).
15 II, 1, 40 (92).
16 *Etnología de la Península Ibérica*, pp. 631-634.

valor de los testimonios textuales que se aducen para defenderla [17]. Examinemos la cuestión arqueológica. En la Edad del Bronce existía en la Liguria propiamente dicha una cultura característica que ya Dechelette describió. Señalemos como elementos principales de ella las hoces de bronce y los grabados en rocas representando yuntas de bueyes que conducen arados guiados por hombres, carros, etc. [18], grabados que tienen su paralelo más claro en Escandinavia: notemos que, según ellos, las ruedas de los carros ligures eran radiadas. Les era propio también el culto al Sol y a un ave relacionada con él, el cisne [19]. Si se tiene en cuenta, pues, la arqueología, los ligures difícilmente pueden ser relacionados con los primitivos habitantes de la Península y menos con los iberos propiamente dichos, como lo hizo Mehlis [20].

Pero los romanistas españoles que estudian la toponimia y los problemas del substrato, como don Ramón Menéndez Pidal [21] y algunos arqueólogos y epigrafistas como don Manuel Gómez Moreno [22], para explicar ciertos hechos lingüísticos siguen pensando en los ligures. La posición de Menéndez Pidal es la siguiente. Teniendo en cuenta los dos elementos que intervienen, según él, en la formación de la lengua ligur, uno indoeuropeo y otro no, habría que atribuir

[17] En su edición de la *Ora maritima* (París, 1934). (Cfr. D. Fletcher, en *Atlantis*, XVI (1941), pp. 216-22, y A. Grenier, «Chronique gallo-romaine», en *Revue des études anciennes*, XXXVII (1935), pp. 45-47 (en las pp. 55-56 observaciones de Dauzat).
[18] Dechelette, *Manuel d'Archéologie préhistorique, celtique et gallo-romaine*, II, p. 16, reproduce unos para ilustrar su exposición sobre iberos y ligures. Pero su antigüedad acaso hay que rebajarla.
[19] Dechelette, *Manuel...*, II. pp. 418-444.
[20] «Die Ligurerfrage», en *Archiv für Anthropologie*, XVIII (1899), p. 71 y ss.
[21] Artículo citado en la nota 9 y, además, «El sufijo -en, su difusión en la onomástica hispana», en *Emerita*, VIII (1940), pp. 1-36.
[22] «Las lenguas hispánicas», en *Discursos leídos en la recepción pública de don Manuel Gómez Moreno* (Madrid, 1942), pp. 10-12.

al indoeuropeo los rasgos más comunes de lo hispano-ligur: hablando con propiedad, estos ligures de España serían los «ambrones». En tiempo de Mario aún, unos ligures del sur de Francia se daban a sí mismos este nombre [23], que parece estar relacionado con el de otros pueblos de la Antigüedad asimismo [24]. Los «ambrones», es decir, los grupos étnicos indoeuropeos del conjunto llamado ligur, habrían dejado en España topónimos cuales los de *Ambrona* (Soria), *Hambron* (Salamanca), *Ambroa* (Coruña), más significativos que aquellos en que aparece el sufijo -*sco* (*asco*, -*sca*) o el sufijo -*l*- (-*elo* principalmente), que D'Arbois y otros autores fueron los que más tuvieron en cuenta para fijar la expansión ligur; son nombres españoles conocidos, dentro de los de esta clase, los de los pueblos de *Menosca* [25], *Vipasca* [26], *Virovesca* [27], etc.

Ahora bien, las listas de nombres de tipo parecido reflejan en muchos casos una incorporación total a lenguas concretas, célticas o itálicas; su aparición en un punto u otro puede obedecer a reales establecimientos de ligures, pero también a que los celtas y otros pueblos preceltas que entraron en determinada época en la Península estuvieran en contacto con ellos antes, recibiendo algunos préstamos [28]. Pero planteada la cosa como la plantea Menéndez Pidal, ¿qué razón última podemos aducir para calificar de una manera concreta u otra a ciertos nombres, elementos o desinencias?

Que los griegos en un principio hablaran de la Li-

---

[23] Plutarco, «Mario», 12.
[24] P. Kretschmer, «Die Herkunft der Umbrer», en *Glotta*, XXI (1932), pp. 112-125, recoge nombres parecidos.
[25] Ptolomeo, II, 6, 9.
[26] C.I.L., II, p. 788.
[27] Ptolomeo, II, 6, 52.
[28] El gran filólogo P. Kretschmer, «Die vorgriechischen Sprach und Volkschichten», en *Glotta*, XXX (1943), pp. 203-213, al hacer estudio del problema ligur ha tenido la condescendencia de citar mi punto de vista al lado de los de otros autores eminentes. En las pp. 99-141 hace un resumen de la cuestión iliria de que luego hablaremos.

guria como del país de Occidente por antonomasia es natural, ya que las primeras colonias que fundaron en el Mediterráneo occidental estaban asentadas en territorio ligur propiamente dicho. Un viejo criterio de autoridad pudo luego tergiversar los hechos hasta el punto de identificar a un país de más al Occidente todavía con la tierra de los ligures. Schulten ha querido poblar de ligures extensas porciones de España, Francia e Inglaterra tomando como base textos que otros afirman que aluden a pueblos diversos. La argumentación de los liguristas se halla desprovista de la base arqueológica que tiene la de los defensores de que una gran expansión indoeuropea precelta fue la de otro pueblo del que ahora vamos a hablar: los ilirios.

La cuestión iliria

De los años 1200 a 700 a. de J.C. coloca Montelius los períodos III, IV y V de la Edad del Bronce europea central y nórdica, en la que se señala entre el Oder y el Elba un foco cultural denominado de Lusacia o Lausitz. Caracterizaba a los pueblos de aquella zona el enterrar a sus muertos una vez incinerados, depositando sus cenizas en urnas de barro. Los cementerios, constituidos por muchísimas urnas de éstas, formando campos acotados, han dado lugar a la denominación alemana de *«Urnenfelder»*, que ha pasado al vocabulario arqueológico general. Al occidente de Alemania, por el mismo tiempo, otros pueblos, en vez de quemar sus muertos, los inhumaban en túmulos, y a éstos se les conoce con el nombre de los *«Hügelgräber»* [29]. Vivían los hombres de Lausitz en valles o alturas fortificadas y hacían hermosas armas de bronce, así como cerámica de perfiles muy

---

[29] Resumen español con abundantes referencias de B. Taracena y L. Vázquez de Parga, «Excavaciones en Navarra», en *Príncipe de Viana*, IV, 11 (1944), pp. 26-32 de la tirada aparte.

acusados de color negruzco. La homogeneidad de los yacimientos dio lugar a que se pensara que se trataba de una «etnia» con caracteres determinados. El arqueólogo Schuchardt defendió que los hombres de Lausitz, los *«Urnenfelder»* más típicos, eran germanos; Kosinna pensó que se trataba de ilirios; Childe los supone tracios en general, y los arqueólogos eslavos piensan que eran de su familia lingüística [30]. Los campos de urnas tienen, aparte del foco indicado, una expansión por Austria, el Tirol, Suiza del norte, Francia del este, etc. Pero no hubiéramos tenido que hablar de ellos si no aparecieran en España. Hace años que señaló su presencia Bosch y Gimpera, considerándolos como vestigio de los primeros celtas llegados aquí, celtas que entraron por Cataluña [31]. Apenas publicado el trabajo de Bosch se recordaron muchos hallazgos relacionables con los que le servían para defender tal punto de vista, pero se negó que estos pueblos que incineraban en urnas fueran celtas propiamente dichos y se sostuvo que antes de ellos entraron por los puertos occidentales y medios del Pirineo pueblos de los que enterraban en túmulos, cuya expansión y densidad hubo de ser mucho mayor [32]. La razón de la venida de estas gentes en masa acaso haya que buscarla en las relaciones comerciales que tuvieron los habitantes del Sur con los del Norte de los años 1500 a 1000, en presiones de otros pueblos o en fenómenos climatológicos. Tampoco se cree que las gentes de los túmulos fueran celtas en el sentido concreto de la palabra. Llámaselos vagamente «protoceltas». La identificación de los *«Urnenfelder»* con los ilirios ha sido puesta de moda últimamente merced a los conocidos trabajos de Julius Po-

[30] Taracena y Vázquez de Parga, op. cit., p. 26.
[31] «Los celtas de la cultura de las urnas en España», en *Anuario del cuerpo facultativo de archiveros, bibliotecarios y arqueólogos* (1935), pp. 1-41.
[32] Según Martínez Santa-Olalla, op. cit., pp. 154-155, que coloca la primera invasión indoeuropea hacia el año 1000 y oleadas sucesivas del 900 al 650.

korny, que parte de la base de que en el territorio de Lausitz abundan los nombres de montes, ríos y lugares en general de tipo ilirio, registrándolos luego allá por donde se encuentran campos de urnas en otros países[33]. Estos nombres no faltan en España, incluso en la toponimia actual, que es auxiliar primordial de los especialistas en la cuestión del substrato, según se ha visto por los ejemplos anteriores. Hemos de reconocer, a pesar de lo indicado, que desde el punto de vista lingüístico la cuestión ilírica se halla envuelta en una confusión de principios análoga a la de las cuestiones etrusca, ligur e ibérica. La expansión se rastrea persiguiendo ciertos elementos. Se considera, por ejemplo, de tipo ilirio aquellos nombres en que aparece la palabra *carn*=piedra o roca; la evidencia de que *carn* es piedra se halla en hechos como el de que la antigua *Carnuntum* sea hoy la ciudad austríaca de Petronell, cuyo nombre refleja una latinización antigua. En España resulta difícil rastrear la palabra *carn*, pues ha podido prestarse a confusiones con otras modernas (carne, carnero). Pero en cambio en la Gran Bretaña todavía hay idiomas en que una muy parecida, *cairn*, se emplea para expresar la idea de pedregal[34]. Teniendo esto en cuenta, y dado que tales idiomas son de entronque celta, resultaría muy aventurado probar la expansión iliria por tierras occidentales usando de ella, ya que los celtas pudieron adoptarla en épocas muy remotas muy cerca del punto de su origen.

De *carn*, sus compuestos y derivados, pasemos a otros nombres como aquellos muy frecuentes en Es-

[33] «Zur Urgeschichte der Kelten und Illyrier», en *Zeitschrift für Keltische Philologie*, XX, 2 (1935), pp. 315-352; XX, 3 (1936), pp. 489-522; XX, 1 (1938), pp. 55-166; del mismo, «Substrattheorie und Urheimat der Indogermanen», en *Mittellungen der Anthropologische Gesellschaft in Wien*, LXVI (1936), pp. 69-91.
[34] Materiales generales sobre la lengua de los ilirios en el artículo correspondiente de N. Jokl en el *Reallexikon der Vorgeschichte* de M. Ebert, VI (1926), pp. 33-48.

paña en que aparece el elemento *canta, ganda*, sobre los que llamaron la atención Bertoldi y Menéndez Pidal [35]; notemos, en primer término, su expansión preferente por Galicia, Asturias y Santander. Parecen aludir también a pedregales (canchales) y es interesante notar que ofrecen el sufijo *-nt-* que se señala como muy frecuente en ilirio [36]. Acaso su difusión sea menos susceptible de ser explicada por adaptación de los celtas, lo cual parece ocurrir también con la de la voz *nava* o *naba* [37]. Pero no por ello deja de prestarse a equívocos, equívocos que se presentan también al examinar nombres de montes en que aparecen los elementos *alp* (Alpes), *arp, ap, carp* y *calp*. Que los *Carpetani* y *Carpesii* [38] se hallen en relación onomástica con los καρπιανοί parece muy posible, lo mismo que la relación entre los nombres de la cordillera Carpetana y los Cárpatos [39]. Podríamos admitir que el nombre de Calpe, que tenía el peñón de Gibraltar en la Antigüedad, se halla también relacionado con éstos, así como el de una roca en las orillas bitínicas del mar Negro, justamente en el país de los *bebryces*, pueblo del que luego volveremos a hablar [40]. De testimonios tales y otros parecidos cabría deducir que los pueblos que recibieron nombres semejantes eran montaraces, aficionados a buscar protección en las alturas. Con relación a los nombres de ciudad o poblado, sostienen algunos que hay que adjudicar a los ilirios la mayoría de los que ostentan

[35] «Sobre el substrato mediterráneo occidental...», op. cit., p. 4. De V. Bertoldi, «Problemes de substrat. Essai de méthodologie dans le domaine préhistorique de la toponymie et du vocabulaire», en *Bulletin de la Société de Linguistique de Paris*, XXXII (1931), pp. 94-184.

[36] Kretschmer, *Die vorgriechischen Sprach...*, pp. 104-112.

[37] Estudiada por Schuchardt, Menéndez Pidal, etc.

[38] Polibio, III, 14; Frontino, II, 7, 7.

[39] La semejanza está puesta de relieve por Pokorny en el artículo citado en segundo término, en la nota 33.

[40] E. Pais, sin embargo, a propósito de los *bebrices* de unas partes y otras, desarrolló pensamientos completamente distintos.

la desinencia -*issa* o -*isa*, cual el del pueblo vascón de *Iturissa* [41], desinencia que se encuentra luego en nombres como *Bebryssa, Cilissa* [42] y hasta *Larissa.* Siguiendo, como se ha dicho, la pista de estos y otros elementos que aparecen en nombres de ríos, etc., señala Pokorny una expansión mucho mayor que las tradicionalmente consideradas, expansión de R. Pittioni pretendió ajustar más con los argumentos arqueológicos [43]. Hablando concretamente de Hispania, el mismo filólogo reconocía que aparecían dichos nombres muy mezclados con los de tipo celta, pero los investigadores españoles han recogido la hipótesis de una invasión iliria posible con más agrado que los de otros países, así como su justificación arqueológica. Ya se ha aludido a los estudios de Menéndez Pidal. Recordemos ahora que últimamente Taracena y Vázquez de Parga la han usado para explicar los caracteres de una estación arqueológica de Navarra meridional [44]. Por mi parte, quiero llamar la atención sobre ciertos nombres de ciudades y de pueblos que cabe relacionar con el mismo de los ilirios: *illyrii* e *ilurii* en latín, ᾿Ιλλυριοὶ en griego. En textos antiguos aparecen las tribus de los *ilurgetes* o *ilergetes, ilercauones, illurgauones* e *ilaraugates* con *Ilerda* e *Ilercauonia* como ciudades [45]. Las series monetales ibéricas parecen dar *Il(d)irda* por *Ilerda* e *Il(d)uro* en vez de *Iluro,* la actual Mataró en Cataluña [46]. Este

[41] Ptolomeo, II, 6, 66. Cree Pokorny que es nombre mixto de «itur» = fuente en vasco, e «issa» = ciudad. En el mismo Pirineo y territorio vascón cita también Ptolomeo una ciudad que se llamaba «Nemanturissa»: en este nombre la mezcla sería de ibérico y celta (?).

[42] Esteban de Bizancio, *De urb.*, s. v.

[43] «Die Urnenfelderkultur und ihre bedeutung für die Europäische Geschichte», en *Zeitschrift für Keltische Philologie,* XXI, 1 (1938), pp. 167-204.

[44] Artículo citado en la nota 29.

[45] La primera forma la da Polibio, III, 35, 1. Véase, además, Livio, XXI, 21 (ilergetes e ilergavonenses); César, *B. c.*, I, 60, 1 (illurgavonenses); Esteban de Bizancio, *De urb.*, s. v. ᾿Ιλαραυγάται, etc.

[46] Esteban de Bizancio, *De urb.*, da ᾿Ιλούργεια·

último nombre nos interesa particularmente. En la Aquitania había otra ciudad con el mismo *(civitas Iluronensium)*, que se reduce a Olorón y en la Bética otra [47]. Conocidas fueron también las poblaciones de *Ilurgeia (Iliturgi), Ilurci* o *Ilorci* [48] e *Ilurcis*, que cambió su nombre por el de *Graccurris* en la época romana [49]. Por último, Ptolomeo cita *Ilurbida* en la Carpetania [50] e *Ilurco* [51]. El elemento común a estos nombres no parece ser *ili*=población, sino *ilur*, en grafías variadas que pueden responder a impericia de los autores de las transcripciones o a variaciones reales de pronunciación análogas a la que del *Illyricum* romano hicieron el *Iljurik* eslavo. Aparte del caso claro de variación que suponen *Ilerda, Il(d)irda*, hay el de los *illuersenses*, que en otros textos son *ilursenses* [52]. La existencia de nombres análogos en los dos extremos pirenaicos hace pensar en invasiones ocurridas por el paso occidental de los Pirineos más famoso en la Historia (el de Roncesvalles), a la par que otras ocaso más densas se verificaban por los del Este. Relacionados con éstos se hallan los nombres de los dioses aquitanos *Ilurberrixo* [53], e *Iluro* mismo [54]. Recordemos que los pueblos que a partir de fines de la Edad del Bronce se hallan en movimiento, como los ligures, ilirios, etc., parecen haberse caracterizado porque estaban regidos por jefes o reyes divinizados después, y de la mitología formada alrededor de ellos se han sacado multitud de epónimos. Los autores griegos manifestaron particular predilección por las leyendas epónimas, según las cuales un héroe ha dado el nombre a una tribu o

[47] C.I.L., XIII, 8894; *It. Ant.*, 453 para la Aquitania. C.I.L., II, p. 246 (Bética).
[48] Polibio, XI, 24; Livio, XXII, 49, etc.; Plinio, *N. H.*, III, 9.
[49] Livio, *Epit.*, 41.
[50] II, 6, 56.
[51] Plinio, *N. H.*, III, 10.
[52] Plinio, *N. H.*, III, 24.
[53] C.I.L., XIII, 23 y 231.
[54] C.I.L., XIII, 154.

pueblo. Hasta qué punto tales leyendas obedecen a una creencia o regla sociológica real y observada en el pueblo de que se trata y dónde empieza la ficción muy posterior, son dos problemas unidos de difícil solución. Con respecto a los ilirios, sabemos que hubo autores que les daban como epónimo a *Illyrios*, padre de *Autarico* (antecesor de los «autariates») y abuelo de *Pannonio*, que lo fue, a su vez, de los habitantes de Pannonia [55]. Algo parecido ocurre con los sículos, cuyo jefe fue *Siculus;* con los italos y muchos pueblos antiguos más. Luego tendremos ocasión de ver que algunos pueblos hispanos debían de llevar nombre relacionado con el de su jefe y ciudad principal. No tendría, pues, nada de extraño que algo parecido acaeciera con los de ciudades enumerados antes, y en ese caso habría que aquilatar más en el estudio de la onomástica personal de los primeros indoeuropeos para sacar consecuencias étnicas y lingüísticas, y más si se tiene en cuenta que los ligures, los tracios, los ilirios mismos, gran porción de los celtas, etc., tenían muchas semejanzas culturales originarias: unos y otros se hallaban en relación con los pueblos del Mediterráneo y, a la vez, con los de los mares septentrionales; unos y otros tenían, asimismo, especial predilección por la vida en palafitos y terramaras, y debieron dar al arte de la forja de metales desarrollo paralelo.

Ultimamente, incluso se ha llegado a buscar su influencia en las lenguas clásicas y otras famosas de la Antigüedad, como el etrusco. Pero la sapiencia y sutileza de los que se dedicaron a semejante investigación no concluye con los equívocos lingüísticos de la onomástica: las semejanzas que arroja ésta dan serios motivos de meditación al historiador, que parece hallarse muchas veces en un engañoso laberinto. Tan sorprendente es el área de difusión de los nombres. Para tener una idea clara de la índole de las

[55]   Apolodoro, III, 5, 4.

invasiones que debieron acaecer en este período, cabe fijarse en las mejor conocidas de época posterior, tales como las de los vándalos y suevos. A nadie que sepa que los vándalos, localizados durante muchos años entre el Vístula y el Oder, aparecen luego en las orillas del mar Negro y después, en rápida marcha de Este a Oeste, alcanzan el Rhin, lo franquean, atraviesan parte de las Galias, penetran en la Península Ibérica, bajan hasta Andalucía y de allí pasan a Africa, le puede chocar que los arqueólogos para explicar determinados hechos piensen en expansiones análogas o más eficientes. Si continuamos analizando este mismo ejemplo ilustrativo, no nos extrañará tampoco la pretensión de los investigadores de la toponimia de hallar en los nombres que estudian prueba de la ocupación de ciertos territorios por parte de determinados pueblos. Nos dice Hidacio en su crónica que los vándalos en España se separaron en dos fracciones: los silingos, que marcharon a la Bética y fueron derrotados por los visigodos, y los asdingos, que más tarde atravesaron el Estrecho [56]. Ahora bien, el nombre de los «silingos», que perecieron en Andalucía, registrado ya por Ptolomeo en Germania [57], queda reflejado en el actual de Silesia (Schlesien), región que los eslavos, que la ocuparon después, llamaron *Slezsko* y de otras formas. Hallar, pues, recuerdos de ilirios o pueblos semejantes en puntos lejanos entre sí del continente europeo es posible, y acaso más que demostrar una primitiva unidad lingüística estancada durante siglos. Claro es que existen semejanzas que pudiéramos calificar como de tipo mediterráneo al lado de otras de tipo europeo central y otras, en

[56] Para comprender bien las migraciones de los pueblos en general, es útil la lectura de W. M. Flinders Petrie, «Migrations», en *Journal of the Anthropological Institute of Great Britain*, XXXVI (1906), pp. 189-232; sobre los vándalos, pp. 211-212.

[57] II, 11. Cfr. P. J. Schafarik, *Slawische Alterhümer*, I (Leipzig, 1843), pp. 416-417.

tercer lugar, de aire atlántico. Pongamos ahora un ejemplo de las de la primera clase. Hace años que don Ramón Menéndez Pidal, para explicar el nombre de la ciudad española de Huesca, Osca en la Antigüedad, pensó en una colonización llevada a cabo por los oscos [58]. Ello fue rechazado por muchos; pero nuestra sorpresa será grande cuando veamos que los dos nombres itálicos que parecen del mismo origen, de pueblos vecinos de los romanos, los *volscos* o *volcos* y los *oscos* (*volsci*, *volci* y *osci*), se repiten otras veces en la Península y el Pirineo: las monedas indígenas de Huesca nos dan la enigmática forma *Bolscan* o *Uolscan* [59], y Livio nos habla de los volcianos (*volcianorum*) al norte del Ebro [60]. Además, en la parte meridional de Francia hallamos a los *volcae* (celtas), de un lado, y a los *oscidates* y *ausci*, de otro, pueblo este último que se ha entroncado con los *euskaldunak* actuales o vascos [61]. Argumentando por una vía, se ha llegado a concluir que los nombres citados son de estirpe tirsena. Schulten, que ya hace tiempo defendió la idea de que los etruscos propiamente dichos se establecieron en la Península en un tiempo [62], después ha sostenido que los primeros pueblos de la misma estirpe que alcanzaron nuestras costas vinieron directamente de Asia Menor y que a éstos hay que referir numerosos nombres de lugar: entre ellos, el de los *volcianos* citados, el mismo de Tartessos (emparentado con el de *tirsenos*, según él),

[58] No ha sido muy bien acogida esta opinión.
[59] La presencia o ausencia de la *n* final se podría explicar porque unas veces el nombre estaría en nominativo y otras ostentaría una forma locativa de tipo vasco (cual «Donostian» = en San Sebastián).
[60] XXI, 19, 6.
[61] Sobre esto, R. Lafon, «Passage de *au* à *eu*, *e* en basque», en *R.I.E.V.*, XXV (1934), pp. 290-293.
[62] En general, para obtener una visión de los problemas lingüístico-etnológicos tal como se han planteado hasta época reciente, véase J. Caro Baroja, «Observaciones sobre la hipótesis del vascoiberismo considerada desde el punto de vista histórico», en *Emerita*, X (1942), pp. 236-286; XI (1943), pp. 1-59.

etcétera [63]. La argumentación del sabio alemán, que, por un lado, es muy tentadora, por otro deja puntos vulnerables. Amontonando nombres de amplia expansión mediterránea se puede llegar a referirlos a un solo pueblo y pretender una gran expansión de éste, o a sentar una teoría general del substrato. Así, D'Arbois defendió, por su parte, que nombres como el de la antigua Huesca son ligures [64] y cabe asignarles otro origen según qué punto de partida se tome [65]. En suma, podemos afirmar que no hay un buen estudio general de la toponimia hispánica que permita que hagamos un claro resumen ahora. Ciertos trabajos parciales en los que se defienden tesis preconcebidas o clásicas no inspiran confianza. Los romanistas, que parecían los encargados de desbrozar el camino, en vez de acometer esta empresa se han lanzado a buscar en el substrato pruebas del vascoiberismo u otras cosas, y así estudios de grandes pretensiones, como el de Meyer Lübke acerca de la toponimia prerromana, ofrecen conclusiones que de ningún modo podemos admitir. En último término, las desinencias y sufijos que arrojan los textos clásicos, ¿hasta qué punto son reflejo fiel de una lengua? En épocas mucho más modernas hemos visto que los españoles han hecho Zaragoza de Caesaraugusta. Pero esto no es todo; al encontrar, durante la dominación en el

[63] «Los tirsenos en España», en *Investigación y Progreso*, XII (1941), pp. 16-22. Nombre que correspondería a esta relación étnica hispano-etrusca sería también el de «Tarraco», sobre el cual escribió C. Battisti, «Tarracina-Tarraco e alcuni toponimi del nuovo Lazio», en *Studi etruschi*, VI (1932), pp. 287-338.

[64] La tesis panligurista que luego fue defendida por C. Jullian, ya hemos visto que ha sido muy criticada modernamente.

[65] Meyer-Lübke, «Val d'Ossola; span. Huesca», en *Zeitschrift für Ortsnamenforschung*, IV (1928), pp. 183-185. El famoso artículo del mismo al que se alude en el texto, un poco más adelante, «Zur Kenntnis der Vörromischen Ortsnamen der Iberischer Halbinsel», en *Homenaje ofrecido a Menéndez Pidal*, I (Madrid, 1925), pp. 75-99, da la impresión de un «maremagnum».

sur de Italia y Sicilia, una ciudad llamada Siracusa, no tuvieron escrúpulo en denominarla «Zaragoza de Sicilia». Una tendencia unitaria produce asociaciones de nombres con origen muy distinto. Cabe preguntar si la homogeneidad de los nombres conservados por latinos y griegos es una homogeneidad con base antigua o no; admitiendo que lo sea, cabe explicarla no como vulgarmente se hace, sino recurriendo a criterios históricos y sociológicos menos abstractos que los usados hasta ahora. Hay que tener en cuenta que así como dentro de las lenguas romances, que cualquiera distingue con claridad, hay nombres que apenas se diferencian, dentro de las antiguas indoeuropeas más cercanas a la forma primordial podía ocurrir lo mismo. Es, pues, una grave responsabilidad la de dar la primacía a una o a otra para explicar rasgos tenues e imprecisos.

Aceptada la idea de que en un tiempo pudo existir expansión iliria en la Península (la de los campos de urnas), queda como un enigma a descifrar el de a qué estirpe pertenecían los pueblos con elementos o rasgos culturales parecidos a los de los túmulos del bajo Rhin, pueblos cuyos vestigios más abundantes se hallan en la zona castellanoaragonesa. Los fragmentos cerámicos que se les deben adjudicar se encuentran en poblados bastante densos, situados en las inmediaciones de los ríos [66]. Localidad importante entre las de este grupo es la del Roquizal del Rullo, Fabara (Zaragoza), donde se excavaron dieciséis viviendas de planta rectangular situadas en un cerro cercano al río Algás, en las que se halló cerámica muy profusamente decorada, algunas armas de bronce y moldes para hacerlas, además de otros objetos [67].

[66]   Martínez Santa-Olalla, op. cit., p. 156.
[67]   J. Cabré y L. Pérez Temprado, *Excavaciones en el Roquizal del Rullo, término de Fabara* (Madrid, 1929), 24 páginas = XXIII láminas.

Fig. 23. Yacimientos célticos más notables de la Península
Ibérica, según Maluquer.

1. Caldas de Reyes.
2. Hio.
3. Sil.
4. Ponga (Asturias).
5. Miraveche (Alto Ebro).
6. Ciruelos de Cervera (Burgos).
7. Huerta de Arriba (Burgos).
8. Alto de Yecla. Silos (Burgos).
9. Cueva de la Aceña.
10. Quintanas de Gormaz (Soria).
11. Numancia (Soria).
12. El Redal (Logroño).
13. Castejón de Arguedas (Navarra).
14. Cortes de Navarra.
15. Necrópolis de Las Valletas. Sena (Huesca).
16. Estiche (Huesca).
17. Depósitos de brazaletes de San Aleix y de Muriacs (Lérida).
18. Necrópolis de Cân Bech, Agullana (Gerona).
19. Necrópolis de Vilars. Espolla (Gerona).

150

←

20. Necrópolis de La Punta del Pi. Port de la Selva (Gerona).
21. Ripoll.
22. Necrópolis de Gibrella. Capsec (Gerona).
23. Seriñá (Gerona).
24. Cueva de Cân Vicéns. San Julián de Ramis (Gerona).
25. Necrópolis de Anglés (Gerona).
26. Necrópolis de Cân Missert. Tarrasa (Barcelona).
27. Necrópolis de Cân Majem. Villafranca del Panadés (Barcelona).
28. Necrópolis de Llardecáns (Lérida).
29. Necrópolis de El Molar (Tarragona).
30. Castellet de Bañoles. Tivisa (Tarragona).
31. San Cristóbal de Mazaleón (Teruel).
32. El Roquizal del Rullo. Fabara (Zaragoza).
33. El Vado. Caspe (Zaragoza).
34. Cabezo Torrente. Chiprana (Teruel).
35. Azaila.
36. Calatayud (Zaragoza).
37. Necrópolis celtibéricas del Alto Jalón: Agular de Anguita, Altillo de Cerropozo, etc.
38. San Martín de la Sierra.
39. Las Cogotas, Cardeñosa (Avila).
40. Sancho Reja.
41. Cerro del Berrueco (Salamanca).
42. Alrededores de Madrid.
43. Aranjuez.
44. Los Cañizares (Cuenca).
45. Almohaja (Teruel).
46. El Cuarto (Teruel).
47. Las Tajadas. Bezas (Teruel).
48. El Rajo (Teruel).
49. El Castellico. Alloza (Zaragoza).
50. Tossal del Castellet (Castellón).
51. Necrópolis de Cabanes (Castellón).
52. Depósito de Nules (Castellón).
53. Hallazgos de la comarca de Almería.
54. Sietecilla. Carmona (Sevilla).
55. Carmona (Sevilla).
56. Ría de Huelva.
57. Necrópolis de Alpiarça. Portugal.

Hallazgos del mismo tipo hay en Madrid [68], Soria [69], Silos [70] y hasta Portugal (Alpiarza) [71].

La expansión céltica

Hemos de figurarnos a estos pueblos, sea cual sea la filiación lingüística que les asignemos, como muy guerreros y más dados a la ganadería que a la agricultura, aunque conocían el cultivo con arado y diversas especies vegetales antes no cultivadas en la Península. Las representaciones de carros que se hallan en las pinturas extremeñas y en la losa de Solana de Cabañas pueden corresponder a algunos de ellos, pero a partir de un momento que no podemos determinar se introdujo entre los guerreros «preceltas» el arte de montar a caballo, y así, en vez de vérseles en carros, se les figura representados como jinetes, cual ocurre, por ejemplo, en la famosa diadema de Ribadeo, de un gran sabor hallstáttico, en la que alternan figuras de jinetes con las de guerreros a pie armados de espadas y escudos redondos y pequeños, tocados con plumas, y otras que portan

[68] Marqués de Loriana, «Hallazgo de un jarro exciso en el valle del Manzanares», en *Atlantis*, XVI (1941), pp. 167-170.

[69] Hallazgo de J. Cabré, etc.

[70] Saturio González, «Hallazgos arqueológicos en el alto de Yecla en Santo Domingo de Silos (Burgos), en *Atlantis*, XV (1936-1940), pp. 103-123.

[71] A. A. Mendes Correa, «Urnenfelder de Alpiarça», en *Anuario de prehistoria madrileña*, IV-VI (1933-35), pp. 133-138. Al conjunto de estudios que hemos citado en que se basa, arqueológicamente, este capítulo, hay que añadir el de P. Bosch-Gimpera, «Una primera invasión céltica en España hacia 900 a. de J. C., comprobada por la Arqueología» en *Investigación y Progreso*, VII (1933), pp. 345-350; J. Pérez de Barradas, «Notas prehistóricas. II. La primera invasión celta de la meseta central de España», en *Actas y Memorias de la Sociedad Española de Antropología...*, XIII (1934), pp. 223-228 y el de S. Vilaseca, *El poblado y necrópolis prehistóricos de Molá (Tarragona)* (Madrid, 1943), con una amplia discusión en las pp. 41-60 y un mapa de repartición de supuestos «ilirios» y «proto-celtas» de los túmulos.

grandes recipientes [72]. Carácter análogo tendrían los invasores celtas que, hacia el año 650 a. de J.C., introdujeron el hierro y una lengua más en España, celtas que cabe diferenciar de los que en proporciones menores debieron de entrar entre los años 350 y 250 a. de J.C., incluso como mercenarios de los cartagineses. En cuanto a la cuna, el foco de expansión de los celtas, por razones lingüísticas y arqueológicas estudiadas a conciencia de un siglo a esta parte, hay que buscarlo en la Alemania occidental, desde el Rhin al Danubio en su curso superior y medio. Existía allí desde antiguo una población mixta, no muy densa y de gran movilidad, que en los claros de los bosques, en lo alto de las colinas, asentaba sus viviendas dedicándose a la caza, a la pesca, a la ganadería y a la agricultura, cuando no a la guerra y al bandolerismo; al final de la Edad del Bronce, núcleos de éstos empezaron a crecer de modo considerable, y semejante crecimiento fue aumentando hasta alcanzar proporciones inusitadas en el momento en que se introdujo el hierro en aquella zona, metal que dio a todos los pueblos indoeuropeos que lo conocían una gran superioridad bélica. El conocimiento del hierro y el contacto más o menos mediato de estos pueblos con otros de superior civilización produjo una técnica metalúrgica y unos estilos artístico-industriales de cierta homogeneidad, que han sido considerados como signo demostrativo de la expansión céltica [73].

El cuadro de las páginas 154-55 está tomado de una obra en que se resume el estado del problema

[72] J. Cabré, «Pinturas y grabados rupestres, esquemáticos, de las provincias de Segovia y Soria», en *Archivo Español de Arqueología*, 43 (1941), pp. 316-344, recoge ejemplares de representaciones de jinetes (fig. 17) e imágenes femeninas con el feto, en los Poyadillos, cañada de Retortillo (Soria) (fig. 16), que dentro del ciclo de las esquemáticas son muy tardías.

[73] Vilaseca, en la obra citada en la nota 71, coloca la introducción del hierro en la Península del año 850 al 550 a. de J. C.

Período	Egipto	Mesopotamia	Irán	Siria
3000 1500	Pequeños hallazgos	Tell Asmar: hojas de puñal con mango de bronce.	No hay hallazgos.	Tell Chagar Bazar: Piezas de hierro oxidadas. 3000-2700 a. de J. C.
1500	—	—	—	—
1400 1300				
1200 1100	Medun: barras de hierro.	Tell Halaf: Carro de culto de hierro y bronce.		Palestina: Tell el Fâre: Sepulturas 542, 562 y 615. 1 puñal, 1 cuchillo, pulsera y anillos. Beth-Semes: III Gran cantidad de objetos de hierro.
1100 1000	Assur: Lanza de hierro.		Cordillera de Talys: Puñales, cuchillos, hacha, espadas. 1000 a. de J. C.	Tell bet-mirsim: Rejas de arado .... Tell Takek: Azadas, cuchillo, hachas. Gerar: (Tell dschemme): Gran número de instrumentos de hierro de todas clases. 3 hornos de fragua (x).

Las referencias a las que sigue el signo (x) son sólo probables.

154

Asia Menor	Cáucaso	Chipre	Egeo	Italia	Europa Central
—	—	—	Escorias de hierro (x)	—	—
Alaca Hüyük sepultura A 2 vainas de hierro (x).					Vohrwolde: Anillo de hierro.
	Territorio de Kalakent: Puñales, cuchillos, puntas de lanza.	Introducción del hierro en la misma época que en Palestina.		Manfredonia: Escorias de hierro, restos de horno.	
Alischar Hüyük: Espada, puñales, cuchillo (x).	Kizil Vank: Puñales, bandas de hierro para los brazos (x).		Kerameikos (Cerámico): Espadas, punta de lanza.		

de los orígenes y expansión de la fundición del hierro[74]. Más adelante serán indicados algunos de los rasgos arqueológicos que pueden considerarse como debidos a o relacionados con la expansión de los celtas. Ahora vamos a hablar un poco de éstos desde el punto de vista lingüístico. Los idiomas célticos son, dentro de la gran familia indoeuropea, de los más diferentes y apartados del tronco común. Y dentro de ellos, desde una fecha remota, se produjo una gran escisión, merced a la cual cabe agruparlos en dos grupos: el goidélico y el británico. Se supone que los *goidelos* vivían, dentro de sus dominios continentales, al norte de los *britones*, y que el proceso de diferenciación comienza en el Neolítico. La expansión goidélica por el Sur, por Francia y España, se considera, sin embargo, que fue mucho más antigua que la británica. Pero conviene hacer algunas reservas con respecto a ciertos datos lingüísticos que se tienen como indicios de una u otra.

Hace muchos años que sir John Rhys hizo la reducción siguiente: *goidelos* = Q celtas, *britones* = = P celtas. Pero parece que, aunque seguida por bastantes arqueólogos continentales, no es admitida por los mejores celtistas de la actualidad, es decir, los irlandeses[75]. Por P *celtas* se entiende aquellos que al sonido indoeuropeo Q o K lo transformaron en P. Es evidente que fueron muchos grupos los que hicieron esto, incluso en la Península; más que los que conservaron el antiguo sonido. Pero tal fenómeno, que se da en lenguas itálicas igualmente, no nos sirve de indicio, según se ha dicho, para separar a *goidelos*

[74] W. Witter, «Ueber die Herkunft des Eisens mit besonderer Berücksichtigung des heutigen Standes der Forschung», en *Mannus*, XXXIV (1942), pp. 7-83: se han hecho investigaciones lingüísticas para precisar más en la cuestión. Pero de resultados imprecisos. Véase, por ejemplo, A. Cuny, «Linguistique et Préhistoire. Noms de métaux en chamito-sémitique et indoeuropéen», en *Scritti in onore di Alfredo Trombetti*, pp. 1-25.
[75] Iorworth C. Peate, «The kelts in Britain», en *Antiquity*, VI (1932), pp. 156-160.

de *britones*. Nos explica, sin embargo, casos de P inicial que a primera vista tendríamos que rechazar como no propios de la lengua celta, ya que es característico de ella (como también de la vasca) una repugnancia primitiva por este sonido[76].

Para fijar la expansión de los celtas, en un principio se recurrió al estudio de los nombres de lugar. Entre ellos son muy importantes aquellos en los que aparece la palabra *briga* en segundo término. D'Arbois de Jubainville reunió 41 ejemplos españoles de nombre de este tipo, de los cuales once eran lusitanos, cinco vettones, cinco galaicos, tres vacceos, dos autrigones, dos turdetanos, uno oretano, uno edetano, uno ilercaón, uno cántabro y cinco celtíberos. A éstos añadió los de 14 pueblos actuales que terminan en *o-bre*, que explicó por *o-briga*[77]. Otros celtistas consideran estos nombres como del momento de la primera ocupación céltica[78]. Pero hay que decir que, en realidad, la palabra que los griegos y latinos nos han transmitido en la forma indicada *briga*, que es equivalente al alemán *burg*, al parecer, tuvo vida y capacidad de componer nombres hasta la época romana y se expandió a pueblos que no eran celtas en absoluto desde el punto de vista lingüístico fundamental. La prueba de la primera afirmación la tenemos en nombres cuales *Augustobriga*[79], *Caesarobriga*[80], *Juliobriga*[81] y *Flaviobriga*[82]. La segunda, en nombres en los que el primer elemento tampoco parece celta, entre los cuales Hubert[83] coloca a *Uolo-*

---

[76] Esto último fue puesto de relieve por H. Schuchardt.
[77] *Les celtes depuis les temps les plus anciens jusqu'en l'an 100 avant notre ère* (París, 1904), pp. 104-112.
[78] H. Hubert, *Los celtas y la expansión céltica hasta la época de la Tène*, traducción de Pericot (Barcelona, 1941), p. 383.
[79] Ptolomeo, II, 5, 7; II, 6, 53.
[80] Plinio, *N. H.*, IV, 118; C.I.L., II, 896. «Caesaros» es nombre celta también.
[81] Ptolomeo, II, 6, 50.
[82] Ptolomeo, II, 6, 5.
[83] Véase nota 78.

briga [84], *Langobriga* [85], *Talabriga* [86], *Conimbriga* [87] y *Cottaiobriga* [88]. Celtas puros serían *Eburobriga* [89] = = ciudad del tejo, *Nertobriga* [90] = ciudad fuerte, *Medubriga* [91] = ciudad del hidromiel, *Nemetobriga* [92] = = ciudad del santuario, etc.

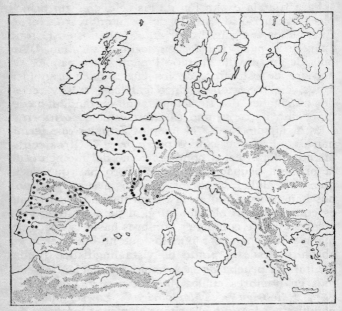

Fig. 24. Distribución de los topónimos célticos en *-briga*, según Piggott.

[84] Ptolomeo, II, 6, 40.
[85] También «Laccobriga»; Plutarco, «Sertorio», 13.
[86] Ptolomeo, II, 5, 6.
[87] Plinio, *N. H.*, IV, 113 («Cinumbriga»); Hidacio, *Chron.*, 229.
[88] Ptolomeo, II, 5, 7.
[89] Plinio, *N. H.*, IV, 113; compárese con «Eburobrittium».
[90] Ptolomeo, II, 4, 10; II, 6, 57.
[91] Plinio, *N. H.*, IV, 118; acaso el nombre de «Plumbaria» que tenía esta ciudad lusitana entre los latinos sea, sin embargo, una especie de traducción.
[92] Ptolomeo, II, 6, 36.

Hay que señalar ahora, sin embargo, que en las monedas con caracteres ibéricos nombres como éstos aparecen en forma distinta: la *Segobriga* de los clásicos, en ellas es *Secobiris* o *Segobiris*, y aun *Secobirices*. Paralelamente, *Nertobriga* es *Nertobis* [93]. Hay, pues, derecho a pensar que *briga* es forma clasicista y que la legítimamente hispánica sería *bris*, suponiendo una dificultad de la escritura silábica ibérica para reflejar el grupo *br*, o *biris* [94]. Esta palabra sería, de todas formas, de origen indoeuropeo y de importación céltica, aunque una análoga fue usada por los tracios para expresar también la idea de ciudad. Describiendo el país de aquéllos, dice Estrabón [95]: «Luego está Mesembria, colonia de los megarenses, antes Menebria, o sea ciudad de Mena, llamada así por el nombre de su constructor: *bria* es palabra que en la lengua de los tracios significa ciudad; así la ciudad de Selyos se llamó Selybria y Aeno en ocasiones Poltyobria.» Es curioso notar que Estéfano de Bizancio, compilador sin crítica, en su enumeración de ciudades diga esto otro: «Brutobria, ciudad entre el río Betis y los tyritanos (turdetanos), significa Brutópolis. Pues *bria* expresa esta idea (de ciudad) como en Poltymbria, Selymbria» [96]. Que *briga* corresponde a una latinización y *bris*, *biris* y *bria* a variedades más viejas nos lo atestigua, al parecer, el hecho de que varios autores griegos nos han conservado nombres de los últimos tipos. Así, Appiano re-

[93] Hechos que puse en evidencia en la segunda parte del artículo citado en la nota 6.
[94] «Mirobriga» es nombre que se repite mucho: Ptolomeo. II, 4, 10; II, 5,5; II, 6,58. John Loewenthal, «Celtica», en *Zeitschrift für Ortsnamenforschung*, IV (1928), pp. 269-270, llama la atención sobre el nombre «Alpuébrega» (Toledo), que considera venido de «Alpobriga» = ciudad junto a los pastizales. En Ptolomeo sólo hay además: «Arabriga» (II, 5, 6), «Arcobriga» (II, 5, 5); «Caetobrix» (II, 5, 2, forma sobre la que luego se dice más); «Coilobriga» (II, 6, 41); «Lacobriga» (II, 6, 49); «Londobris» (II, 5, 7); «Meribriga» (II, 5, 5), y «Tuntobriga» (II, 6, 38).
[95] VII, 6, 1 (319).
[96] s. v. (ed. T. de Pinedo (Amsterdam), 1678, p. 185).

cuerda la villa de *Talabrix* [97], que Plinio, por su parte, llama *Talabrica* [98]. *Talabrix* es variante paralela a la monetal *Secobiris*, y hay que hacer constar que el mismo Appiano llama a los habitantes de aquella ciudad *Talábriges*, nombre que, a su vez, es paralelo al monetal de *Secobirices*, que corresponde acaso a un nominativo del plural celta de tema en *-g-* o *-k-*. He aquí que nos encontramos ante la declinación céltica y sus problemas, oscurecidos acaso últimamente por la tenacidad de H. Schuchardt al pretender buscar en todo el ámbito de la Península la *ibérico-vasca*. No voy a hacer ahora muchas observaciones sobre ella. Sólo quiero indicar, a título de información, que muchos de los nombres de las monedas hispanas contienen desinencias que corresponden a las que grandes lingüistas como Pedersen consideraban como propias de varios casos en distintas declinaciones del antiguo celta: por ejemplo, desinencias en *-com* y *-cos* (*Carbicom, Icesancom, Calacoricos,* etc.), en *-s* y en *-m* de genitivos de plural y singular de distintos temas [99]. Volviendo ahora a los nombres de pueblos en que aparece la palabra *briga,* es curioso señalar que su mayor densidad se halla en España, mientras que en Inglaterra, Francia, Alemania, etc., se encuentra en proporciones muy escasas. En cambio, en España hay muchos menos nombres que en Francia, Inglaterra y Alemania en que aparezca el término *dunum* = castillo o fortaleza: D'Arbois recogió, además de *Caladunum,* en Portugal [100]; *Esttledunum,* en

[97] *B. hisp.,* 73.

[98] *N. H.,* 113, ya hemos citado (nota 94) los ejemplos que da Ptolomeo de «Londobris» y «Caetobrix», «Catobrica», en *It. Ant.,* 417, 1.

[99] *Vergleichende Grammatik der Keltischen Sprachen,* II (Gotinga, 1913), pp. 97-98 (445, temas en *-g-* y *-k-*), 86-87 (431, temas en *-o-*), 91 (438, temas en *-u-*), 94 (441, temas en *-i-*). Esto ha sido desarrollado y ampliado por A. Tovar, «Las inscripciones ibéricas y la lengua de los celtíberos», en *Boletín de la Real Academia Española,* XXV (1946), pp. 7-42.

[100] *Les premiers habitants de l'Europe,* II, pp. 260-261: Ptolomeo, II, 6, 38.

la provincia de Córdoba [101]; *Sebendunum*, en Cataluña [102], y *Bisul(o)dunum* = Besalú, en Gerona [103], aparte de los topónimos pirenaicos actuales Verdú (Lérida), *Verdunum* en documento de 1185; *Salardú*, en la misma provincia; Berdun (Huesca) y Navardun (Zaragoza), de los que dedujo las formas antiguas *Viro-dunum*, *Salaro-dunum* y *Navaro-dunum* [104]. Mientras que en otros países en que tuvo lugar la expansión céltica hay también bastantes nombres de pueblos en que aparece el sustantivo *duro-s* como primero o segundo elemento (por ejemplo, *Duro-brivae* u *Octo-durus*), en España faltan en absoluto [105], así como también los compuestos de *mag-os* = campo, abundantes en Francia, Alemania, etc. [106], e *-ialum*, que refleja una idea correspondiente.

Estos hechos se prestan a reflexión provechosa. Si tenemos en cuenta que *briga* parece reflejar la idea de una ciudad fortificada en un alto, que en irlandés, *bre* (genitivo *breg*), y en galés también palabra análoga significan colina, podemos imaginar que los celtas que entraron en España siempre procuraron fortificarse por razón de la inseguridad en que vivirían rodeados por pueblos más antiguamente llegados [107]. Estos celtas tenemos derecho a imaginárnoslos como dados sobre todo al pastoreo y a la guerra, conforme a la descripción que de un grupo de ellos, el de los *beribraces*, nos da Avieno [108] y (en cierto modo) a la que hace Polibio de los de la Galia Cisalpina: «Viven diseminados en aldeas sin murallas. Desconocen todo

[101] C.I.L., II, 1601.
[102] Ptolomeo, II, 6, 70: hay también «Caesarodunum», Ptolomeo, II, 8, 11, comparable con «Caesarobriga» ya citado (nota 80) y con «Caesaromagos» (Ptolomeo, II, 9, 4), «Caesaro(n)» como nombre en C.I.L., II, 2700.
[103] «pagus Bisuldunensis», en un documento del año 834 de J. C.
[104] D'Arbois, *Les premiers habitants...*, II, p. 261.
[105] D'Arbois, *Les premiers habitants...*, II, pp. 266-268.
[106] D'Arbois, *Les premiers habitants...*, II, pp. 268-270.
[107] Hubert, op. cit., pp. 385, 389.
[108] 485-489.

lo que produce bienestar. No tienen otro lecho que el heno o la paja, no comen más que carne, en una palabra, llevan la más sencilla de las vidas. Ajenos a todo lo que no sea guerra o pastoreo, desconocen las ciencias. Su riqueza consiste en oro y rebaños, únicas cosas que pueden llevar consigo y desplazar a su antojo en cualquier circunstancia» [109].

La lengua celta en la Península

Grupos de éstos, desplazados por causas oscuras, llegaron a España en oleadas sucesivas, dejando memoria de ellos en nombres de otra índole que la de los citados. Hubert considera que los que en segundo término contienen el elemento *dunum* son correspondientes a un período muy posterior a los que contienen el elemento *briga:* serían debidos a una invasión céltica acaecida hacia el siglo III a. de J.C., del grupo *belga* especialmente, al que correspondería la fundación de *Belgida* y *Belgica* o *Vellica* [110], ciudades famosas en las guerras contra los romanos [111]; la de *Suessatium,* que recordaría a los *suessiones* belgas [112] y el nombre de los *suessetani* del Pirineo [113]. Hasta los *germani* de mucho más al Sur (Oretania), citados por Plinio el Viejo [114], serían belgas llegados en tal momento. Dada la extensión de los nombres con el elemento *dunum,* se puede pensar que corresponden

[109] II, 17.
[110] Floro, II, 33, 49. Las lecciones más seguras dan, sin embargo, «Bergida», en donde entra la palabra «berg» = altura, como en «Bergidon» (Ptolomeo, II, 6, 28), «Bergium» (Ptolomeo, II, 2, 67), «Bergusia» (Ptolomeo, II, 6, 67), «Bergistani» (Livio, XXXIV, 16; XXXIV, 21); etc.
[111] Es forma que da el *It. Ant.* A los «suessiones» los cita César con frecuencia (Plinio, *N. H.,* IV, 106). Aun en tiempo de Gregorio de Tours su capital era «Suessio» (hoy Soissons).
[112] Livio, XXVIII, 24; XXXIV, 20; XXXIX, 42.
[113] Plinio, *N. H.,* III, 25, «Oretani qui et germani cognominantur».
[114] Orosio, V, 7, 2.

a las expansiones máximas de los celtas, admítase o no la hipótesis de Hubert.

La distinción entre galos y celtas, distinción que se presta a muchos equívocos, ya que ambas palabras parecen del mismo origen y, sin embargo, ofrecen un matiz variado desde un punto de vista histórico, no nos interesaría ahora de no haber en la Península una región, considerada como la más céltica de todas, que lleva justamente el nombre de Galicia. Las formas *Gallaecia* [115], *Gallicia* [116], *gallaeci* [117], *gallaecus* [118], *gallicii* [119], *galliciensis* [120], etc., parecen tan emparentadas con *Gallia* y sus derivados *gallicus*, *gallicanus* y demás que, a primera vista, no hay lugar a dudas. Pero teniendo en cuenta otras, cuales las de *Callaecia* [121], *callaicus* [122], *callaecus* [123] y las análogas registradas en fuentes griegas, ha habido autores que han pensado que los *galos* y los *gallegos* no tienen gran cosa que ver [124]. Estimo exagerada esta opinión. Pero tampoco podría indicar a qué obedece la distinción en España de unos pueblos celtas, célticos y celtibéricos y otros galaicos propiamente dichos, aunque cabe pensar que la aparición de ellos se debe a una invasión de las más recientes.

Notemos también que en la toponimia gallega, sobre todo, hay claros vestigios de la presencia de britones en aquella región, como, por ejemplo, *Bretegos* (Orense), *Bretelo* (Orense), *Bretón* de abajo y de arriba (Coruña) y, sobre todo, Santa María de *Bretoña*

---

[115] Es forma corriente en los escritores de baja latinidad. Por ejemplo, Gregorio de Tours, *Hist.*, II, 2; V, 38; etc.
[116] Veleyo, II, 5.
[117] Livio, *Per.*, 56; Orosio, V, 5, 12.
[118] San Isidoro, *Etim.*, IX, 106.
[119] Empleado por Gregorio de Tours también: nota 127.
[120] Floro, I, 33, 12. Silio Itálico, III, 344-353; IV, 326.
[121] Marcial, IV, 39, 7.
[122] Plinio, *N. H.*, 28: «Callaeci», etc.
[123] Aun podrían recordarse más formas como las de «Galacia», «Galletia», «Callecia». Los escritores griegos prefieren, en general, el usar la K inicial.
[124] Como Hübner, por ejemplo.

(Britonia en la Edad Media). En Soria, por otro lado, hallamos *Bretun; Bretuy,* en Lérida; *Bretocino* y *Bretó,* en Zamora; *Bretes,* en Guadalajara, nombres que nos recuerdan a los franceses de *Breteuil* y *Bretigny,* los portugueses de *Briteiros* y *Britelo,* etc.

Con respecto a los nombres de ciudades y pueblos en que pudiera pensarse que aparece el superlativo *-samo-, sama,* que entre los galos es frecuente [125], hay dudas. Meyer Lübke no se inclinaba a creer que desinencia semejante en los casos españoles tuviera el mismo significado que en las Galias [126]; casos como *Letaisama* en inscripciones monetales y *Segisamo* creo que deben ser considerados como celtas de todas formas, aunque otros (los vascos; por ejemplo, *Beizama*) no lo sean.

La lengua o lenguas célticas en España han dejado, aparte de nombres de pueblos y ciudades, otros recuerdos de interés no sólo lingüístico, sino también sociológico. Nombres de ríos, de montes y otros accidentes geográficos, nombres de personas y de entidades tribales, palabras del vocabulario común, etcétera, reflejan la expansión céltica desde el extremo norte al extremo sur, incluso en los países que tradicionalmente se consideran menos celtas. Así, por ejemplo, en la provincia vasca de Guipúzcoa hay un río que se llama Deva (en cuya desembocadura existe población del mismo nombre), río que puede identificarse con el citado por Ptolomeo [127]. En Asturias hay otro con el mismo nombre, nombre que se repite en Inglaterra dos veces [128] y que correspondía a dos ríos que llevan hoy el de Dee; Aberdeen, ciudad famosa de Escocia, está en la desembocadura de uno

[125] A. Dauzat, «Notes de toponymie gallo-romaine», en *Zeitschrift für Ortsnamenforschung,* XI (1935), pp. 242-248.
[126] En el estudio citado en la nota 65, en segundo lugar. Sobre los superlativos, véase también Tovar, op. cit., p. 32.
[127] II, 6, 8.
[128] Ptolomeo, II, 3, 4; II, 3, 11.

de ellos [129]. La palabra *Deva* refleja la divinización de las aguas fluviales [130].

Los nombres celtas son con frecuencia compuestos, según se ha visto, y los personales se componen conforme a la regla siguiente: un grupo de ellos ostenta dos sustantivos, de los cuales el primero es atributivo; otro, un sustantivo adverbial más un adjetivo; otro, un adjetivo atributivo más un sustantivo, y, por último, un cuarto grupo lleva en primer lugar un adjetivo adverbial y un adjetivo sencillo [131]. Esto explica la diversa colocación de un mismo elemento en distintos nombres, lo cual se observa también en nombres reputados *ibéricos*, como lo hizo ver H. Schuchardt [132]. Muchos nombres de persona y de tribu celtas parecen honorables, como *Vismaro* [133], que era el de un caudillo hispano, o los galos *Catu-riges* = = reyes del combate [134] o *Bitu-riges* = reyes del mundo [135]. Mas también los hay puramente descriptivos y compuestos con los comunes de animales y plantas.

En los de *artabri* y *cantabri* se ha supuesto modernamente que entran en composición las palabras celtas que servían para designar al oso y al perro, respectivamente [136], de la misma manera que en el nombre gentilicio de *bebrices* y *beribraces* se halla la que designaba al castor, *bebros* [137]. Hay que indicar, de todas formas, teniendo en cuenta la posi-

[129] El nombre de la diosa «Divonna», «Dive», está en relación con la divinización de las fuentes.
[130] Recientemente don Ramón Menéndez Pidal, «La etimología de Madrid y la antigua Carpetania», en *Revista de la biblioteca, archivo y museo de Madrid*, XIV (1945), 27 pp., ha dado una etimología céltica del nombre de la capital de España («* Magerito»), que valdría tanto como «Vadoluengo».
[131] H. Schuchardt, «Iberische Pernonennamen», en *R.I.E.V.* (1912), pp. 237-247.
[132] Schuchardt, op. cit., p. 240.
[133] Livio, XXIV, 41: como régulo de galos en la Península.
[134] César, *B. g.*, I, 40, 4, etc.
[135] César, *B. g.*, VII, 5, 1, etc.
[136] Otto Haas, «Zu dem Gallischen Sprachreste», en *Zeitschrift für Keltische Philologie*, XXIII (1943), pp. 297.
[137] Silio Itálico, III, 420 da el territorial de «Bebrycia».

bilidad de hallar otros pueblos de habla indoeuropea en épocas preceltas dentro de la Península, que nombre semejante se encuentra en el Asia Menor, dado a un grupo de estirpe tracia, al parecer, que juega un papel importante en la leyenda de los Argonautas: estos *bebryces* del noroeste del territorio frigio desaparecieron muy pronto de la Historia [138], así como los citados como residentes en la parte oriental de España por Avieno [139] y los que ocupaban los pasos pirenaicos según Silio Itálico, que habla también de *Bebryx* como de un rey mítico de aquel país [140]: el rey *castor*, acaso.

En el nombre *praestamarci* o *praesamarchi*, citado por Pomponio Mela como el de un pueblo del extremo septentrional de Galicia [141], se puede buscar la palabra *marca*, que, según Pausanias, usaban los celtas para designar al caballo [142]: palabra que estaba de uso entre los galos que fueron a Grecia y atacaron a Delfos. A comienzos de este siglo, teniendo en cuenta las prohibiciones que se imponían ciertos grupos celtas de comer determinados animales y plantas, así como la existencia de nombres como los indicados y de dioses con caracteres animales, o asociados a éstos, hubo arqueólogos, entre los cuales destacó Salomón Reinach, que defendieron la existencia del totemismo entre los celtas [143]. El totemismo, es decir (definido mínimamente), la asociación de un grupo humano compuesto de varias familias con cierta especie animal o vegetal que se cree que tiene relaciones específicas con tal grupo, no parece que haya

[138] Apolonio de Rodas, *Arg.*, II, 98-153, los hace luchar con los Argonautas, tenían una cultura superior, puesto que conocían el cultivo de la viña, el trabajo del hierro, vivían en pueblos regulares y se hallaban gobernados por el insolente rey Amico.
[139] 485-489.
[140] Véase nota 137.
[141] III, 10, Plinio, *N. H.*, IV, 111.
[142] VI, 9-11.
[143] «Les survivances du totémisme chez les anciens celtes», en *Cultes, mythes et religions*, I (París, 1905), pp. 30-78.

166

podido tener vigencia en época tan tardía como la céltica, aun cuando en ella pudieran quedar vestigios totémicos. Por otra parte, el deificar a un animal, o el tener como emblema casi de tipo heráldico a otro, no es necesario entroncarlo siempre con el totemismo [144]. En la época en que los pueblos de España habían sido sojuzgados por los romanos vemos que algunas ciudades usaban emblemas animales: así, el lobo era característico de Lérida, y el gallo, de otra llamada *Arecorada*, cuya identificación es problemática (¿Arguedas?) [145]. Notemos, sin embargo, que el uso de tales emblemas ha podido originar algunos nombres de pueblos conservados por fuentes clásicas. Así, el de los *saefes* de que habla Avieno, como habitantes de la zona galaicoportuguesa situada al norte del Duero, en la que se han hallado localidades en que existen insculturas serpentiformes, que pueden relacionarse con la palabra *saef* = serpiente [146]. A este propósito es útil recordar que, en general, resulta imposible explicarse el sentido y dar la etimología de una porción considerable de nombres de pueblos del pasado y del presente, pues han sufrido grandes transformaciones a medida que ha transcurrido el tiempo por obra de la tradición oral. Pero cuando es dado hallar su significación se aprecian, sobre todo, dos maneras de formarse: la primera es

[144] Como piensan Hubert y otros. Emblemas animales y vegetales dieron, sin duda, nombre a ciertas ciudades. C. Hernando Balmori, «Ebura», en *Anales del Instituto de Literatura Clásica*, I (Buenos Aires, 1939), pp. 67-81, y «Eburas y Eboras en la península Ibérica», en la misma publicación, II (1944), pp. 181-197, subraya la posible importancia del nombre del tejo («íbur» en antiguo irlandés) como elemento toponímico.

[145] Se pensaba antes en Agreda (Soria); hoy, en Arguedas (Navarra).

[146] Sobre esto, Fl. López Cuevillas y Rui Serpa Pinto, «Estudos sobre a edade do ferro no noroeste peninsular. A relixión», en *Arquivos do Seminario de estudos galegos*, VI (Santiago, 1933-1934), pp. 297-367, y especialmente, L. Pericot, «La representación serpentiforme de la citania de Troña (Galicia)», en *Homenagem a Martins Sarmento* (Guimeraes, 1933), pp. 281-286.

la denominación espontánea; la segunda, la imposición del nombre por los vecinos. La denominación espontánea suele reflejar con máxima frecuencia el orgullo bélico del grupo, que se cree descender de un héroe epónimo y que también suele considerarse el de los «hombres» por antonomasia. Las de los vecinos son más ricas y variadas y encierran alusiones a particularidades raciales e intelectuales, envueltas generalmente en desdén. J. Grimm ya señaló que eran las que más prevalecían [147].

Esto explica también que algunos nombres de pueblos que no debían ser de estirpe céltica, en conjunto, sean celtas, permitiendo, asimismo, la posibilidad contraria y el que haya ríos, etc., que tuvieran varias denominaciones, como le pasó al Tajo, probablemente, al que se llamó por unos *Tagus* y, por otros, *Lusus* [148]; al Guadalquivir, cuyo nombre más conocido era *Betis*, teniendo en época antiquísima, además, el de *Perkes* [149], etc. Entre los de los ríos más grandes y conocidos, acaso el del Duero, *Durius* [150] o *Duria* [151], sea el que mejor pueda corresponder al habla celta, ya que en gaélico existe la palabra *dur-lus* = = agua, y hay otros muchos nombres fluviales con elemento *Dor*, *Dur* en dominio céltico, incluso en Irlanda, donde Ptolomeo cita un río *Dur* [152]. Hay que

[147] Según las investigaciones de Hans Plischke resumidas en *Anthropos*, XXXV-XXXVI (1940-1941), p. 381: así, por ejemplo, el nombre de «tuaregs» no es el que a sí mismos se dan los pueblos que de esta forma denominamos comúnmente, sino otro de oprobio, que reciben de los de alrededor; F. Rennell Rodd, *People of the veil* (Londres, 1926), p. 14.

[148] «Lusus» es nombre epónimo y mítico a la vez (Plinio, *N. H.*, IV, 8).

[149] Esteban de Bizancio, *De urb.*, s. v.: «Baitis, río de Iberia, llamado Perkes por los indígenas...».

[150] Un escritor poco conocido, Julio Honorio, dice «Durius currit per campos Hispaniae inlustrans paramum» (cfr. A. Schulten, *Hispania (Geografía, Etnología, Historia)* (Barcelona, 1920), p. 30. Δούριος en griego.

[151] Claudiano, *L. Ser.*, 72.

[152] Ptolomeo, II, 2, 3: J. Loewenthal, en *Zeitschrift für Ortsnamenforschung*, III (1927), p. 50, cita como adjetivo empleado en metáfora y significado «violento» una palabra pa-

tener presente siempre que los nombres de corrientes de agua, que con frecuencia servían de límite de un pueblo con otro, suelen ser de los elementos más viejos de la toponimia.

Que los idiomas célticos de la Península eran parecidos a los de las Galias, etc., lo demuestran, además de los ejemplos de nombres anteriores, otros comunes. Dice Plinio, por ejemplo, que el nombre del collar en celta era *viriolae*, y en celtíbero, *viriae* [153]: de aquí viene el nombre de Viriato. La palabra *gurdus* = = pesado, que Quintiliano pone entre las de origen hispano [154], Sulpicio Severo nos la da también con pequeña variación: *gurdonicus* [155]. *Ambactus* = servidor, según César [156]; *ambath* en alto alemán es *ambatus* en España, usándose como nombre propio en un área extensa en época romana [157]. *Acnua*, nombre de medida territorial [158], corresponde al galo *acina* [159].

La existencia de ciertas unidades dispersas en un tiempo, fundidas luego, parece confirmarla la aparición de nombres en los que surgen la palabra *cori* = = pueblo o la palabra *trebo* = aldea, con numerales. En territorio céltico continental hallamos los nombres de *Petrucori* [160] y *Tricori* [161], que parecen reflejar la asociación de cuatro (en el primer caso, la *q* primitiva se ha convertido en *p*) y tres pueblos. La famosa inscripción de Lamas de Moledo, en Portugal, alude a los *Veamini cori*, es decir, los «pueblos Veaminios», nombre que coincide con el de una *civitas*

recida: A. Dauzat, «Notes de toponymie gallo-romaine», en la misma revista, IV (1928), pp. 259-260, da ejemplos en que la acepción es más clara. Observaciones de A. Zauner, «Zu den Flussnamen Dor, Dur», en la misma, V (1929), pp. 61-62.
153 *N. H.*, XXXIII, 3, 12.
154 *Inst. orat.*, I, 5, 57.
155 *Dial*, I, 27, 2.
156 *B. g.*, VI, 15, 2.
157 También Ilegon, *Macr.*, 1, 87, 23 k.
158 Varron, *R. r.*, I, 10, 2. En el C. I. L., II, 3361, «aguno».
159 Esto es dudoso.
160 Livio, XXI, 31, 9.
161 César, *B. g.*, VII, 75, 3.

Veaminiorum de la zona alpina occidental [162]. En la misma inscripción aparece el plural neutro *maga =* = los campos, palabra que, sin embargo, no ha contribuido a la toponimia como en otras partes, según va dicho [163]. La palabra *trebo* se distingue en el nombre de *Contrebia*, propio de ciudades celtíberas [164] y en el nombre de una divinidad de Inglaterra [165].

Problemas culturales en el mundo céltico

Así como la expansión céltica se halla reflejada por la repetición de los mismos nombres en países lejanos entre sí (por ejemplo, encontramos poblaciones que se llaman *Virodunum* en Francia, España y Alemania), en lo tocante a la Arqueología se notan repeticiones parecidas. Es hacia el año 650 cuando aparecen los primeros objetos de hierro en la Península, en necrópolis catalanas que en otros aspectos no se diferencian de los «campos de urnas» de la Edad del Bronce [166]. Luego se aprecia la aparición del mismo metal en túmulos, incluso en el valle del Guadalquivir [167], y los objetos hechos de él suelen ser puñales y espadas con antenas más o menos desarrolladas y cuchillos en los que se observa una decoración nielada. Semejantes objetos se encuentran en yacimien-

---

[162] Véase nota 8.
[163] Véase p. 96.
[164] Livio, XL, 33, 1-4; Valerio Máximo, VII, 4, 5, y «Contrebia Leucada», Livio, fragm. 91.
[165] C.I.L., VII, 284, 290 (Lancaster): hay un pueblo de los «Contrubii» citado por Livio.
[166] Especial atención han merecido estos movimientos de parte de Bosch-Gimpera, del que, entre muchos otros trabajos, recordaremos ahora (además de los ya citados) los que siguen: «Los celtas y la civilización céltica en la península Ibérica», en *Boletín de la Sociedad Española de Excursiones*, XXIX (1921), pp. 248-301; «Els celtes i les cultures de la primera edat del ferro a Catalunya», en *Butlletí de l'Associació Catalana d'Antropologia, Etnologia i Prehistòria*, III (1925), pp. 207-214.
[167] Lo cual puede estar ya en relación con hechos históricos de que se hablará en el capítulo que sigue.

tos arqueológicos de multitud de localidades europeas: unidos con otros, trabajados en bronce, tales como broches de cinturón, fíbulas y colgantes, dieron base para establecer la existencia de la «época del Hallstatt» o «Primera Edad del Hierro». La técnica considerada hallstáttica se sigue usando en la Península con bastante retardo. Pero no hay derecho a asociar el trabajo particular del hierro con otros rasgos culturales, como lo hacen ciertos autores para dividir y subdividir históricamente la época que va desde el año 650 hasta el 1 a. de J.C. en una serie de fases con nombres abstractos, como los de «Hierro I ibérico», «Hierro I céltico», «Hierro ibérico II A», etc. [168]. Es mucho mejor, por razones que se verán suficientemente desarrolladas en las páginas que siguen, emplear otro vocabulario, para expresar matices que nada tienen que ver con la industria siderúrgica en sí, matices de carácter cultural y sociológico, no debidamente estudiados.

Hacia el año 350 a. de J.C. comienzan a llegar a la Península, por vía continental y asociadas también con la entrada de pueblos celtas, nuevas técnicas y un florecimiento enorme de la metalurgia de todas clases: grandes espadas, armamentos y aperos, objetos de adorno nielados, vajillas de oro y plata, collares y brazaletes nos hablan de una relación industrial con los pueblos célticos del continente. Aquellos objetos sirvieron para establecer la fase arqueológica llamada «Segunda Edad del Hierro» o «época de la Tène» (a causa del yacimiento más famoso en un principio), y los de España, precisando más, se relacionan con los de la fase B de ésta, que corresponde a un momento de gran expansión bélica de los celtas britones [169]. Pronto, en las zonas más densamente ocupadas por celtas de la Península, comenzaron a producirse enseres con carácter especial, dentro de este

[168] Martínez Santa-Olalla, op. cit., pp. 157-165.
[169] Martínez Santa-Olalla, op. cit., pp. 163-164.

ciclo de la metalurgia, que es, como se ha indicado, aquel en que hay más homogeneidad. Podríamos acaso buscar los motivos de las semejanzas y repeticiones en el carácter especial que siempre se ha asignado a los herreros y trabajadores de metales, que viven un tanto apartados del resto de la población, heredando de padres a hijos una serie de conocimientos que el resto ignora.

Conocido es el hecho de que en el Africa negra los herreros constituyen una casta separada siempre, que unas veces es despreciada, como ocurre en vastas porciones de la parte septentrional, hasta el Sudán, en donde forman un estrato antiguo en general, casta que en otras ocasiones goza de fama de ser experta en las artes mágicas y hechicería, existiendo, por último, zonas, como ocurre en las riberas del Congo, en que se la considera descendiente de reyes, teniendo el «príncipe de los herreros» una alta posición [170]. En los viejos pueblos de Europa, el folklore y la mitología revelan que los metalúrgicos gozaban de gran prestigio religioso (recuérdese el caso de los nibelungos), habiendo indicios también de que frecuentemente constituían, dentro de una unidad social, casta aparte [171]. Por lo que se refiere a España, existen datos folklóricos que reflejan lo primero, pero nada podemos decir sobre lo segundo. Si hubo castas de herreros entre los celtas u otros pueblos, no han dejado huellas.

Vemos, pues, que la distribución de ciertos hechos lingüísticos va relacionada, curiosamente, con la de determinados hechos culturales. Pero de ninguna forma se ha de creer que esta realidad produce una homogeneidad de los países en que se registran unos y otros. Si hacemos estudio detallado de la vida de los diversos pueblos de Europa considerados célticos,

---

[170] Véase el *Atlas Africanus* de Frobenius, II, hoja 8.
[171] Toda la mitología germánica está llena de alusiones a razas misteriosas de forjadores del hierro, como los nibelungos.

nos daremos cuenta perfecta de su distinta fisonomía cultural, debida en primer término al hecho conocido con el nombre de «aculturación», es decir, el choque de distintas formas de cultura y sus consecuencias [172]. Es claro que si se designa a unos núcleos celtas muy antiguos con la letra A, al llegar éstos a pueblos diversos (B, C, D, etc.) la combinación de A + B, A + C, A + D dará otros tantos resultados diferentes. Así, en la técnica del trabajo del hierro y en otros aspectos de la cultura material que preferentemente reflejan las investigaciones arqueológicas, los distintos pueblos de Europa en que entraron los celtas parecen ostentar ciertos rasgos comunes, como lo indica la validez de designaciones generales: «época de Hallstatt», «época de la Tène». Análogamente, hay ciertos testimonios lingüísticos que apoyan la idea de unidad. Pero el que emprenda un estudio global, y sobre todo de tipo sociológico, puede llegar a darse cuenta de que entre ellos existen importantes diferencias. He aquí un ejemplo.

Del estudio de ciertos textos clásicos y de otros de la más vieja literatura céltica se desprende que en Irlanda (país considerado como celta por antonomasia), así como entre algunas viejas tribus de Inglaterra, ha existido cierta tendencia a la vigencia del derecho materno en punto a heredamientos, etc. Como los celtas del continente fueron, como otros muchos pueblos indoeuropeos, eminentemente patriarcales, semejante tendencia no se ha podido explicar sino por influencia de las poblaciones preceltas [173]. Ya veremos cómo en España ocurre algo análogo en la zona norte, donde los celtas encontra-

172 Este fenómeno ha sido estudiado teoréticamente por Thurnwald y otros autores.
173 Josef Weisweiler, «Die Stellung der Frau bei den Kelten und das Problem des "Keltischen Mutterrechts"», en *Zeitschrift für Celtische Philologie*, XXII (1939), pp. 205-279. Los celtistas irlandeses conocedores del derecho antiguo de la isla tienden, sin embargo, a negar la existencia de derecho materno en ella.

ron pueblos de tipo matriarcal en conexión con los de la Edad del Bronce de que se habló en capítulos anteriores. Es lícito afirmar que formas variadas del derecho materno se encuentran, haciendo examen detenido de los textos antiguos, sólo entre los licios del Asia Menor [174] y acaso entre los antiguos etruscos [175], aparte de en la zona norte de España y en las Islas Británicas. Todo lo que Bachofen y algunos autores posteriores a él dijeron sobre vestigios matriarcales en los pueblos clásicos parece que no puede ser tenido en cuenta [176]. Esto de los «vestigios» en terreno etnológico es como el «substrato» en Lingüística: materia peligrosísima de manejar, ya que llamamos vestigio a aquel rasgo de contornos poco claros, de cuya existencia se pretende deducir la anterior de otro de caracteres precisos. Hay que distinguir con toda claridad entre este tipo de elementos y aquellos que han conservado siempre su validez y significación, aunque sea con vida precaria y poco robusta. Tal es la repartición del derecho materno en la Europa histórica conocida por los escritores clásicos que vivieron entre los siglos v y i a. de J.C. o algo después. La Etnología moderna también admite que en época anterior debió de desarrollarse un tipo de derecho materno en la costa sur del Mediterráneo mauritano [177], y hay que señalar que entre los pueblos del Cáucaso meridional se hallan, asimismo, rasgos matriarcales [178]. Esto haría pensar a muchos que en-

---

[174] Sobre el matriarcado licio el «locus classicus» es Heredoto, I, 173; además, Nicolás Damasceno, fragm. 129; Plutarco, *Virt. mul.*, 9.

[175] Entre los etruscos la cuestión es de todas formas problemática, P. Ducati, *Gli Etruschi* (Roma, 1928), pp. 141-142.

[176] Véase la crítica de H. J. Rose, «Prehistoric Greece and Mother-Right», en *Folk-Lore*, XXXVII (1926), pp. 213-244.

[177] De una antigua cultura agrícola y matriarcal del Mediterráneo africano habla varias veces H. Baumann en la sección «Negerafrika und Nordostafrika», de *Die Grosse Völkerkunde*, de Bernatzik, ya citada, I, pp. 266-267, etc.

[178] Según R. Bleichsteiner en su resumen de la Etnología caucásica, en *Die Grosse Völkerkunde*, II (Leipzig, 1939), p. 6.

tre el derecho materno hispano septentrional, que luego se describirá, y las lenguas no indoeuropeas del grupo llamado ya por algunos vascocaucásico hay relaciones genéticas. Pero es necesario desconfiar de conexiones tales cuando otras que parecen a simple vista más seguras ofrecen una gran cantidad de motivos de quedarse perplejo.

Para explicar las diferencias de cultura que se registrarán en las páginas descriptivas que seguirán a éstas hay que tener en cuenta, además de lo dicho, que las emigraciones de los celtas en particular, y las migraciones de cualquier pueblo en general, si eran debidas a una causa producían resultados diversos a las debidas a otras. Los emigrantes en ocasiones debieron ser muchos; en otras, pocos. En ocasiones, también la masa emigradora debió estar compuesta de hombres, mujeres y chicos, formando familias y tribus con sus ajuares, herramientas, etc.; en otras, no era más que un conglomerado de guerreros de diferentes procedencias, ávidos de fortuna. Y así resultó que unas veces los advenedizos, los conquistadores, formaban una casta superior rectora y los antiguos pueblos integraban la plebe (notándose también una jerarquía cultural); en otras acaeció un rompimiento y confinamiento de varios fragmentos de la población más vieja a áreas discontinuas que ocasionó la existencia de dos tipos de cultura interpuestos. A veces, también, lo que ocurrió fue la relegación de los invadidos a zonas montañosas extremas, en que vivieron aislados, o lo contrario, es decir, la absorción de los invasores, si eran pocos; y no fue raro que a la larga sobreviniera cierta fusión lenta que produjo una gradación cultural (y también racial) desde una zona que es la más típica o representativa de los invasores hasta otra que es la más típica de la población vieja [179], o de poblaciones de otro entronque.

[179] R. V. Sayce, *Primitive arts and crafts*, pp. 210-213, hace

Los colonizadores del Mediterráneo

A la par que las invasiones de fines de la Edad del Bronce y comienzos de la del Hierro, tienen lugar los establecimientos de colonias de varios pueblos del Mediterráneo en las costas orientales y meridionales de la Península. Primero los fenicios, fundadores de Cádiz; luego los griegos, samios y focenses, sobre todo; en tercer lugar los cartagineses, que derrotaron a los griegos en Alalia el año 542 a. de J.C., llevaron grandes novedades culturales a los centros que ocuparon y de las cuales modernamente se ha hecho estudio muy ceñido. A ellos se deben con probabilidad muchos de los nombres de pueblos y lugares de la Península, lo cual hay que tener en cuenta al estudiar las series de nombres iguales que se encuentran en ella y en el oriente del Mediterráneo, etc. Palabras como España, o la antecesora de ésta, Hispania, son en parte o en absoluto de origen fenicio o griego; cuando menos, adaptaciones de otros nombres a las respectivas lenguas de los colonizadores, del mismo modo que Londres, Bruselas o Nápoles ofrecen una desinencia castellana análoga que tiene que ver poco con la de los mismos nombres en inglés, francés o italiano [180]. Es excusado en un libro

un resumen general de las posibilidades culturales que originan las migraciones, de interés teórico, migraciones relacionadas en nuestro caso con lo que se puede llamar el «clímax» de una cultura, que es como el foco más intenso de ella: a medida que se separa uno de él, la «gradación» cultural dentro de un área va siendo otra: véase A. L. Kroeber, «Culture Element Distributions III, Area and Climax», en *University of California Publications in American Archaeology and Ethnology*, XXXVII, 3 (1936), pp. 101-116.

[180] Sobre los problemas que plantean estos nombres, véase J. Mª Millás Vallicrosa, «De toponimia púnico-española», en *Sefarad*, I, 2 (1941), pp. 313-326 (reseña de una memoria de A. Dietrich (1936): admitese el origen fenicio-púnico de nombres como «Selambina», «Sexi», «Malaca» (= factoría u oficina), «Suel» o «Sel», «Gadir», etc.). Sobre el nombre de España, además de este artículo, W. Sieglin, «Die Entstehung

como éste el recordar los episodios y vicisitudes de las colonizaciones citadas, entre las cuales cada vez adquiere mayor importancia la de los cartagineses, que ejercieron durante siglos una influencia considerable en casi toda España, y sobre todo del Tajo hasta el Sur y Este, influencia que nos manifiesta el segundo tratado que hicieron con los romanos el año 348, en el que se estipula que éstos no podían navegar por las costas españolas al sur de Mastia, Carthago Nova, y que culmina con la acción de los Bárquidas del año 237 al 218 a. de J.C. [181].

En esta última fecha, los romanos desembarcaron en Ampurias. Comenzaba la intervención de la República en los asuntos de la Península, a causa de sus relaciones y rivalidad con Cartago [182]. De tal hecho podemos sacar la conclusión lógica, no menos importante por conocida, de que la costa ibérica del Mediterráneo antes del 218 era ya zona en la que influían social y económicamente. El litoral del Sur y valle del Guadalquivir fueron dominados con rapidez tras una guerra con fuertes oscilaciones. En 197 se efectuó la división en dos provincias, la Citerior y la Ulterior, tomando como frontera el *Saltus Castulonensis*, es decir, la actual sierra de Alcaraz y los cerros de Villamanrique [183], a lo que siguió el conocimiento y dominio costoso de la meseta y el Occidente

---

des Namens Spanien», en *Zeitschrift für Ortsnamenforschung*, X (1934), pp. 253-265, y A. Schulten, «El nombre España», en *Investigación y Progreso*, VIII (1934), pp. 161-163. Nombre de origen colonial es también el de Tartessos: W. Sieglin, «Die Namensform der Stadt Tartessos», en *Zeitschrigt für Ortsnamenforschung*, X, pp. 266-275.

[181] Como obra fundamental de la que nos hemos aprovechado con insistencia, hay que colocar en primer término a la del gran historiador alemán A. Schulten, *Fontes Hispaniae Antiquae (F.H.A.)*, de la que van publicados cinco volúmenes (Barcelona, 1922, 1925, 1935, 1937, 1940): gran colección de textos clásicos sobre España, con índices, comentarios y traducciones. Del mismo es la utilísima *Hispania* citada en la nota 150 y multitud de monografías que oportunamente serán citadas.

[182] Polibio, III, 76, 1; Livio, XXI, 60, 1.
[183] Livio, XXXII, 28, 2.

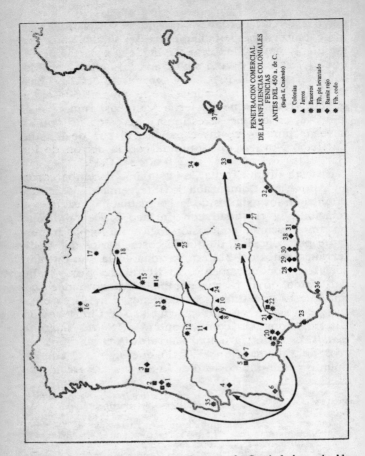

Fig. 25. 1. Santa Olaia.—2. O Crasto.—3. Conímbriga.—4. Al-
cácer do Sal.—5. Quintos.—6. Azougada.—7. Lagos.—8. Mérida.—9. Medellín.—10. Valdegamas.—11. La Aliseda.—12. Villanueva.—13. Berrueco.—14. Sanchorreja.—15. Coca.—16. Prov.
León.—17. Prov. Burgos.—18. Alto Yecla.—19. Huelva.—20. Nie-
bla.—21. Carambolo (Sevilla).—22. Carmona.—23. Gadir.—24.
Sirvela.—25. Ocaña.—26. Collado de los Jardines.—27. Galera.—
28. Malaca.—29. Torre del Mar.—30. Almuñécar.—31. Abdera.—
32. Villaricos.—33. El Puig.—34. Prov. Valencia.—35. Torres
Vedras.—36. Gorham Cave (Gibraltar).—37. Ebussus.—38. Fri-
giliana.

y, por último, la pacificación y dominación del Norte [184].

Estos datos vulgares deben ser, como varias veces he indicado en otros trabajos, la base de toda investigación sobre la Etnología de la España prerromana. En los doscientos años que transcurren entre el 218 y el 19 antes de la Era, en que se pueden dar como terminadas las guerras cantábricas, los romanos y sus amigos y técnicos griegos fueron dándose cuenta de la diversidad de ambientes que había dentro de la Península; en estos años, también, fueron influyendo más o menos en la población indígena. Y así, recién llevada a cabo la paz de Augusto, decía Estrabón, nuestra gran autoridad: «La mayor parte de Iberia se habita con dificultad, pues la ocupan montes, bosques y llanadas de tierra arenosa y está deficientemente regada por lo general. Por otro lado, la región que mira hacia el Norte es fría en extremo y además muy áspera y próxima al océano; la occidental está incomunicada de las otras, de suerte que la vida de sus habitantes es por demás mísera. La del Sur, en cambio, es casi en su totalidad próspera y particularmente por el lado de más allá de la columna» [185].

Hay que hacer notar que, dada su especial idea de la configuración de la Península, el geógrafo de Amasia incluía en la zona sur a gran parte de la costa oriental del Mediterráneo [186]. En el aislamiento señalado hay matices de gran importancia desde el punto de vista cultural.

La lucha perseverante de los pueblos llamados celtíberos por su independencia implica su extensión por grandes territorios difíciles de dominar totalmente, y sentimientos impropios de pueblos mediatizados

[184]   Véase la exposición de Bosch-Gimpera y Aguado y Bleye en la *Historia de España* dirigida por Menéndez Pidal, II (Madrid, 1935), pp. 3-283, en donde se tienen en cuenta las investigaciones hasta la fecha.
[185]   III, 1, 2 (136-137).
[186]   III, 1, 3 (137).

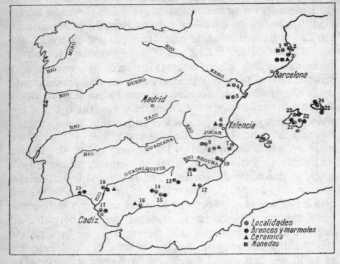

Fig. 26. Hallazgos griegos anteriores al 450 a. de C.

1. Pont de Molíns.
2. Rosas.
3. Ampurias.
4. Calaceite.
5. Morella.
6. Liria.
7. Mongó.
8. La Bastida de Mongente.
9. Llano de la Consolación.
10. Elche.
11. Rollos.
12. Villaricos.
13. Galera.
14. Atarfe.
15. Granada.
16. Málaga.
17. Jerez.
18. Sevilla.
19. Huelva.
20. Ibiza.
21. Lluchmajor.
22. Porreras.
23. Campanet.
24. Rafal.
25. Torelló.

e influidos de modo previo y directo por otros superiores económicamente: César estableció una relación curiosa entre el valor y la fiereza, de una parte, y la falta de relaciones comerciales, por otra[187]. Pero aquella misma perseverancia supone una capacidad técnica y una pericia en el arte de la guerra bastante considerables, sin las cuales los romanos no hubieran tenido que emplear tanta sangre y usar de tanta traición en dominarlos. La última guerra, la del Norte, tiene todos los caracteres de una lucha de exterminio contra pueblos mucho menos parecidos a los clásicos[188].

Así es que al estudiar las tres fases de la conquista romana se pueden establecer tres grandes áreas culturales, siquiera sea de modo provisional. Pero dentro de ellas cabe registrar distintas formas económicas, diversas instituciones sociales, aspectos muy variados de la cultura material y espiritual, pese a ciertos rasgos comunes a todas. Ahora bien, para un ulterior análisis conviene estudiar estas tres áreas (la mediterráneo-andaluza, con gran parte del valle del Ebro; la de la meseta y Occidente y la cantábrica), partiendo de los territorios considerados como más civilizados, los del Sur, y, para abreviar, descompondremos ya las tres áreas (a, b, c) en otros complejos culturales menores que, atendiendo a su situación geográfica, pueden denominarse así:

a) 1. Area de cultura superior tartesia.
   2. Area de cultura del litoral oriental mediterráneo.
b) 3. Area de cultura celtibérica.
   4. Area de cultura carpetovetónica.
   5. Area de cultura váccea.
   6. Area de cultura lusitana.
c) 7. Area de cultura galaica.
   8. Area de cultura cántabro-pirenaica.

---

[187] *B. g.*, I, 1, 3.
[188] Conceptos generales sobre la «barbarie» de los pueblos del Norte, en Estrabón, III, 4, 17 (164-1565).

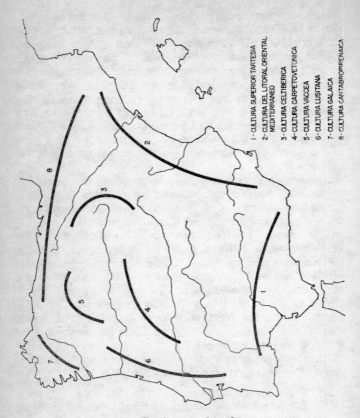

Fig. 27. Areas culturales.

Antes de pasar a describirlas vamos a hacer algunas observaciones previas de tipo general. La primera será acerca del valor de las fuentes de que disponemos para llevar a cabo nuestra investigación. Podemos dividirlas de esta manera:

I. Fuentes de época anterior al dominio cartaginés en Occidente.

II. Fuentes de época posterior al dominio cartaginés en Occidente.

No ha de creerse que siempre se hallan separadas y distinguidas: muchos autores las utilizaron a la par en épocas tardías. Pero hay otros en que se ve muy bien su diferencia, apreciándose la vaguedad de las observaciones contenidas en las unas y la precisión de las otras. Esta es la causa por la que procuraremos no mezclarlas. Las condiciones en que se hicieron unas fueron tan desfavorables que con razón hay derecho a ponerlas en cuarentena. El espíritu de los que las llevaron a cabo, por otra parte, no era un espíritu científico muy depurado. Los historiadores y geógrafos de la época más gloriosa de Grecia tenían aficiones un tanto literarias por lo fabuloso, por lo extraordinario. El gusto por la observación de la realidad, seca y descarnada, surge con los geógrafos y eruditos alejandrinos o helenísticos. Los maestros primeros en semejante tipo de observación fueron hombres como Eratóstenes (que no pudo ser exacto en muchos casos por falta de datos) o Polibio, nacido ya en época en que el viajar por Occidente era posible para un griego, amigo de los romanos. Los autores griegos de la época romana, con más sentido crítico que los romanos mismos, decían claramente que había que desconfiar de las noticias que emanan de Eforo y otros escritores muy antiguos, pues eran vagas, confusas y caprichosas. Josefo, en su tratado contra Apión, reprochó, por ejemplo, al autor citado que creyera que los iberos vivían en una sola ciudad, «cuando ocupan una parte tan considerable del occidente de la tierra; y se han atrevido (estos autores) —prosigue— a describir como practicadas realmente por los iberos costumbres que ni entre ellos existen ni las cuenta nadie» [189].

Sin embargo, hoy día en muchos casos tenemos que

[189]   I, 12: Schulten, *F.H.A.*, II, pp. 62, 212.

recurrir a los escasos fragmentos que nos quedan de sus obras. Mediante combinaciones de ellos se ha pretendido reconstruir unos períodos históricos lejanos. Pero cada autor los combina a su modo y es muy difícil a veces optar entre dos o más combinaciones. Fábulas inventadas por los marinos, trozos de leyendas indígenas, teorías mitológico-geográficas ideadas por eruditos, todo se halla mezclado en las fuentes anteriores al dominio romano. No poco contribuyeron a embrollar el panorama los cartagineses, que a partir de sus victorias navales sobre los griegos [190] echaron un velo de terror sobre Occidente, pues a las tripulaciones helénicas o de otra estirpe que encontraban navegando por el Mediterráneo occidental y meridional las arrojaban al mar sin escrúpulo [191]. Cabría hacer una distinción, como la efectúan varios autores [192], entre las fuentes griegas anteriores a la hegemonía cartaginesa, que serían más concretas, y las posteriores, hasta el año 218 precisamente,

[190] Las influencias de los pueblos colonizadores han sido estudiadas con particular atención por A. García Bellido, del que ahora citaremos «Fenicios y carthagineses en Occidente» (Madrid, 1942); «Las primeras navegaciones griegas a Iberia (s. IX-VIII a. de J. C.)», en *Archivo Español de Arqueología*, 41 (1940), pp. 97-127; «La península Ibérica según los navegantes geógrafos griegos que estuvieron en España», en *Estudios geográficos*, II, 2 (1941), pp. 93-130.

[191] Para todo este período, Schulten, *F.H.A.*, II.

[192] La distinción la apoyarían los datos arqueológicos. A. García Bellido, en *Los hallazgos griegos en España* (Madrid, 1936) y «Nuevos hallazgos griegos en España», en *Archivo Español de Arqueología*, 45 (1941), pp. 524-538, establece, por ejemplo, que de los siglos VI y V hay bastantes bronces encontrados en la Península, menos del IV, y menos aún del III. Notemos que las *Fontes...* de Schulten no alcanzan ahora sino hasta la era de Augusto. Como índice para todas las épocas y en especial para las sucesivas en consecuencia, puede utilizarse el estudio de J. Alemany, «La geografía de la Península ibérica en los textos de los escritores griegos, desde que éstos tuvieron conocimiento de aquélla» en *Revista de Archivos, Bibliotecas y Museos*, año XIII, XXI (1909), pp. 463-478; XXII (1910), pp. 1-34, 149-185 (griegos y romanos), 360-371; XXIII (1910), pp. 45-80, 303-319, 388-410; XXIV (1911), pp. 96-104; XXV (1911), pp. 323-341; XXVI (1912), pp. 215-235.

que corresponderían al período de mayor desconocimiento. Pero hay que reconocer que si esto puede ser útil para llevar a cabo ciertas especulaciones lingüísticas y «etnológicas» a base de nombres propios, toponimia, etc., desde un punto de vista social, económico y cultural apenas nos dice nada. Los fragmentos de Hecateo, Eforo, Timeo, etc., son igualmente escasos en datos descriptivos, y aun en la *Ora maritima*, de Avieno (fig. 28), el contenido histórico-

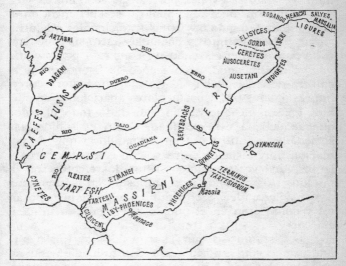

Fig. 28. España en la época de Avieno (siglo IV a. de C.).

cultural es menor que el estrictamente geográfico y mitológico. Mas bajo este velo tupido de las fuentes más antiguas hay algo inquietante y atractivo siempre, algo que el etnólogo y el arqueólogo llega a apreciar: la existencia de relaciones oscuras entre pueblos diferentes, la de rutas comerciales, usadas acaso desde remotas edades prehistóricas, incluso como caminos de invasión.

Las comunicaciones por tierra entre los diversos pueblos de Occidente se hallan atestiguadas en autores antiguos de éstos, que dicen que desde Italia existía un camino antiquísimo que alcanzaba el país de los iberos, atravesando los de los celtas y celto-ligures, camino llamado de Hércules. Los habitantes de sus contornos lo vigilaban para que nadie molestara a los viandantes, fueran griegos o indígenas. Los que infringían la ley estaban obligados a pagar una multa [193]. Esto se explica por causas económicas y es muy verosímil, pues algo análogo se encuentra en el Africa actual, donde hay rutas tradicionales que atraviesan países distintos y enemigos entre sí, y mediante las que se lleva a cabo un comercio permanente que va modificando, poco a poco, la fisonomía de la cultura de cada pueblo. Acaso muchos historiadores, impresionados por espectaculares apariciones de pueblos en son de guerra, no han dado todo el valor que se debe a esta realidad. Como es sabido, las sociedades primitivas viven formando grupos de población muy aislados entre sí, con contactos raros y lentos. Una vez producidos éstos, los efectos son limitados: los cambios se manifiestan en algunos medios técnicos, ideas y costumbres, y no se incorporan tal y como eran en el pueblo que ejerce la influencia, sino que sufren transformaciones. No se ha insistido bastante —según Thurnwald— en que a menudo un objeto utilizado por determinada tribu no ha sido fabricado por ella, sino que ha sido comprado a otra [194]. Estas palabras son muy ajustadas a nuestro caso. ¿Cuándo y cómo los elementos, los rasgos culturales que se registran en un momento, se incorporaron, se asociaron unos a otros? Aquellos que aparecen con un carácter complejo, ¿llegaron al lugar en que los encontramos con tal carácter o éste

---

[193] *De mirab. ausc.*, 85; Schulten, *F.H.A.*, II, pp. 103, 225. La noticia emana acaso de Timeo.
[194] Thurnwald, op. cit., pp. 31-32.

186

es producto de una elaboración *in situ?* ¿En qué grado la difusión de un elemento cultural supone la difusión de otros, y en qué relación puede estar con la expansión de una lengua o una raza, con la adaptación a un medio? He aquí los problemas que nos van a plantear las descripciones de los capítulos que siguen. Por ellas veremos que las caracterizaciones históricas generalmente admitidas de lo «ibérico», lo «céltico», etc., son harto problemáticas si se pretende darles un contenido paralelo cultural, lingüístico y biológico. Recordemos las palabras de Goldenweiser con que iniciamos nuestra exposición: cada cultura en un lugar pequeño es en ciertos casos única e individual, pero para individualizarla hay que estudiarla en sí, sin dejarse llevar de prejuicios ni asociando datos heterogéneos y oscuros. Es lícito examinar los elementos culturales, raciales o lingüísticos y hallar analogías y conexiones. Pero no se puede establecer categóricamente la trabazón entre un dato antropométrico y un elemento cultural ni construir hipótesis sobre un dato conocido y otro oscuro. La hipótesis útil es aquella que opera sobre datos precisos pero poco explicados en su aislamiento, no la que se construye sobre vaguedades y generalidades.

Así, cuando de las fuentes clásicas más antiguas se pretende extraer la clave etnológica para tiempos posteriores, cuando de datos imprecisos se procura sacar la explicación de otros concretos, se corre gran peligro de errar. Los mismos hechos se atribuyen en casos a un pueblo, en casos a otro, o se alteran levemente. Así, por ejemplo, los celtas, según Eforo, recogido por Estrabón, se ejercitaban mucho para no engordar, sobre todo los jóvenes, ya que el que excedía en medida del abdomen a la prescrita era castigado [195]. Y de las mujeres iberas dice Nicolás Damasceno, inspirándose también en Eforo con la mayor

[195] Fragmentos recogidos por Schulten, *F.H.A.*, II, pp. 54-63 (59 especialmente).

probabilidad, que tenían una medida del talle y que, si al medirse con ella su vientre la rebasaba, se consideraban infamadas [196]. Según el mismo autor, era también costumbre general ibérica la de que las mujeres hicieran una exposición anual de las telas que habían tejido. Nombrábase con este motivo un jurado masculino que honraba a la más trabajadora [197]. ¿En cuántas partes se repetirían las mismas costumbres? ¿Cómo caracterizar a un pueblo sólo por una o dos?

[196] Fragm. 102 de análoga inspiración; Schulten, *F.H.A.*, II, p. 61.
[197] Fragm. 102: íd. íd.

SEGUNDA PARTE

LOS PUEBLOS ANTIGUOS DE LA PENINSULA IBERICA

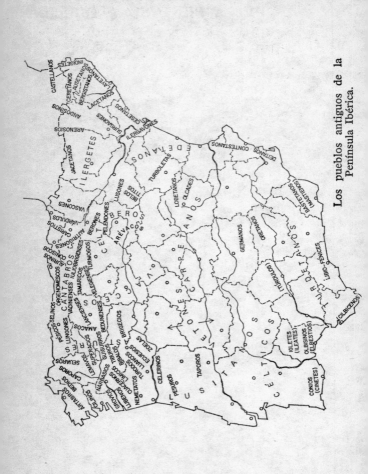

Los pueblos antiguos de la Península Ibérica.

5

LOS PUEBLOS DEL SUR
DE LA PENINSULA

Tartesios y turdetanos

Cuando los romanos, y antes los cartagineses, entraron en la parte meridional de la Península, se encontraron con un pueblo notablemente culto y distinto, por muchos conceptos, a los que vivían más al Este y al Norte. Este pueblo había experimentado desde antiguo, y bastante directamente, influencias de los países del Mediterráneo oriental, y tales influencias se han estudiado en páginas anteriores. Toca ahora describir el grado en que lo hallaron los romanos, empresa no muy fácil, puesto que desde un principio los turdetanos o tartesios se romanizaron mucho. Las fantasías que han corrido acerca del carácter de la civilización andaluza antiquísima, la fecha excesivamente lejana que dieron algunos arqueólogos a obras de arte de esta zona, influidas por otras helénicas o helenísticas e incluso romanas, y el no haber profundizado en el estudio de las colonizaciones fenicias y cartaginesas, han sido causa de que, modernamente, se haya pasado de una postura de admiración convencional hacia todo lo tartesio a otra de crítica y escepticismo que considero perniciosa. En la década de los veinte, el libro del profesor Schulten sobre Tartessos [1] puso de moda un tema acerca del que ya habían tratado con cierta fortuna eruditos españoles de comienzos del siglo XVII [2]. Pero en vez de afinar en el análisis del contenido histórico-cultural de las referencias a la civilización de aquel país o ciudad, que se recogen en obra tan atractiva, la atención de los eruditos se ha polarizado después procurando resolver una sola cuestión planteada en ella: la de dónde estuvo Tartessos. El que la ciudad de Tartessos estuviera aquí o allá es importante, pero lo es más el dar un bosquejo del desenvolvimiento social y económico de los pueblos de la zona del Guadalquivir desde el oscuro momento en que por vez primera aparecen en la Historia escrita hasta el bastante antiguo también en que los romanos se asentaron en ella. Pues aunque sea verdad lo que se ha dicho sobre la romanización, ello no quita para que los rasgos adquiridos antes siguieran con vigencia. Lo difícil es —como se ha dicho también— separarlos, precisarlos

[1] *Tartesos. Contribución a la historia antigua de Occidente* (Madrid, 1924). En 1945 se publicó una nueva edición.
[2] Las cuestiones que suscita el estudio de los textos clásicos acerca de Tartesos y su relación con los bíblicos sobre Tharsis, están ya planteadas con amplitud en el libro del jesuíta sevillano Juan de Pineda (1557-1637) *Ioannis de Pineda Hispalensis e Societate Iesu, ad suos in Salomonem commentarios Salomon praevivus, id est, de rebus Salomonis regis libri octo* (Lugduni, Apud Horatium Cardon... 1609), pp. 185-210 (lib. IV, capítulos XIV-XV). Pineda cita a autores del Renacimiento que se ocuparon de lo mismo. Sobre la localización de Tartesos hay también un trabajo de D'Anville, «Mémoires sur la situation de Tartessus, ville maritime de la Bétique, et sur la largeur du Fretum Gaditanum», en *Mémoires de littérature tirés des registres de l'Académie royale des Inscriptions et Belles-Lettres*, XXX (1764), pp. 113-131. donde la localiza en Rota. Las últimas investigaciones sobre localización se recogen en C. Pemán, *El pasaje tartéssico de Avieno* (Madrid, 1941), 117 pp.; «Nuevas contribuciones al estudio del problema de Tartessos», en *Archivo español de Arqueología*, 42 (1941), pp. 177-187; «Nuevas consideraciones sobre el problema de la ubicación de Tartessos», en el mismo *Archivo...*, 51 (1943), pp. 231-244 (contra Hermann, negador de la existencia de una Tartessos antigua hispánica); M. Esteve Guerrero, *Excavaciones de Asta Regia (mesas de Asta, Jerez), campaña de 1942-43* (Madrid, 1945).

con toda nitidez. Cuando los pueblos clásicos pudieron romper la barrera que los cartagineses habían echado sobre el Occidente, quedaron admirados de las riquezas que se ponían a su servicio y acaso emplearon demasiada hipérbole en describirlas. Las fábulas recogidas en épocas anteriores a la hegemonía cartaginesa vinieron a fundirse con conocimientos positivos y descripciones exactas, labor en que siempre los griegos triunfaron sobre los romanos. He aquí algo de lo que dicen unos y otros. En los comienzos de la Era Cristiana, la Bética era un país lleno de gentes de diversa procedencia. En los puertos más próximos a Africa vivían masas humanas considerables de origen líbico, que hablaban una jerga emparentada con el púnico[3]. Los fenicios constituían también un núcleo potente de población[4]. Pero los latinos dominaban de tal forma que el latín era ya la lengua común y las lenguas viejas se iban olvidando[5]. Africanos, fenicios[6], romanos, griegos e indígenas se dedicaban a múltiples actividades. Claro es que cuando hablamos de indígenas no hay modo de precisar demasiado. ¿Hasta qué punto eran indígenas la generalidad de los turdetanos? En la más vieja descripción geográfica de la zona, que utilizó Avieno en su *Ora marítima*, encontramos que tras los «cynetes» o «cinetas» que ocupaban el extremo sur de Portugal hasta el Anas (Guadiana)[7], se coloca a un pueblo «ibero» que alcanzaba las riberas del río Tinto[8]. Pero luego de éste venían ya los «tartesios» propiamente

---

[3] Como lo revelan las monedas de Asido, Lascuta, etc.
[4] Estrabón, III, 2, 13 (149).
[5] Estrabón, III, 2, 15 (151).
[6] Ya en la *Ora marítima* de Avieno, 421, se coloca en la costa mediterránea de Andalucía a los «libyophoenicoes» habitantes de Malaca, Sexi y Abdera. En Appiano son los «blastophoenices» (*Iber*, 56) para Agrippa (Plinio, *N. H.*, III, 8) simplemente «poeni» y para Ptolomeo (II, 4, 6) «bastulopúnicos». Nombran también a los libiofenicios, Hecateo y Hannon: Schulten, *F.H.A.*, I, p. 112.
[7] 201, 205, 233.
[8] 223, 252.

dichos, que vivían desde el dicho río hasta la boca oriental del Guadalquivir [9]. Tartesios eran considerados también genéricamente los «cilbicenos», que ocupaban la punta más meridional de la Península [10]; los «etmaneos» e «ileates», en el valle superior del Guadalquivir [11], y los «massienos», desde el río Criso, frontera oriental de los «cilbicenos» (que debe ser el actual Guadiaro), hasta su capital Massia, asentada donde después Carthago-Nova [12]. Seguían a éstos los «gimnetas», que alcanzaban el Júcar o Sicano, y de aquí hacia el Norte volvían a aparecer los «iberos» en la costa valenciana y catalana [13].

Herodoro de Heraclea, que escribió hacia el año 420 antes de Jesucristo, dividía a los pueblos del sur de la Península de esta manera: «este pueblo ibérico, que habita la costa cercana al estrecho, recibe varios nombres, siendo un solo pueblo compuesto de varias tribus. Primero los habitantes de la parte más occidental se llaman cinetes (después de éstos hacia el norte se encuentran los gletes), después vienen los tartesios, luego los elbisinios, después los mastienos, después los celcianos y después ya el estrecho» [14]. Aquí parecen verse ya los efectos del desconocimiento de las costas de la España meridional por parte de los navegantes griegos, así como una amplificación del concepto de iberos. Iberos y tartesios se diferenciaban para los primeros autores con noticias directas tanto como para los posteriores al período de oscuridad producido por los púnicos. Las viejas denominaciones tribales habían desaparecido cuando

9 423.
10 303, 422.
11 300, 302.
12 422. Los fragmentos de Hecateo hablan ya de los «mastienos»: Schulten, *F.H.A.*, I, pp. 165-168: en general hay cierta analogía entre lo reflejado por Avieno y lo que se halla en estos fragmentos de hacia el año 500 a. de J. C.
13 464.
14 Constantino Porfirogeneta, «De administrando imperio», 23, tomado de la *Historia de Hércules:* Schulten, *F.H.A.*, II, pp. 37-38, 206.

éstos dejan el campo y el mar libres: a los tartesios
suceden los turdetanos y túrdulos; a los mastienos,
los «bastulos» y «bastetanos» [15], y donde los inspiradores de Avieno colocaban pueblos con nombres enigmáticos, aparecen «celtas» claramente definidos. Sería, pues, demasiado categórico el afirmar que todos
los pueblos del Sur que no eran griegos, ni romanos,
ni fenicios, ni púnicos, ni libios pertenecían a un
mismo tronco. Ya es significativo que entre los «cinetas» y los «tartesios» se enclaven, en épocas remotas, unos «iberos». Se ha pensado que los «cinetas»,
que estuvieron muy relacionados con los tartesios
siempre, eran ligures, y se ha indicado que a la zona
próxima a la desembocadura del Guadalquivir, con
sus marismas y pantanos, se le llama «Ligustinus
Lacus» en el mismo Avieno [16]. Pero creo que es mucho
más provechoso el estudio del elemento celta en la
zona tartesia que el del ligur. El promontorio Cuneo,
en tierra de los antiguos «cinetas», recibía este nombre en tiempo de Estrabón porque estaba en territorio de los conios o cunios, cuya capital era Conistorgis, y aquel autor claramente dice que ésta era
ciudad de los celtas o célticos [17]. Los nombres de
«cynetes» y cunios parecen en realidad celtas y no
ligures [18]. En Plinio hay recuerdo de que de la Lusitania llegaron unos pueblos célticos a la Bética, como
es manifiesto en las costumbres religiosas, en la lengua y en el nombre de las ciudades de estos «celtas»

[15] La relación de unos nombres y otros parece, sin embargo, probable en este caso. Sobre los «bastetanos», Estrabón, III, 1, 7 (139); III, 4, 1 (156), que no los diferencia de
los «bastulos», y Ptolomeo, que los diferencia, poniendo a
los segundos (II, 4, 6) en la Bética y a los primeros (II, 6,
13; II, 6, 60) en la Tarraconense. Ya hizo un análisis de la
Geografía antigua de Andalucía, con su característica ponde-
ración, el padre Flórez, *España Sagrada*, IX (Madrid, 1860),
pp. 1-68.
[16] 284.
[17] III, 2, 2 (141): sobre el promontorio, III, 1, 4 (138-139).
[18] «Connius» y «Connia» son nombres gentilicios en las Galias: Holder, *Alt-Celtischer Sprachschatz*, I, col. 1.104.

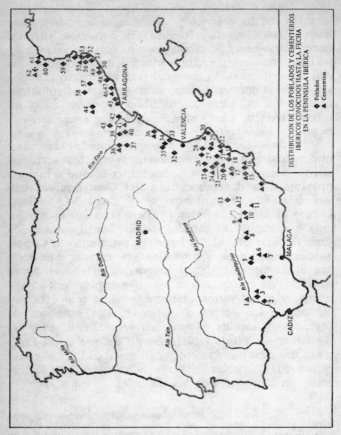

Fig. 29. Distribución de los poblados y cementerios ibéricos conocidos hasta el momento, según Presedo.

1. Setelilla.	6. Fuente Tójar.
2. El Carambolo.	7. Almedinilla.
3. Carmona.	8. La Guardia.
4. Osuna.	9. Toya (Peal de Becerro).
5. Baena.	10. Castellones de Ceal.

béticos más puros [19]. Celtas eran los que poblaban la región de la Baeturia, situada entre el Guadiana y el Guadalquivir (al sur de la actual provincia de Badajoz) [20], aunque eran gente menos civilizada que la de más al Sur, al parecer [21]. La aseveración de Polibio de que la relación de los turdetanos primitivos con los celtas tuvo consecuencias beneficiosas es de gran importancia desde el punto de vista cultural [22]. Pero resulta que incluso este pueblo de los «túrdulos» o

[19] *N.H.*, III, 10. Ptolomeo, II, 4, 11, disminuye la extensión de los celtas de la Bética.
[20] Estrabón, III, 2, 3 (142).
[21] Estrabón, III, 1, 6 (139). Algunos trasladados por los romanos.
[22] Estrabón, III, 2, 15 (151).

←

11. Baza.
12. Tútugi (Galera).
13. El Macalón.
14. Jebul.
15. El Cigarralejo.
16. Sorba.
17. Archena.
18. Elche.
19. El Molar.
20. Hoya de Santa Ana.
21. La Pedrera de Balaguer.
22. Tossal de Manises (Alicante).
23. Cerro de los Santos.
24. Llano de la Consolación.
25. Amarejo.
26. Meca.
27. Adarró (Villanueva).
28. Albarda.
29. Alcoy (El Puig, La Serreta).
30. Montgó.
31. Burriach (Cabrils).
32. Liria.
33. Saguntum.
34. Rochina.
35. Segorbe.
36. Alcalá de Chivert.
37. Alloza.
38. Azaila.
39. Mazaleon.
40. Calaceite.
41. Coll del Moro de Gandesa.
42. Tivissa.
43. Jebut.
44. La Pedrera de Balaguer.
45. Tarragona.
46. Vendrell.
47. Adarró (Villanueva).
48. Puig Castellar.
49. Burriach (Cabrils).
50. Cabrera de Mataró.
51. Castell de Palamós.
52. Ullastret.
53. Cypsela (?).
54. Rosas.
55. Ampurias.
56. La Creueta.
57. Sorba.
58. Olius.
59. Ruscino.
60. Montlaurés.
61. Ensérune.
62. Le Cayla de Maillhac.

«turdetanos», que dio nombre a la región en un instante [23], no parece ser de excesivo arraigo. «Túrdulos» había en Lusitania diferenciados de los del Sur mediante el dictado de viejos *(turduli veteres)* [24], y otros *Turduli qui Barduli appellantur* se registran en la misma zona [25]. Dentro de los del Sur, Estrabón no alcanza a distinguir entre turdetanos y túrdulos, aunque, según él, Polibio manifestaba que los primeros ocupaban la zona meridional del valle del Guadalquivir, o Betis, y los segundos poseían la septentrional [26]. Autores posteriores, como Ptolomeo, establecen una división territorial más complicada e igualmente la efectúan entre bástulos y bastitanos [27].

Rasgos étnicos

La mayor parte de los autores consideran que el nombre de «turdetanos» y «túrdulos» es de tipo «indígena», ibérico [28]. Pero hay que insistir en que muchos de los nombres registrados en esta zona son celtas. Entre ellos, el mismo del rey «Argantonios», que dirigió los destinos de Tartessos hacia los años 550 a. de J.C., y en el que puede reconocerse el nombre de la plata propio de los celtas, *arganto*, relacionado con el latino y el griego [29], mientras que los

[23] Estrabón, III, 1, 6 (139).
[24] Aparte de los turdetanos que quedaban dentro de la Lusitania en la época romana, de los que hace mención Ptolomeo, II, 5, 2. De los «turduli veteres» habla Plinio, *N.H.*, IV, 113, colocándolos en las orillas del Duero.
[25] Plinio, *N.H.*, IV, 118.
[26] Estrabón, III, 1, 6 (139).
[27] II, 4, 4; II, 4, 5 (para las costas); II, 4, 9; II, 4, 10 (para el interior).
[28] Se piensa en una forma primitiva, «Turta» (registrada por Catón como nombre de cierta ciudad); en el nombre de Guadalquivir recogido por Livio («Tertis») y en la variante «Tourtutania» dada por Artemidoro que estarían en relación con la griega «Tartessos» y la semítica «Tarschich», tanto como con la latina «Turdetania»: Schulten, *F.H.A.*, II, p. 156.
[29] Hubert, op. cit., p. 379.

ligures poseían otro relacionado con el germánico *silber* y con la palabra vasca «zillar», que acaso haya dado topónimos como el *mons Silurus* [30] o nombres de pueblos cual el de los «siluri» [31]. Típicamente celtas son los de «Nertobriga», ciudad colocada por Ptolomeo entre los turdetanos, que debe buscarse por Fregenal [32], y «Mirobriga», Capilla, no lejos de Almadén [33], ambas muy al Norte dentro del país. Nombre celta es también el de «Segida», que se repite dos veces en el Sur [34], y aun podrían citarse otros recogidos en fuentes clásicas. Pero acaso ahora sea más interesante consignar que en las monedas de Obulco, con inscripciones en caracteres tartesios, se leen nombres de magistrados de aquella ciudad que si unas veces parecen de origen oscuro, otras tienen un carácter céltico indudable. En una moneda con inscripción latina se lee el nombre personal de «Bodilcos», que equivale al «Budelcos» o «Butelcos» que cabe leer en otra indígena [35]: este nombre se asemeja mucho al de la famosa reina de los icenianos, «Boudica» o «Boudicca» [36]. Otro nombre de magistrado obulconense es «Togialco» o «Togiailcos», que recuerda demasiado a «Togiacius», «Togiacus», «Togiantos», «Togika(l)ioitos» y otros muchos registrados en el Languedoc y otras partes de Francia, y en que entra como elemento la palabra *togi* = agradable [37]. No tendría nada de extraño que los celtas, incluso en estos países del Sur, considerados de raigambre africana sobre todo, formaran en un tiempo una aristocracia guerrera y dominadora. Son demasiadas las alusiones a la relación de los tartesios y turdetanos con los pueblos de Africa para que ha-

---

[30] Avieno, 433: Sierra Nevada.
[31] En Gran Bretaña: Tácito, *Agr.*, 11, 2.
[32] II, 4, 10.
[33] II, 4, 10.
[34] II, 4, 9; II, 4, 10.
[35] A. Vives, *La moneda hispánica*, II (Madrid, 1942), p. 56.
[36] Hubert, op. cit., p. 276; Tácito, *Agr.*, 16, 1.
[37] Holder, op. cit., II, cols. 1.866-1.870.

yamos de despreciarlas, pero tampoco conviene que nos dejemos fascinar por ellas [38]. En nuestro análisis histórico-cultural habremos de considerar siempre que la población del Sur, desde épocas remotísimas, estaba muy mezclada. Los elementos europeos, africanos y asiáticos se conjugaron hasta producir un tipo humano de aspecto especial, con caracteres espirituales muy definidos y permanentes, como voy a procurar que se vea en la descripción que sigue. Es probable también que algunos de los rasgos antropológicos más aparentes entre los propios de los andaluces actuales se hallaran en los turdetanos o tartesios antiguos. Siempre me ha llamado la atención, por ejemplo, un texto de Plinio que dice que los turdetanos tenían más dientes que el resto de los hombres [39]: considero que esta falsa observación se funda en el hecho real de que en Andalucía abundan las bocas con dientes grandes, muy visibles y forma especial, que acaso influyan en el peculiar acento del país, acento o tono que puede descender del que percibían claramente los romanos cuando los naturales de Córdoba o Itálica hablaban en latín [40]. Más seguras que estas observaciones hechas conjeturalmente son las semejanzas de la actual campiña andaluza con la antigua, y otras de tipo social y económico.

Rasgos económicos

Las orillas del Guadalquivir estaban muy bien cultivadas: las arboledas y sembrados que los viajeros

---

[38] Historiadores antiguos, como Eforo, recogían las tradiciones que los tartesios conservaban acerca de los pueblos africanos, dándoles gran crédito, para componer las partes de sus obras correspondientes a aquel continente: Estrabón, I, 2, 26 (33). Sobre su navegación, A. García Bellido, «La navegación ibérica en la antigüedad, según los textos clásicos y la Arqueología», en *Estudios geográficos*, 16 (1944), pp. 511-560.

[39] *N.H.*, VII, 22.

[40] Séneca el retórico, *Contr.*, I, pr. 16: *Script. Hist. Aug.*, *Adr.*, 3.

veían desde las embarcaciones animaban el paisaje de modo singular [41]. En las cercanías de la desembocadura del río llamaban su atención los grandes rebaños de toros que chapoteaban en las aguas medio saladas, y que a veces cogía la marea alta en un islote arenoso [42]. Remontándose en el curso de aquel río el paisaje cambiaba. Si a un lado se extendía una llanura feraz, al otro se alzaban montañas y serranías que se aproximaban más o menos a la orilla [43].

Hoy, como entonces, tres productos son los que determinan la riqueza agrícola de Andalucía. La exportación de trigo, vino y aceite era importantísima [44]. Monedas autónomas de aquella región nos muestran como emblema una espiga y un arado: las más conocidas son las de Obulco, que llevan a veces inscripción bilingüe, en latín y en el idioma y sistema de escritura propios del país. La asociación de la espiga con una vaca o un buey, como acaece en las libiofenicias de Bailo, o con un yugo «yugular», como vemos aparecer en otras de Obulco, es tan significativa como la citada con el arado [45]. Las exportaciones exigían la construcción de navíos de gran carga, que se hacían con las maderas del país [46], lo cual indica una riqueza forestal acaso mayor que la de ahora. Grandes barcos subían hasta Hispalis, Sevilla. De allí hacia el origen del Betis, las embarcaciones empleadas para el comercio fluvial iban disminuyendo de tamaño sensiblemente: a Ilipa (Alcalá del Río) todavía podían llegar barcos pequeños de cabotaje, pero desde esta ciudad hacia Córdoba sólo se em-

---

[41] Estrabón, III, 2, 3 (142).
[42] Estrabón, III, 2, 4 (143).
[43] Estrabón, III, 2, 3 (142). Sobre la navegación fluvial hispánica, en general, A. García Bellido, «La navegabilidad de los ríos de la Península en la antigüedad», en *Investigación y Progreso*, XVI (1945), pp. 115-122.
[44] Estrabón, III, 2, 6 (144).
[45] A. Vives, op. cit. atlas (Madrid, 1924), láminas XCI (Bailo), XCIV-XCVII (Obulco).
[46] Estrabón, III, 2, 6 (144).

pleaban barcas y barcazas, hechas de piezas ensambladas, en tiempo de Estrabón, y de un gran tronco en épocas anteriores. En las cercanías de Castulo, el Betis dejaba de ser navegable [47]. Mas no era él sólo el que servía para sacar al mar las riquezas del país. El Guadiana, cerca de su desembocadura, era navegable también [48], y facilitaban el comercio, asimismo, multitud de esteros y abras. Los hombres, por medio de sabias labores de canalización, habían llegado a obtener el paso de las naos de una parte a otra y su mayor seguridad [49], y así se explica que en los puertos italianos de Ostia y Puteoli las embarcaciones llegadas de la Turdetania compitieran en número y magnificencia con las llegadas de los grandes emporios africanos [50]. Consideraban, pues, los antiguos que la región regada por el Betis, Guadalquivir actual, era de las más ricas de la tierra. Estrabón cuenta que había en Turdetania doscientas ciudades [51], de las cuales las más importantes eran las que se hallaban junto al mar o los ríos: realmente aquellas poblaciones andaluzas podían ser calificadas de ciudades sin caer en la hipérbole que supone dar el mismo nombre a muchas de la Celtiberia o el Pirineo oriental. Fundadas bastantes de ellas en época remotísima y envuelta su fundación en leyendas y mitos, el régimen que imperaba en ellas nos recuerda al de gran parte de las ciudades grecoitálicas arcaicas.

Para explicar, para describir armónicamente la vida social andaluza de épocas tan remotas, creo que lo mejor es comenzar contando un mito y glosarlo después. Estamos lejos del tiempo en que se aceptaba entre los eruditos e historiadores toda referencia mitológica como un dato positivo, pero también de aque-

[47] III, 2, 3 (142).
[48] III, 2, 3 (142).
[49] III, 2, 5 (144).
[50] III, 2, 6 (145).
[51] III, 2, 1 (141).

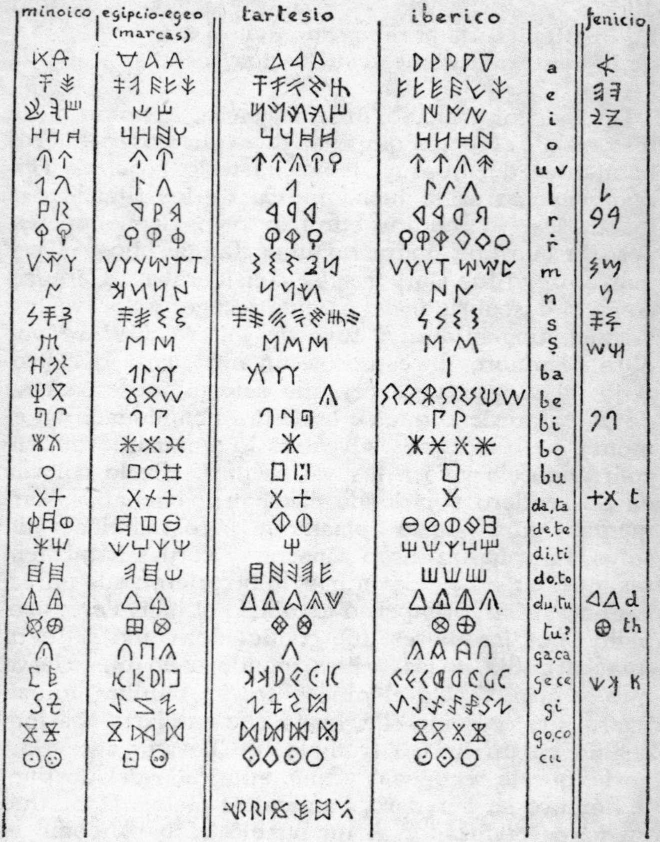

Fig. 30. Los alfabetos ibérico y tartésico en comparación con los fenicios y griegos, según Gómez Moreno.

llos en que se creía que las narraciones fabulosas deben ser sistemáticamente rechazadas.

La institución de la monarquía en el sur de la Península y la estratificación social

Un escritor romano, Justino, en su epítome de la historia de Trogo Pompeyo, dice que los primeros habitantes del bosque de los tartesios *(Saltus Tartessiorum),* tras la lucha mítica de los titanes con los dioses, fueron los curetes: otros leen cunetes, pero la cuestión ahora no importa; de ellos, el rey más antiguo fue Gargoris. Se consideraba a Gargoris como el descubridor del arte de recoger y aprovechar la miel. Una hija suya tuvo de soltera, y acaso por obra de amores incestuosos, un niño, cosa que produjo tal vergüenza al rey que determinó deshacerse de él. Así, ordenó que se le dejara abandonado en el monte, pero animales silvestres lo amamantaron, encontrándosele vivo a los varios días. Hízolo colocar en un sendero por donde pasaban los rebaños («armenta») para que lo aplastaran, pero también salió salvo. Lo echaron luego a perras y cerdas hambrientas, que, en vez de devorarlo, le ofrecieron sus ubres. Entonces, Gargoris pensó arrojarlo al mar. Pero, protegido por los dioses, fue conducido, como si fuera una barquilla, a las orillas, donde salió una cierva que lo crió. Creció el niño entre su familia animal, ligero y veloz como ella, hasta que en cierta ocasión, cogido en un lazo o trampa, fue llevado ante Gargoris, que le reconoció y que, admirado del destino, le nombró su heredero, llamándole Habis. Habis fue un héroe civilizador. A un pueblo bárbaro, como el que heredó para gobernarlo, le dictó las primeras leyes civilizadas y le enseñó a cultivar la tierra con bueyes y arado, cosa que hasta entonces había desconocido: de esta suerte, los tartesios aprendieron a nutrirse con alimentos más finos y regalados que los que hasta entonces habían usado. Aun hizo algo más trascendental: prohibió el trabajo a una parte de sus súbditos, a los nobles, y repartió a los otros, a la masa, en siete ciudades o, acaso, en siete clases. Una vez muerto, sus sucesores y herederos rigieron los destinos de Tartessos durante muchos siglos [52].

Esta es una leyenda de gran interés etnológico, porque presupone un estado social y cultural preciso. Sería inexplicable referida a los pueblos del norte de la Península. Habis tiene rasgos parecidos a otros fundadores de monarquías vetustísimas, y el mismo Justino lo compara con Rómulo y Ciro [53]. Pero yo preferiría compararlo con Saturno: como éste, es un rey que enseña la agricultura, que legisla y que, al fin, se convierte en Dios. Notemos que si la leyenda de Gargoris y Habis se basa en causas reales, otras, propias, asimismo, de los tartesios o inventadas por los griegos y relativas a ellos, ofrecen un fondo económico también positivo. Así, las referentes a los enormes ganados del rey Gerión [54], a las fabulosas riquezas en metales del más moderno rey Argantonios. La fábula de Gerión se coloca en períodos muy antiguos, como la de Habis y Gargoris; ambas parecen estar relacionadas con el esquema de la evolución económica que da Varrón, inspirándose en Dicearco, según el cual hay que considerar que en primer término la Humanidad pasó por una fase recolectora, luego por otra pastoril-recolectora y luego por una fase agrícola de cultivo con arado que se hace depender del pastoreo [55]. El mismo Varrón distingue claramente al «armentarius», el que, como Gargoris y Ge-

[52] Justino, XLIV, 4, 1-14; Schulten, *Tartessos*, ed. cit., páginas 49-50, interpreta el texto latino un poco rígidamente cuando dice que Habis inventó la agricultura. Una cosa es el cultivo con arado y otra el cultivo con aperos más primitivos, que podrían ser los que se usaban antes de Habis.
[53] Sobre este último, Herodoto, I, 107-114.
[54] Estrabón, III, 2, 11 (148), donde recoge un texto de Estesícoro; III, 2, 13 (151); III, 5, 4 (169).
[55] *Rerum rustic.*, II, 1, 3-5.

rión, tenía rebaños, del «bubulcus», que, como Habis, usaba del ganado bovino en las faenas agrícolas [56]. Es curioso notar también cómo para Varrón el pastor es en todo caso más noble que el cultivador [57], idea que parece obedecer a la consideración de los datos relativos a los pueblos clásicos, pero que, como me indicó en cierta ocasión el profesor Trimborn, se halla muy extendida, dada la fuerza expansiva de los pastores, que, cual ocurre en el Africa oriental, etc., forman la clase aristocrática, mientras que la plebe, los más antiguos pobladores, son labriegos [58].

La suerte de la teoría económica de Dicearco fue inmensa y, en realidad, obedece a una causa lógica: la de que tanto los filósofos griegos como la mayor parte de sus discípulos los romanos desconocieron la existencia de pueblos de agricultores primitivos, de pueblos en los que se trabajara la tierra únicamente con azadas y se desconociera la ganadería, y como, por otra parte, se tenían noticias de otros que para ellos eran bárbaros, fundamentalmente pastores («armentarii») y que cultivaban muy poco la tierra, dieron en pensar que la agricultura era siempre posterior al pastoreo, una consecuencia de éste. He aquí un ejemplo característico para apreciar cómo la observación parcial puede llevar a los espíritus lógicos a sentar afirmaciones falsas con un gran aspecto de verdad a los ojos de la mayoría. El vicio capital de la etnología hasta no hace mucho ha sido éste de fijar, a base de un número determinado de hechos repetidos, la existencia de evoluciones generales para todo el planeta, y la posición que parece adecuada es la contraria, la de observar cada caso sin que las analogías y paralelismos sorprendentes y evidentes

[56] *R. r.*, II, praef., 4.
[57] *R. r.*, II, 1, 6.
[58] Acerca de las ideas de los antiguos sobre el desenvolvimiento económico, Félix Helmich, «Urgeschichtliche Theorien in der Antike», en *Mitteilungen der Anthropologischen Gesellschaft in Wien*, LXI (1931), pp. 29-73.

que nos pueda ofrecer el estudio comparativo nos produzcan un efecto tal que queramos ajustar nuestros datos a esquemas, y menos a normas generales. De todas formas, podemos afirmar que los pueblos del sur de la Península desde la Edad del Bronce ofrecen rasgos análogos a los de otros de la zona mediterránea, que podrían expresarse, de un modo sinóptico, de esta suerte:

A) Vida económica:

    1) Vida sedentaria.
    2) Formas perfeccionadas de urbanismo.
    3) Ganadería y agricultura en gran escala: cultivo con arado.
    4) Trabajo intensivo de los metales.
    5) Desarrollo de industrias especiales.
    6) Acumulación de capital.

B) Vida social:

    1) Desigualdad en las funciones y cargos con clases sociales estratificadas, que son:

        a) esclavos: adquiere la esclavitud el desarrollo máximo;
        b) hombres libres: agricultores, artesanos, etc.;
        c) nobles y terratenientes;
        d) sacerdotes;
        e) familia real.

C) Artes y ciencias:

    1) Desarrollo considerable de las artes plásticas.
    2) Comienza a usarse la escritura.

D) Religión:

    1) Constitución de grandes panteones politeístas con un dios supremo.
    2) Jerarquías sacerdotales encargadas del culto en templos suntuosos.

Considera la escuela de Viena, por ejemplo, que las más viejas civilizaciones históricas de la India y China, las de Mesopotamia y Egipto en la época cumbre, las del Mediterráneo europeo arcaicas y las de los incas, aztecas y mayas, pertenecen a un ciclo semejante [59]. Pero otros etnólogos han matizado más, como se ha visto.

Evolución de la institución real

Vamos a analizar ahora un poco detalladamente los datos que sirven para determinar que estos rasgos son los propios de la civilización turdetana o tartesia. No creo exista un estudio comparativo moderno sobre las monarquías que surgen en Europa en el período legendario de la historia de cada pueblo, que coincide con el final de la Edad del Bronce en unos, con el comienzo de la del Hierro en otros. Reyes con caracteres divinos aparecen en Grecia, en Roma, en Etruria y, antes, en el norte de Africa y Creta. Por eso no se puede determinar con exactitud dónde surgió la idea de la institución monárquica con caracteres divinos, que se refleja en el mito de Habis o en los mucho más conocidos de Minos, Rómulo o Numa, aunque hay que admitir que obedecen a una oscura y remota realidad. Muchos viejos pueblos mediterráneos aparecen gobernados en un tiempo por misteriosos reyes de aire divino, nacidos en circunstancias extraordinarias, que sufren pruebas diversas y terminan legislando e inventando cosas beneficiosas para sus súbditos. La etnología actual puede proporcionar curiosos ejemplos paralelos [60]. Acaso

[59] Barandiarán, «Breve historia del hombre primitivo», op. cit., pp. 195-196.
[60] Véase el resumen de las ideas de Thurnwald en las pp. 44-56. La pintura de Graebner, *El mundo del hombre primitivo* (Madrid, 1925), pp. 181-183, resulta demasiado esquemática.

Egipto fuera el país donde primero se estableciera la monarquía y de allí se extendiera por todo el Mediterráneo, como otros elementos culturales. Ahora bien, antes de que existieran las primeras dinastías faraónicas hay derecho a pensar que, en área también mediterránea, hubo un tipo especial de monarquía: aquel que hace del rey una divinidad y una víctima a la vez, rey al que se asesina cuando se considera que su potencia mágica, fundamental para la colectividad, va decayendo, como ocurría en Meroe [61]. En casos, a tal asesinato sigue un período de anarquía y desórdenes que se considera que tiene un carácter religioso. Apoyan esta idea, entre otros, los datos que poseemos acerca de la misteriosa institución del sacerdote-rey de los esclavos, adscrito al culto de Diana, junto al lago de Nemi («rex Nemorensis»), a quien sustituía siempre su asesino [62], o cultos del tipo de las saturnales, o la pervivencia de forma de monarquía semejante en ciertas regiones de Africa, que autores como Frobenius consideran que hay que entroncar con las registradas en el mundo antiguo [63]. En España no queda recuerdo de institución real semejante, pero han subsistido hasta el presente cultos del tipo de las saturnales en los cuales se asocia el nombramiento y cese de un rey momentáneo con la anarquía y desorden mayores, de carácter festivo, cultos de que luego se hablará. Notemos que la expansión de aquel tipo de monarquía está relacionado hoy con la de otros elementos culturales muy típicos; por ejemplo, ciertas construcciones sepulcra-

[61] El material sobre esto lo reunió Sir J. G. Frazer, *The Golden Bough. Part. I: The Magic Art and the Evolution of Kings*, I-II (Londres, 1932) passim y *Part VI: The Scapegoat* (Londres, 1933), pp. 306-411, donde se estudian con preferencia ritos folklóricos de que más adelante se hablará; pero donde mejor se desarrolla el tema es en *Part III: The dying God* (Londres, 1930), pp. 1-204.

[62] Cuenta Suetonio, *Caligula*, 35, que aquel emperador loco se entretuvo en conspirar contra el desgraciado rey del bosque de Nemi.

[63] *Atlas Africanus*, II, hoja 7.

les en piedra cuya antigüedad, en general, no es tan grande como suponía el mismo Frobenius [64].

Es lícito pensar que acaso algunos de los grandes sepulcros megalíticos andaluces fueran ya hechos para grandes reyes de tipo «faraónico». Pero así como en Egipto y en otras partes vemos que de repente hay irrupciones de pueblos que amenazan seriamente el poder secular, hay derecho a pensar que en la Tartéside ocurrió lo mismo. Los reyes hubieron de rodearse de guardias mercenarios o ceder el trono, pedir auxilio a extranjeros, etc. Sus fuerzas fueron disminuyendo paulatinamente, pero no dejaron de existir en cientos de años jefes considerados reyes que dominaban a una sociedad estratificada, excesivamente pasiva, que recibía con indiferencia y casi amabilidad a los sucesivos invasores, desde los celtas y fenicios a los romanos. Cuenta Herodoto que, habiendo llegado los foceos a Tartesos, se hicieron amigos del rey de aquel pueblo, Argantonios, del que se decía que vivió ciento veinte años y que reinó ochenta. De vuelta a su ciudad, pudieron construir una gran muralla de considerable circuito con la plata que les dio. Pero antes de hacerles donativo semejante les propuso que se establecieran en su reino [65]. No se puede dar caso de mayor benignidad aparente. Pero si se tiene en cuenta que el nombre parece céltico, como se ha dicho, y que el hecho debió acaecer hacia el año 600 a. de J.C., es posible suponer que este rey de aire benigno era un tirano en el sentido antiguo de la palabra, acaso un usurpador que quería rodearse de extranjeros a los que

---

[64] Véanse además las hojas 10 y 11 del mismo fascículo del *Atlas...*, Baumann, op. cit., p. 267, tiene puntos de vista sobre el particular que parecen más concretos, aunque reconoce la realidad de los hechos expuestos.

[65] Herodoto, I, 163. Con datos semejantes hay que relacionar los hallazgos griegos más antiguos: C. Pemán, «Sobre el casco griego del Guadalete», en *Archivo español de Arqueología*, 44 (1931), pp. 407-414, da cuenta de uno que puede datarse hacia el 60 a. de J. C.

había de colmar de riquezas a cambio de una fidelidad absoluta, y que viviría separado de la población autóctona, que fue mezclándose con toda clase de advenedizos lentamente y asimilándolos. Hay datos posteriores que autorizan este punto de vista y que reflejan la poca afición a la guerra del pueblo turdetano en general.

En el momento en que los cartagineses se adueñan de parte considerable de España, vemos que existían reyes de cierta importancia en la Turdetania y países cercanos. Orisón, por ejemplo, parece haber sido un rey epónimo de los oretanos (*orisses*), que tenían a Cástulo como capital. Fue éste con sus huestes a socorrer a la ciudad de Helicen (Elche), sitiada por Amílcar: a consecuencia de su ataque murió el general cartaginés [66], aunque poco más tarde Orisón era vencido por Asdrúbal, yerno de Amílcar [67]. Años después jugaron reyes semejantes un papel considerable en las guerras entre romanos y cartagineses. El año 206 a. de J.C. se pasó a los romanos uno que se decía rey de los turdetanos, Attenes [68]. Más importancia que éste tuvo Culchas, uno de los primeros y principales aliados de los romanos. Podía poner en pie 3.000 infantes y 500 jinetes [69] y dominaba sobre 28 ciudades [70]. Observa Schulten que, combinando las cifras anteriores, se deduce que la población de sus dominios, o reino, era de 12.000 habitantes, 400 por ciudad [71]. Poca cosa, en suma, para un rey, por lo cual es posible que haya equivocación en las cifras. Debía Culchas vivir en las inmediaciones de Carthago-Nova. El año 197 a. de J.C. vemos a Culchas sublevarse con 17 ciudades bajo su mando y en combinación con otro rey o régulo tartesio, Luxinio, que arrastró a las

[66] Diodoro, XXV, 10.
[67] Diodoro, XXV, 12.
[68] Livio, XXVII, 15.
[69] Polibio, XI, 20.
[70] Livio, XXVIII, 12, 13.
[71] *F.H.A.*, III, p. 139.

grandes ciudades de Carmo (Carmona) y Bardo (sin identificar): al lado de ellos se sublevaron los malacitanos de Málaga y los sexetanos (de Sexi, Almuñécar), así como la población más rústica de la Baeturia[72].

Si Culchas o Luxinio tenían mando sobre varias ciudades, había otros que no eran más que reyes de una sola y su territorio. En 192 a. de J.C., C. Flaminio tomó la ciudad de Licabrum (= Igabrum, Cabra), ciudad opulenta y bien fortificada, capturando vivo al noble rey Corribilo[73]. De todas suertes, los régulos que fueron aceptados como aliados de los romanos aumentaron momentáneamente de poder, quedando, al decir de Livio, convertidos en reyes[74]. Pero éstos no tienen ya el carácter de los monarcas antiguos: ofrecen más bien el aspecto de los régulos celtíberos, jefes de guerreros de origen extraño que se hacían dueños del poder y lo ejercían de manera despótica y accidental[75]. Muchos de ellos es probable que fueran celtíberos, o celtas a secas. Lo que tratando de Argantonios es una vaga hipótesis, posteriormente parece una realidad. Sabemos que como los turdetanos eran los menos belicosos de todos los pueblos ibéricos, en sus luchas con los romanos tomaron como mercenarios a celtíberos del interior: en cierta ocasión, la cifra de éstos alcanzó los 10.000, según Livio, siempre exagerado, como sus inspiradores los analistas[76]. Pero mucho antes ya los celtíberos tomaron a Andalucía como país de fortuna, y no sólo los celtíberos, sino pueblos propiamente celtas. Así, en una batalla que dieron los romanos contra los cartagineses y sus mercenarios, el año 212, murieron dos famosos «galos», Moenicapto y Vismaro, y la mayor parte del botín era de «tipo galo»: collares

[72] Livio, XXXIII, 21, 6.
[73] Livio, XXXV, 22, 5.
[74] XXXVII, 25, 9.
[75] Todavía en el *Bellum Hispaniense*, 10, 1, se habla de un rey ibérico, llamado Indo, partidario de César, que murió en un combate con los pompeyanos.
[76] Livio, XXXIV, 17.

y brazaletes de oro en gran número *(aurei torques armillaeque magnus numerus)* [77]. Schulten pretende que éstos eran simplemente celtíberos de la meseta [78], pero en ello puede haber duda, ya que sabemos que los cartagineses solían emplear soldados de tierras más lejanas [79]. En las luchas de Amílcar con los iberos y tartesios aparece un jefe celta, Istolatio, mercenario probablemente de los tartesios, así como Indortas, vencido y crucificado por el cartaginés [80]. Hay otros recuerdos de jefes que lucharon en esta zona cuyos nombres no nos reflejan carácter céltico, sin embargo, como el de Chalbus, que aparece como «nobilem Tartesiorum ducem» en las campañas de los Escipiones, el año 216 a. de J.C., derrotado por Asdrúbal [81], o los de Budar y Besadin, generales vencidos cerca de Turba, el año 196, por los romanos, en batalla en que cayeron, según los historiadores romanos, 12.000 enemigos [82]. La poca confianza entre los turdetanos y sus mercenarios se halla bien expresada en el hecho de que en sus luchas contra los romanos tenían campamentos distintos [83]. Por lo demás, los turdetanos en su manera de combatir seguían sistema parecido al de los lusitanos y celtíberos. Así, al empezar la batalla danzaban: «*erumpunt igitur agmine castris tripudiantes more suo*», dice Livio de ellos en cierta ocasión [84].

Las castas y la repartición del trabajo y la riqueza

Pero el poder de absorción de los tartesios hizo que estos bárbaros mercenarios, de una generación

[77] Livio, XXIV, 41.
[78] *F.H.A.*, III, p. 85.
[79] Bastaría recordar la enumeración que contiene el poema histórico de Silio Itálico, I, 182-238, si no hubiera otros muchísimos textos.
[80] Diodoro, XXV, 10.
[81] Livio, XXIII, 26.
[82] Livio, XXIII, 26.
[83] Livio, XXXIV, 19.
[84] XXIII, 26.

a otra, adaptaran su vida y costumbres. Los rasgos generales de la cultura tartesia legendaria se repiten, se amplían, a medida que pasa el tiempo.

El sistema de castas, castas que se diferenciaban por su nacimiento y el género de actividades a que se dedicaban en un régimen urbano y de grandes latifundios, no es paralelo al que pudieran tener por la misma época los pueblos indoeuropeos de Europa occidental. En cambio, se asemeja mucho a ciertos regímenes señalados en zonas de Africa que están, en conjunto, más al Norte que aquella en que se registra la monarquía sacerdotal y el asesinato del monarca [85], y que Frobenius consideraba como propios de una cultura que denominaba sírtica, relacionada con las culturas mediterráneas de Europa [86]. La casta más baja era la de los esclavos, dentro de los cuales habría la distinción natural entre los nacidos en casa y los esclavos de guerra. Hay derecho a pensar, en efecto, que la servidumbre en el sur de España, antes de que cartagineses y romanos usufructuaran aquel suelo, tenía gran tradición y que entre amo y esclavo o siervo se podían crear estrechos lazos de fidelidad. Precisamente Asdrúbal, yerno de Amílcar, fue asesinado por un esclavo airado por la muerte de su señor [87], muerte que había ordenado el general cartaginés [88]. Según Silio Itálico, el señor era el rey ibérico Tagus [89]; pero, fuera quien fuese, este

---

[85] Pueblos característicos son algunos del problemático grupo lingüístico camítico y varios de los negros septentrionales.

[86] Esta «cultura sírtica» (Frobenius, *Atlas Africanus*, II, hoja 11) no parece tener gran realidad. Los sistemas señoriales existen, sin embargo, con preferencia en las culturas recientes del Sudán y Sahara, en que se nota la influencia de cierta antigua cultura matriarcal de labradores que según Baumann, op. cit., p. 267, ceñía a estas regiones por el Norte y que era característica del Africa mediterránea antigua. Por otra parte, el régimen señorial se halla en la cultura de Monomotapa que asimismo se basa en culturas de tipo bantu, agrícolas y con derecho materno, op. cit., p. 267.

[87] Livio, XXI, 2, 3; 2, 6.

[88] Appiano, *Iber.*: Valerio Máximo; Justino, XLIV, 5, 5.

[89] I, 140-181.

214

dato revela que la esclavitud adquirió allí los caracteres que adquiere en todo gran estado primitivo. En realidad, entre la estructura de la gran familia romana o helénica y la que debía existir entre los tartesios no debía haber gran diferencia. Thurnwald ha expresado en un esquema el carácter de aquélla [90] que cabría comentar con los datos de esta zona. Los jefes, los amos, poseían gran cantidad de esclavos y vastas tierras dedicadas a extraer diversos productos.

Rodeados de sus esposas e hijos, vivían en casas de gran magnificencia. Hoy día también, en los países en que existen importantes gobiernos despóticos, las personas que componen la corte viven en mansiones establecidas a cierta distancia del resto de la población, como ocurre entre los baziba de Africa oriental [91].

Polibio dijo de un rey o magnate turdetano que había emulado la molicie de los feacios. Claro es que en aquel refinamiento había algo de barbarie (como en todo refinamiento sensual suele haberla): el sabio griego dice con ironía que en medio de la habitación más lujosa del palacio hispánico se veían cráteras de plata y oro llenas de una bebida alcohólica hecha con cebada [92]. En general no era, sin embargo, en la comida en lo que más ostentación demostraban tartesios y demás pueblos meridionales. Ateneo recoge un curioso testimonio relativo a sus riquezas en oro y plata y a su suntuosidad en el vestir, suntuosidad que contrastaba con la avaricia que demostraban en el comer, pues no lo hacían, por lo común, más que una vez al día [93]. El uso de metales preciosos les era particularmente querido. En la toma de Carthago-

90 Op. cit., p. 376.
91 Thurnwald, op. cit., pp. 54-55
92 Ateneo, 16 c: Schulten, *F.H.A.*, II, pp. 146-147, 237-238.
93 Ateneo, II, 44 c: inspirado en Filarco (hacia 220 a. de J. C.). Schulten, *F.H.A.*, II, pp. 126, 230.

Nova por los romanos se cogieron hasta 276 páteras de oro, de una libra de peso casi todas[94].

Mineros y campesinos

Los cartagineses que llegaron a la Turdetania con Amílcar Barca quedaron maravillados de que allí se usaran toneles y artesas de plata, al decir de Estrabón[95]. El valor del metal no debía ser tan grande como en otras partes del Mediterráneo: ya en la Biblia hay referencias a la plata, al hierro y al plomo de Tarschich[96], y Estesícoro dice que el río Tartessos (es decir, el Guadalquivir) tenía raíces argénteas[97]. Los cartagineses y romanos valorizaron el metal, haciendo trabajar a los esclavos de guerra en las minas, en condiciones deplorables[98]. Pero es muy posible que siempre en su extracción trabajaran los siervos de menor estimación, los castigados y prisioneros. Polibio y Posidonio tuvieron ocasión de estudiar las condiciones de trabajo en las minas de Turdetania, y sus descripciones revelan un adelanto notable en la técnica de construir galerías[99]. Las minas de plata de Carthago-Nova, visitadas por el primero, daban trabajo a 40.000 obreros, y la república romana se había apropiado de ellas, aunque luego pasaron a ser beneficiadas por particulares[100]. Antes, es muy probable que fueran explotadas por los reyes o los estados-ciudades directamente, como el famo-

[94] Livio, XXVI, 47.
[95] III, 2, 14 (151).
[96] Ezequiel, 27, 12 hacia el año 580 a. de J. C. Cfr. Oppert, «Tharshish und Ophir», en *Zeitschrift für Ethnologie*, XXXV (1903), pp. 50-72.
[97] Estrabón, III, 2, 11 (148). En realidad, las explotaciones argentíferas datan de mucho antes en la región: P. Bosch-Gimpera y F. de Luxán, «Explotación de yacimientos argentíferos en el Eneolítico, en Almizaraque (provincia de Almería)», en *Investigación y Progreso*, IX (1935), pp. 112-117.
[98] Estrabón, III, 2, 10 (149); Diodoro, V, 36, 1-4; 37, 1-4.
[99] Estrabón, III, 2, 9-11 (147-149).
[100] Estrabón, III, 2, 10 (147).

so de Cástulo, donde había grandes minas argénteas [101].

Campos fértiles y minas próximas hacían también opulentas a otras ciudades andaluzas, como Orongis (Auringis), situada en las fronteras de los «maesesses» [102], en el momento en que aún no habían sido sometidas al yugo romano. Los hallazgos arqueológicos revelan que el trabajo de los metales había adquirido allí un considerable desarrollo artístico. Desgraciadamente, desconocemos qué situación social ocupaban los metalúrgicos. Ya se ha visto que en ciertas partes son mal considerados y, en otras, forman simplemente una casta diferente pero no menospreciada. Pero lo más probable es que ocurriera lo último. Por los textos nos son conocidos los aurífices de Córdoba (población ya fundada por los romanos), a uno de los cuales recuerda Cicerón en su cuarto discurso contra Verres, aunque no sea para ponderar su pericia [103].

Mayor importancia que los trabajadores de las minas y que los metalúrgicos tenían, en conjunto, los labradores, entre los cuales había notables diferencias. Muchos, ciertamente, eran esclavos que vivían en las grandes propiedades señoriales, en los latifundios. Sensación análoga a la que hoy día experimentamos al recorrer Andalucía la hubieron de experimentar, hace dos mil años, varios viajeros romanos y griegos.

La inmensidad de algunas llanuras andaluzas, la pureza del cielo de aquel país y el brillo del sol lla-

---

[101] Estrabón, III, 2, 11 (148).
[102] Livio, XXVIII, 3.
[103] IV, 56. Tesoros argénteos y de otra índole nos hablan, sin embargo, de más hábiles artífices. Ya no en territorio tartésico antiguo sino ibérico se halló la famosa diadema de Jávea (F. Figueras Pacheco, «Panorama arqueológico de Jávea y sus cercanías», en *Archivo Español de Arqueología*, 58 (1945), pp. 1-33). De gran importancia son las joyas estudiadas por don J. Cabré, «El tesoro de orfebrería de Santiago de la Espada (Jaén)», en el mismo *Archivo...*, 53 (1943), páginas 343-360.

maron la atención del anónimo autor del *Bellum Hispaniense* [104]. Las habitaciones, alejadas de las ciudades —añade—, para guardarse de las frecuentes incursiones de bárbaros y bandoleros, estaban protegidas por torres y fortificaciones que, como en Africa, se hacían muchas veces de mortero. Desde lo alto de las atalayas se veía tierra en todas direcciones [105], tierra de olivares como los que talaron las tropas romanas para tener leña en el momento de las guerras de César y los hijos de Pompeyo [106], uno de los cuales, Cneo, estableció su campamento en un olivar, en cierta ocasión [107]. Los habitantes de estos «cortijos» con un aire semimilitar eran por lo general esclavos, a los que dirigía un encargado o capataz, que si con la dominación romana fueron beneficiados en casos, lo más corriente es que no pasaran de su condición servil a medida que la propiedad territorial cambiaba de dueño o el poder político pasaba de una raza a otra. El año 189 a. de J.C., Emilio decretó que los siervos de Hasta, habitantes de la torre Lascutana, fuesen librados y que se posesionaran y conservasen el término y la ciudad en que entonces estaban asentados hasta que el pueblo y el senado romano quisieran [108], pero parece que esto es una excepción en el modo de tratar a los esclavos. Un fenómeno que hoy día se da en Andalucía, y que depende de las condiciones sociales y económicas poco flexibles de aquella región, se daba también en la antigüedad. La crueldad del trabajo en las minas y en los campos produce el tipo del bandolero y del «remontado». Pues bien, en la correspondencia de Cicerón hay una carta que le escribió, desde Córdoba, C. Asinio Polión y en que se alude al bandolerismo existente en el Saltus Castulonensis, y que en el

---

[104] 29, 4.
[105] *Bellum hispaniense*, 8, 3-4.
[106] Id., 27, 1.
[107] Id., 27, 3.
[108] C.I.L., II, 5.041.

invierno del año 43 a. de J.C. se había recrudecido. Los bandoleros, acechando desde los riscos, atacaban a los correos que atravesaban aquella fragosidad, portadores de noticias entre Roma y Córdoba, o entre la España Citerior y la Ulterior, que tenían allí sus límites [109]. Las incursiones de los bandoleros, y las más sistemáticas y peligrosas de las tribus lusitanas y celtibéricas, justificaban el que las casas de campo estuvieran fortificadas. De su aspecto no podemos decir gran cosa más: aunque es lícito suponer que fueran espaciosas, con grandes departamentos destinados a los lagares y bodegas, donde el vino se guardaba en orzas («orcae») que solían a veces estallar cuando el mosto fermentaba; por eso los suelos de éstas solían ser un tanto inclinados [110]. La cosecha del trigo se guardaba en extensión considerable de España, desde Cartagena hasta Huesca [111], y también más al Sur probablemente, en pozos; forma que hoy día se halla en el norte de Africa [112]. Paredes larguísimas hechas de pedruscos irregulares rodeaban las fincas [113], los olivares y los viñedos; las viñas se caracterizaban por ser pequeñas y con poca raíz [114]. La medida territorial era el yugo, distinto en cierto aspecto a la yugada [115]; el yugo era lo que una yunta de bueyes podía labrar en un día. En la técnica agrícola, desde época muy remota, los cartagineses, que eran grandes agrónomos, introdujeron en el Sur aperos especiales, como el *plostellum poenicum*, que era un rodillo con puntas para trillar [116]. Y a pesar de que Varrón diga que algunos de los pueblos de la

[109] X, 31, 1.
[110] Varrón, *R. r.*, I, 13, 6.
[111] Varrón, *R. r.*, I, 57, 2.
[112] En realidad la disposición de las viviendas rústicas turdetanas de esta época debía ser muy parecida a la de las granjas fortificadas que De Foucauld describió en su diario del viaje a Marruecos de 1883-1884.
[113] Varrón, *R. r.*, I, 14, 4.
[114] Varrón, *R. r.*, I, 8, 1.
[115] Varrón, *R. r.*, I, 10, 1.
[116] Varrón, *R. r.*, I, 52, 1.

España ulterior no eran aptos para la administración y cría de ganados [117], es evidente que la ganadería tenía allí importancia excepcional. Grandes piaras y rebaños pastaban en las dehesas. Los ejemplares de puercos que se obtenían allí y en Lusitania causaban la admiración de los grandes terratenientes romanos [118]. Más cuidados y elogios aún se dispensaron a las ovejas, dedicándose muchos de aquéllos a formar variedades nuevas, comprando raros ejemplares en Africa y cruzándolos con los del país [119]. Con la lana de éstas se hacían telas estimadísimas [120]. Las personas de mediana fortuna procuraban explotar su hacienda especializándose hasta producir gran cantidad de una sola cosa. Así los hermanos Veianios, del campo Falisco, que habían heredado una pequeña granja en España, con un campo no mayor que una yugada, lo sembraron de plantas propias para alimentar a las abejas, y de sus colmenas sacaban hasta 2.000 sestercios de ganancia [121]. No hay escrúpulo en recordar estos ejemplos de la época romana porque en los aspectos económicos y sociales más importantes los romanos no aportaron demasiadas novedades.

La ciudad

Es muy posible que el proceso social y económico que autores eminentes han descrito como creador de las ciudades griegas e itálicas pueda aplicarse y dar en parte luz sobre el origen de las grandes ciudades del sur de la Península. El florecimiento urbanístico que se registra allí desde la Edad del Bronce cabe

[117] Varrón, *R. r.*, II, 10, 4: «non omnis apta natio ad pecuariam, quod neque Bastulus neque Turdulus idonei».
[118] Columela, *De re rust.*, IV, 2.
[119] Estrabón, III, 2, 6 (144).
[120] Marcial hace muchas alusiones, V, 37, 7; VIII, 28, 5-6; XIV, 63, 3-5; XIV, 133.
[121] Varrón, *R. r.*, III, 16, 10.

pensar que en parte se fundaba en una constitución familiar y en una serie de creencias religiosas como las que con elegancia suprema describió Fustel de Coulanges en su clásica tesis sobre la ciudad antigua. Pero hay otros resortes de mayor importancia. La fuerza política de una organización despótica puede más, según creo, en un momento de creación de ciudades para que éstas se constituyan en formas determinadas, que las normas dictadas por el Derecho consuetudinario. Ya se ha visto antes cómo en la leyenda de Habis se dice que aquél hizo una división de tipo social y urbano. El texto de Justino sobre el particular dice: «*Ab hoc et ministerio servilia populo interdicta et plebs in septem urbes divisa*» [122]. Pretende Schulten que debe ser éste corregido y que donde pone «urbes» debe decir «ordines» [123], lo que es posible, en cuyo caso la ciudad estaría dividida en barrios, cada uno de los cuales lo ocuparía una clase social. Las excavaciones de don Juan Cabré y don Federico de Motos en Tútugi (Galera, Granada) han puesto al descubierto una gran necrópolis (figs. 31 *a y b*) que ocupaba los alrededores de aquella ciudad (*Respublica Tutugitanorum* en la época romana). necrópolis que puede dividirse en tres zonas, cada una de las cuales corresponde, dada la naturaleza de los hallazgos, a tres clases sociales diferentes: una muy rica, otra media y otra menesterosa. La fecha de esta necrópolis hay que colocarla entre los siglos V-III [124] y su contenido revela relaciones estrechas con cartagineses y griegos a través de aquéllos. Es muy probable que así como una vez muertos los tutugitanos ocupaban distintos sitios, con respecto a la

[122] XLIV. 4. 13.
[123] «Tartessos», ed. cit., p. 157, nota 1.
[124] *La necrópolis ibérica de Tútugi (Galera, provincia de Granada)* (Madrid, 1920), pp. 19-61, del mismo, «La necrópolis de Tútugi. Objetos exóticos o de influencia oriental en las necrópolis turdetanas», en *Boletín de la Sociedad Española de Excursiones*, XXVIII (1920), pp. 226-255, XXIX (1921), pp. 13-25.

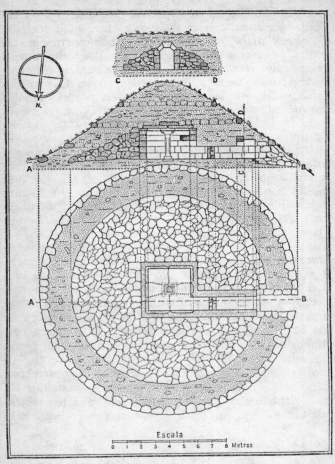

Escala

0 1 2 3 4 5 6 7 8 Metros

Fig. 31 a). Necrópolis ibérica de Tútugi (Galera, Granada):
tumba núm. 75, según Cabré.

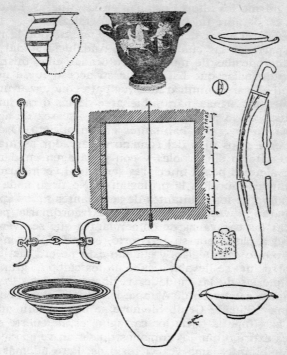

Fig. 31 b). Necrópolis ibérica de Tútugi (Galera, Granada): ajuar funerario con espada falcata de la tumba núm. 11, según Cabré.

ciudad, según su categoría, dentro de ella también se hallarían divididos, aunque no hay que perder de vista que las ciudades andaluzas antiguas (como ocurre ahora en el norte de Africa y en la parte que Frobenius llamaba sírtica), amuralladas y con puertas orientadas a los cuatro puntos cardinales, debían ser mansión preferente de los nobles y caballeros, mientras que extramuros se extenderían las casas de los labradores y los talleres de los artesanos. En Tútugi mismo los alfares estaban en las afueras. La ciudad es siempre un bastión, una fortaleza.

Señala el autor del *Bellum Hispaniense* que la mayor parte de las ciudades de la Andalucía actual estaban rodeadas de montes y colocadas ellas mismas en eminencias que hacían que su acceso fuese muy difícil [125]: así ya Amílcar, aunque para conquistar unas empleó las armas, para adueñarse de las otras hubo de usar de la persuasión [126]. Sólo la escasez de agua podía poner a sus habitantes en un aprieto. Osuna aparecía a los ojos del romano observador asentada en territorio sin árboles y con poca agua en derredor: algunos pozos interiores servían al vecindario [127] y grandes murallas la protegían [128]. No tiene nada de extraño que los habitantes de semejantes nidos aprovecharan a veces su situación extraordinaria para atacar las caravanas de comerciantes que se aventuraban a pasar por su territorio, esperándolos en algún punto estratégico, y cuando esto no era factible, el latrocinio se llevaba a cabo en los campos, granjas y alquerías de las ciudades vecinas y rivales.

Típico es el caso de Astapa, la actual Estepa, entre Osuna y Puente Genil. Siempre se había distinguido por su simpatía hacia los cartagineses, de suerte que no es extraño que los romanos quisieran vengarse de sus habitantes, una vez victoriosos. Pero además de esto tenían los astapenses fama de bandoleros: asolaban los campos de las ciudades vecinas aliadas de los romanos. Apresaban a los soldados viandantes y a los mercaderes, y su osadía llegó hasta preparar una emboscada a una gran carabana *(magnum comitatum)*, que marchaba bien custodiada a través de sus territorios, pasando a cuchillo a todos sus com-

[125]   8. 4: «item oppidorum magna pars eius provinciae montibus fere munita et natura excellentibus locis est constituta, ut simul aditus ascensusque habeat difficiles».
[126]   Diodoro, XXV, 10.
[127]   *Bellum hispaniense*, 41, 4-5.
[128]   Estudiada por A. Engel y P. Paris. Del mismo carácter es la fortificación de Castel de Ibros (Málaga).

ponentes [129]. Los astapenses, conscientes de la venganza que habían de tomar los romanos sobre ellos, prepararon en el foro de la ciudad un lugar donde acumularon todas sus riquezas y sobre él mandaron sentarse a sus mujeres e hijos. Apilaron leñas secas en derredor y dejaron cincuenta jóvenes armados para su custodia. Al ser vencidos una enorme columna de humo se elevó sobre los campos, concluyendo con lo que los romanos hubieran deseado coger como botín [130]. En las empresas de rapiña, cuando la dirección no era llevada por el régulo de la ciudad, debían entrar las familias más influyentes de ella que, además de sus siervos, contaban con clientes.

Clientes y comerciantes: el lujo

La «clientela» hubo de existir por fuerza en Turdetania antes de la entrada de los romanos. Si no, no hubiera podido existir la clase media de granjeros y menestrales que revelan que había los hallazgos arqueológicos. Con los romanos, institución semejante prosperó. Grande era, por ejemplo, la «clientela» de Escápula, el enemigo de César que después de la batalla de Munda se hizo matar en Córdoba, luego de haber celebrado una espléndida cena en que distribuyó sus riquezas entre sus familiares [131]. Clientes debían ser (cuando no esclavos o libertos) muchos de los encargados de la explotación de las tierras, los administradores de los latifundistas, como aquel que salvó a Craso el año 87 a. de J.C. [132] y bastantes de los autores de las obras artísticas que nos han quedado de entonces, así como los comerciantes y mercaderes al por menor, patronos de barco, etc. Ya se ha visto cómo en la época romana muchos de éstos

129 Livio, XXVIII, 22.
130 Livio, XXVIII, 22, 23.
131 *Bellum hispaniense*, 33, 3-4.
132 Plutarco, *Craso*, 4.

pertenecían a razas distintas. Parece, en efecto, que la capacidad comercial de la población indígena era mucho menor que la industrial y artística. Las ciudades que se consideran como mercados más antiguos, Gades o la legendaria Tartessos, debían estar mediatizadas desde este punto de vista por los fenicios o púnicos, que fueron a ellas como hoy se va a América, a hacer fortuna. Grandes compañías, familias pudientes, armaban en Gades embarcaciones de tamaño considerable en la época romana. Los comerciantes pobres, otras pequeñas, que en la proa llevaban una efigie de caballo y a las que por eso llamaban «caballos»: con éstas se pescaba también a lo largo de las costas de Marruecos [133]. Es probable que ya en las empresas comerciales de la época legendaria tartésica, en que los navegantes del sur de la Península llegaban hasta las islas Oestrimnidas [134], se emplearan barcos de los dos tipos, pero más bien serían los que los hicieron orientales que tartesios propiamente dichos. De ninguno de los pueblos ibéricos sabemos que tuviera aptitudes para la navegación, aunque con el tiempo y la mezcla de razas o estirpes se constituyó en las costas una estirpe de navegantes notables y hábiles pescadores. Los beneficios que se obtenían ya en épocas muy remotas con la pesca del atún y de diferentes clases de animales marinos con los que se hacían conservas muy estimadas [135], los refleja el hecho de que pescados y salazones de Gades son citados por Eupolis (446-441 a. de J.C.) y por Aristófanes (445-388 a. de J.C.) [136]. En las ciudades de marinos y comerciantes la vida ofrecía unos caracteres de relajación análogos a los que

---

[133] Estrabón, II, 3, 4 (99).
[134] Avieno, 113-114.
[135] Estrabón, III, 1, 8 (140); III, 2, 6 (144); III, 4, 2 (156); III, 4, 6 (158). A. García Bellido, «La industria pesquera y conservera española de la Antigüedad», en *Investigación y Progreso*, XIII (1942), pp. 1-8.
[136] Esteban de Bizanco, *De urb.*, s. v. «Gades» e «Iberias»: Schulten, *F.H.A.*, II, pp. 42, 43, 207.

se han podido observar modernamente en los grandes puertos del Mediterráneo. En los últimos años del siglo II a. de J.C. un navegante griego, Eudoxio de Cízico, emprendió un viaje de circunnavegación en torno al continente africano, y en Gades (Cádiz) hubo de reclutar no sólo médicos, carpinteros y otros técnicos, sino también un grupo de muchachas cantoras que produjeron especial atracción en los lugares donde anclara [137]. Las bailarinas y cantadoras de Cádiz, recogidas entre la plebe turdetana, tenían fama de provocativas y expertas en su arte. En las postrimerías del siglo I de J.C. es cuando más fama hubieron de adquirir. Las canciones de Cádiz eran tarareadas por los elegantes de Roma [138] y la explotación de estas muchachas la llevaban a cabo hombres sin escrúpulos [139].

Literatura y Derecho

La complejidad de esta sociedad que se va describiendo y su analogía con otras antiguas tiene una manifestación de trascendencia en la literatura y el Derecho. Para ponderar Estrabón la cultura del pueblo turdetano, dice que poseía un sistema de escritura especial y que en él se hallaban escritas obras literarias y jurídicas de una enorme antigüedad. Las leyes que les atribuye según una lectura, se decía que tenían seis mil años, aunque otros piensan más bien que en el texto griego debe leerse 6.000 versos [140]. Que las escrituras del Sur eran distintas a las del resto de la Península es un hecho comprobado de manera

[137] Estrabón, II, 4 (99).
[138] Marcial, II, 63, 5.
[139] Marcial, I, 41, 12 (maestro de danzas gaditano); I, 61, 9 (Cádiz alegre); VI, 71, 1-2 (castañuelas andaluzas, «Baetica crusmata» y ritmos de baile); V, 78, 26; XI, 16, 4; XIV, 203. Menciones contemporáneas en Juvenal XI, 162; Plinio, *Ep.*, I, 15.
[140] III, 1, 6 (139).

indudable por la Epigrafía y Numismática [141] y que la lengua tartesia no era la misma de los iberos es cosa que el mismo Estrabón asegura. Pero ahora nos interesa el subrayar sobre todo el carácter de la legislación turdetana. Como todas las originadas en viejas monarquías, tiene un rasgo especial: el respeto a la ancianidad. Sabemos que entre los tartesios los jóvenes no podían testificar contra los viejos [142]. La longevidad del jefe era un síntoma de grandeza: «Yo no desearía para mí ni el cuerno de Amaltea ni reinar ciento cincuenta años en la dichosa Tartessos», dijo Anacreonte aludiendo sin duda a leyendas como la del viejísimo Argantonios [143]. El anciano, aunque no ocupara cargo especial, debía ser considerado como hombre de consejo, de experiencia. En el momento en que los romanos van a vengar sus agravios a Cástulo, ciudad amiga de los cartagineses, después de haber hecho una espantosa matanza de hombres, mujeres y niños en Iliturgis, aparece como consejero Cerdubelo [144].

El que las leyes estuvieran en verso y el que historiadores romanos, como Justino, nos hayan dejado recuerdos de «mitos legales» como el de Habis, demuestra que tenían un carácter sagrado, que se consideraban como emanadas directamente de la divinidad, cual ocurría con las leyes escritas de los egipcios, asirios o hebreos. Las penas, por lo poco que sabemos, eran análogas a las que se establecían en los códigos de los pueblos citados y se hallaban mezcladas con amenazas de tipo religioso.

La *lapidación* era empleada para castigar diversos delitos [145]. Algunos de los plomos con inscripciones

---

[141] La última tentativa de lectura de la escritura del S. es la de M. Gómez Moreno, «La escritura ibérica», en *Boletín de la Real Academia de la Historia*, CXII (1943), pp. 251-278.
[142] Nicolás Damasceno, fragm. 113, inspirado en Eforo.
[143] Estrabón, III, 2, 14 (151).
[144] Livio, XXVIII, 19.
[145] *Bellum hispaniense*, 22, 4.

no leídas deben contener *contratos* y *execraciones* [146].
Livio pone en boca de los habitantes de Astapa dispuestos a morir un ruego a los dioses del cielo y de
los infiernos, así como una *imprecación* contra los
cobardes o los que en rendirse ponían toda su es-
peranza [147]. Esto nos da coyuntura para tratar de fijar
cuáles eran los rasgos fundamentales de la religión
tartesia.

La religión

Los textos y vestigios arqueológicos nos indican
que se había llegado en este particular a un sincretismo extraordinario: las religiones orientales y mediterráneas, tanto como la propia de los pueblos
célticos y la de los de raigambre más vieja, habían
contribuido a formar un panteón de tipo politeísta
bastante avanzado. En primer término, señalaremos
la existencia de los cultos lunar y solar.

El primero está atestiguado por varios autores an-
tiquísimos. En la *Ora marítima* de Avieno se dice
que en la costa del Mediterráneo, cerca de Málaga
al parecer, había una isla sagrada dedicada a la luz
nocturna, «Noctiluca» [148]: más clara es la referencia
a la «Lunae insula» que hay en otro pasaje y que debe
aludir a la misma [149]. Más al Occidente, cerca de la
desembocadura del Guadalquivir, hacia Sanlúcar de
Barrameda, había un santuario consagrado a la «Lux
Divina» [150], muy venerado por los marinos, que algunos autores han creído ser una divinidad lunar [151].

[146] Por ejemplo, el plomo de Gádor. El de Mogente, el de
Albaida y otros fragmentos resultan igualmente enigmáticos,
Gómez Moreno, op. cit., p. 255.
[147] XXVII, 22.
[148] 429.
[149] 367.
[150] Estrabón, III, 1, 9 (140). «Lux Divina» en vez de Du-
bia» está atestiguado por inscripciones.
[151] Philipon, *Les ibères* (París 1909), p. 204.

Pero lo cierto es que se trata del lucero, de la estrella Venus, y se supone incluso que el nombre de Sanlúcar se relaciona con el latino *lucer*. La luna y la estrella aparecen en monedas de algunas ciudades marítimas [152]. Que ambas divinidades de todas formas se hayan fundido y relacionado con otra del tipo de la Venus griega o la Astarté fenicia, parece probable. Plutarco dice que en la ciudad de Batheia o Baria (que corresponde a Villaricos) había un templo de Venus [153]. Cerca de Cádiz, en la isla de San Sebastián, existía otro que los griegos suponían dedicado a la «Venus marina» y los indígenas acaso a una divinidad más parecida a Juno [154], y el cabo de Gata también estaba dedicado a Venus [155].

Por lo que se refiere al Sol, sabemos que la divinidad solar tenía un nombre, «Neto(s)» o «Neto(n)», y que fue asimilada a Marte. Para probar que el Sol y Marte son lo mismo, Macrobio adujo el que entre los accitanos (de Guadix) existía una imagen de Marte adornada con rayos a la que tenían veneración particular y a la que llamaban «Neton» [156]. Es curioso indicar que dedicaciones a esta divinidad correspondientes a la época romana se han encontrado en la Lusitania [157] y que el nombre que recibe se interpreta por medio de una palabra céltica que quiere decir «héroe» o «guerrero» [158]. «Kronos» también debía tener su paralelo, acaso de origen fenicio, en Gades (sabida es la relación de aquel dios griego con Moloch), donde había un templo famoso dedicado a él [159].

[152] Abdera: E. Flórez, *España Sagrada*, X (ed. Madrid, 1901), p. 3 (lámina 1) señala el origen púnico.
[153] *Apophth. Scip. maior*, 3; Schulten, *F.H.A.*, III, pp. 118-119, 297.
[154] 315; había un templo con oráculo.
[155] 437, 443. Ptolomeo, II, 4,7.
[156] *Saturn.* I, 19, 5.
[157] La más clara es la de Trujillo, C.I.L., II, 5.278; otras, II, 365 (Condeixa), 3.386 (Guadix mismo) se pueden someter a dudas como las expuestas por Leite de Vasconcellos, *Religioes da Lusitania*, II (Lisboa, 1905), pp. 308-309.
[158] Leite, op. cit., p. 308.
[159] Estrabón, III, 5, 3 (1769).

En la isla Berlenga y otras partes del litoral, el Saturno adorado no parece que fuera divinidad exótica, sino otra a la que se hicieron sacrificios humanos y se asignaron especiales caracteres. El Hércules fenicio, Melkart, tuvo en Cádiz un templo famosísimo del que hizo descripción cumplida al parecer, pero no sabemos hasta qué punto verídica, Silio Itálico. Según él, en la puerta había unos relieves que representaban los trabajos del héroe [160]. En cambio, en el interior no había imagen alguna [161]. Estrabón dice que había dos columnas de bronce de ocho codos de altura en que se hallaban indicados ciertos gastos hechos en la construcción [162] y una fuente de agua dulce para llegar a la cual había que bajar unos peldaños [163] o dos pozos [164] maravillosos. Los sacerdotes que cuidaban del templo no dejaban entrar en él a nadie, especialmente a las mujeres: algunos animales, como por ejemplo los cerdos, debían ser alejados de sus contornos [165]. En su función de mantener el fuego sagrado de los altares [166], de ofrecer incienso [167] o de inmolar alguna víctima vestían trajes distintos, hechos de lino en los casos frecuentes, siempre de un solo color. La púrpura les cubría cuando inmolaban, un traje telar cuando incensaban. Alrededor de la cabeza, rapada completamente, ostentaban una cinta de Pelusium (Egipto) y sus pies iban descalzos. También debían guardar castidad absoluta, permaneciendo célibes [168].

Todavía en tiempo de César, cuando éste era pretor de España, los gaditanos, con ser de los más romanizados de los españoles, adolecían en sus costum-

[160]   III, 30.
[161]   III, 30.
[162]   III, 5, 5 (170); III, 5, 6 (172).
[163]   III, 5, 7 (172), versión de Polibio.
[164]   III, 5, 7 (172-173), versión de Posidonio.
[165]   Silio Itálico, III, 22.
[166]   Silio Itálico, III, 29.
[167]   Silio Itálico, III, 25 (cinta); 28 (pies descalzos, tonsura.
[168]   Silio Itálico, III, 28.

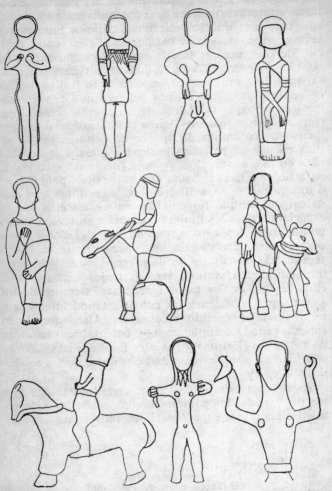

Fig. 32. Los exvotos de bronce de los santuarios ibéricos, según Nicolini.

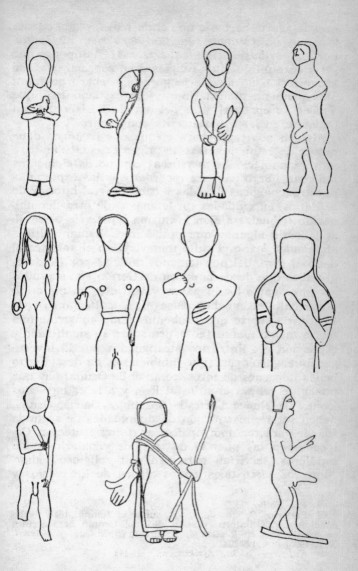

bres de cierta barbarie que él destruyó, según cuenta
Cicerón (inveteratam quandam barbariem ex Gadita-
norum moribus disciplinaque delerit) [169]. Supongo que
sería en punto a ritos religiosos en especial, y acaso
la supresión de lo que le parecía bárbaro no fuera
más que momentánea. Un escritor cristiano decía que
aun en su época el altar del templo de Hércules en
Cádiz se rociaba diariamente con sangre [170].

Alguien nos reprochará el que nos hayamos detenido a describir los usos de origen oriental que existían en poblaciones marítimas con pocos elementos
indígenas. Pero hay que recordar que las exploraciones arqueológicas llevadas a cabo muy al interior de
la Bética, en ciudades turdetanas o de otra denominación tribal, reflejan la misma influencia oriental,
al lado de algunas que pudiéramos llamar célticas
atenuadas. Acaso el culto más viejo en el país sea el
dado al toro, del que tenemos noticias por Diodoro,
que dice que desde la época de Gerión son sagrados
los toros entre los hispanos. ¿Pero este mismo culto
no se halla en muchos países del Mediterráneo y de
Africa, de suerte que Frobenius pudo construir una
teoría más o menos fantástica sobre su significado y
expansión? [171]. Entre los atestiguados por la investigación arqueológica (que también nos ha descubierto
bellas imágenes de toros, como el de Osuna) hay que
poner de relieve el culto al león y a la esfinge. Los
leones de Nueva Carteya (Córdoba), Baena, Osuna,
deben ser representación de divinidades de segunda
fila de carácter apotropaico, es decir, protector. Colocados en las puertas de templos y palacios o en
sepulcros, servirían para producir religioso temor,
como los sarcásticos genios alados de los asirios y

---

[169] *Pro Balbo*, 43.
[170] Porfirio, *De abstin*, I, 25: sobre el templo hizo averi-
guaciones P. Quintero, «Las ruinas del templo de Hércules
en Santipetri», en *Revista de Archivos, Bibliotecas y Museos*,
XII (1906), pp. 199-203.
[171] *Kulturgeschichte Afrikas*, pp. 127-146.

sus imitaciones griegas. Pero con éstas la escultura que mayor relación guarda es la denominada «bicha de Balazote», toro con cabeza humana que data de época bastante arcaica al parecer, en que los griegos y etruscos se relacionaban con los pueblos del sur de España [172]. La esfinge alada no sólo se halla representada en esculturas o fragmentos de éstas como el de Montealegre, sino que es reproducida con insistencia en monedas de ciudades de época romana, como Osuna y Cástulo. Según Lantier, el santuario de Castillar de Santesteban, situado ya en la parte fragosa de la Sierra Morena, estaba dedicado con mucha probabilidad a una divinidad con aspecto de esfinge [173]. Este santuario y, más aún que él, el de la cueva y collado de los Jardines (Despeñaperros, Santa Elena, Jaén), explorado por don Juan Cabré y don Ignacio Calvo [174], son de importancia excepcional para el estudio de la religión de los pueblos del Sur. Los exvotos (fig. 32) encontrados en cada uno de ellos alcanzan la cifra de varios millares. Los de Despeñaperros son más artísticos que los de Castillar; unos y otros son de bronce y hechos mediante el sistema de la cera perdida. Representan, por lo general, a personas que obtuvieron beneficios de la divinidad, en

[172] Sobre ella A. García Bellido, «La bicha de Balazote», en *Archivo español de Arte y Arqueología*, 21 (1931), pp. 249-270. Sobre esculturas de toros, F. Collantes, «El toro ibérico de Ecija», en *Archivo Español de Arqueología*, 42 (1941), páginas 218-221; A. Fernández de Avilés, «Los toros hispánicos del Cabezo Lucero, Rojales (Alicante)», en el mismo *Archivo...*, 45 (1941), pp. 513-523 (ejemplares de fines del siglo III a. de J. C.).
[173] *El santuario ibérico de Castellar de Santisteban* (Madrid, 1915).
[174] *Excavaciones en la cueva y collado de los Jardines (Santa Elena-Jaén)* (Madrid, 1917); íd. (Madrid, 1919). A la misma escuela pertenecen otros hallazgos, como el que puso de relieve Obermaier, «Bronce ibérico representando un sacrificio», en *Boletín de la Sociedad Española de Excursiones*, XXIX (1921), pp. 130-142 en que se representa, a las claras, un gran sacrificio de animales. Trabajo de conjunto es el de F. Alvarez Ossorio, *Bronces ibéricos o hispánicos del Museo Arqueológico Nacional* (Madrid, 1935).

actitud de orar, con las palmas de las manos abiertas, o en otras actitudes místicas, guerreros armados y en actitud de danzar en alguna ocasión, damas con ofrendas de palomas, etc. Cuando se había obtenido alguna cura que se consideraba milagrosa, se llevaban al santuario representaciones de la parte sanada, ojos, dientes o mejor dentaduras completas, brazos y piernas. Unas figurillas itifálicas pueden considerarse también como exvotos. Si un animal doméstico era el curado, se hacía su figura. En una palabra, que el carácter de estos exvotos era análogo al de los que se encontraban en algunos santuarios clásicos y a los que hoy día se ven en muchas ermitas rústicas: en éstas, sin embargo, al menos en España, abundan más que nada los exvotos pintados o de cera, aunque a veces los hay de plata, como en la provincia de Palencia y en Andalucía mismo en Loja. Es curioso comparar las figuraciones de ojos de Despeñaperros con las palentinas, dada su semejanza. Por las figurillas de bronce de carácter religioso y por otras obras de arte descubiertas desde fines del siglo pasado a la actualidad en su mayoría, podemos reconstruir la indumentaria de los pueblos del Sur. Hoy existe la tendencia a rebajar de modo considerable la fecha del arte ibérico y turdetano, pero sea cual sea la realidad cronológica, la cantidad de rasgos no romanos reproducidos en él domina sobre los que lo puedan ser. Algunos objetos de procedencia distinta, como los de la Bastida, ya en los límites con la Iberia propiamente dicha, arrojan nueva luz sobre detalles.

6

LOS PUEBLOS DEL ESTE
DE LA PENINSULA

Los iberos propiamente dichos

Aunque el nombre de Iberia en un tiempo se dio
a toda la Península, considerándose como sinónimo
del de Hispania [1], en épocas más remotas no ocurría
lo mismo. Escritores muy antiguos llamaban así a la
extensión costera que va desde la parte meridional
del reino de Valencia hasta el Lez e incluso el Ródano. En efecto, en la *Ora maritima*, después de los
«gimnetas» que vivían entre el cabo de la Nao y el
Júcar y que debían ser un pueblo mixto, se coloca
a los pueblos «iberos» propiamente dichos [2], entre
los cuales hay mención especial de los «indigetes»
próximos a Ampurias [3], los «ceretas» y «ausoceretas»
del Pirineo catalán, entre el Segre («Sícoris») y el
mar [4], y, pasados los Pirineos, de los «sordos» del
Rosellón actual [5] y los «elesices» de Narbona [6]. En los
fragmentos de Hecateo se habla de una tribu ibérica,
la de los «esdetes», que corresponde a los «edetanos»

[1] Estrabón, III, 4, 19 (166).
[2] 472, 612.
[3] 523, 532.
[4] 550.
[5] 552.
[6] 586: límite hasta el Ródano, Estrabón, 4, 19 (166).

posteriores[7]; más al Norte se coloca a los «ilaraugates», que él mismo cita, relacionables con los «ilercauones» e «ilergetes» posteriores[8]. En fuentes del momento en que los romanos intervienen activamente en la zona, las denominaciones tribales se multiplican y concretan. Estrabón, tras los «bastetanos», que alcanzaban las cercanías de Carthago-Nova, coloca a los «edetanos» ocupando una gran extensión, pues los hace llegar hasta el Ebro y algo más[9]. Toda la costa catalana la da como habitada por los «indigetes»[10], y la parte interior del Pirineo catalán y sus estribaciones, por los «ilergetes»[11], es decir, que entre los nombres recogidos por él y los de los fragmentos de Hecateo e incluso Avieno hay cierta correspondencia. Polibio, Tito Livio y otros escritores descomponen considerablemente la imagen de unidad de estas grandes divisiones, de lo cual nos previene el mismo Estrabón cuando dice, por ejemplo, que los «indigetas» o «indicetes» se dividían en cuatro grupos[12]. Ptolomeo, dentro del territorio asignado por Estrabón en líneas generales a los «indigetes», coloca parte de los «ilercauones»[13], a los «cossetanos»[14] y laietanos[15], además de a los «indigetes» propiamente dichos[16]. Dentro de la Edetania segrega a los «contestanos»[17], que acaso eran los antiguos «gimnetes». Pero es hacia el Pirineo en donde se encuentra mayor particularismo.

Dice Zonaras que los Pirineos se extienden desde

---

[7] Schulten, *F.H.A.*, I, p. 167 (fragm. 9: de Esteban de Bizancio).

[8] Schulten, *F.H.A.*, I, p. 167 (fragm. 11: de Esteban de Bizancio).

[9] III, 4, 1 (156). Ya el P. Flórez expuso bastante bien la Geografía de las regiones iberomediterráneas, *España Sagrada*, XXIV (ed. Madrid, 1804), pp. 16-43, 48-61, 64.

[10] III, 4, 1 (156).

[11] III, 4, 10 (161).

[12] III, 4, 1 (156).

[13] II, 6, 16.

[14] II, 6, 17.

[15] II, 6, 18.

[16] II, 6, 19.

[17] II, 6, 14; II, 6, 61.

el mar Mediterráneo, llamado Narbonense y antes
aún de los «bebrices», hasta el mar exterior, y que en
sus valles vivían muchos pueblos distintos en lenguas
y organización política [18], y aunque sea autor tardío
hay que darle crédito en esto. La montaña siempre
es propia para el particularismo y la conservación
de asociaciones étnicas de pequeño tamaño y espíritu
independientes. Varios pueblos del Pirineo oriental
con carácter semejante son recordados por historiadores y poetas y no deja de ser significativo que en
alguna ocasión se les asocie en la memoria con los
vascones, como lo hizo Silio Itálico con los «cerretanos» [19], mencionados también por Ptolomeo [20], así
como los «ausetanos» [21], «castellanos» [22] y «iacceta-
nos» [23], que debieron ser otras tantas unidades sociales que en un tiempo se aliarían con el estado «iler-
gete» que tanto dio que hacer a los romanos. Es muy
difícil dar contenido antropológico concreto a divisiones semejantes porque su extensión territorial,
diversa en distintos autores, obedece en muchos casos a puras alianzas momentáneas de carácter político y esporádico.

Organización social: la tribu y la ciudad

Según Estrabón, una de las causas por las que los
griegos nunca alcanzaron cierto bienestar y sosiego
político fue su división en pequeños estados, unida
a un gran orgullo local, y añade que entre los iberos
ambos defectos adquirieron mucha mayor complejidad y provocaron peligros sin cuento. Versátiles y ca-
prichosos, no conseguían ponerse de acuerdo para

[18] VIII, 21.
[19] III, 357-358.
[20] II, 6, 68.
[21] II, 6, 69.
[22] II, 6, 70.
[23] II, 6, 71. Estrabón, III, 4, 11 (161).

llevar a cabo grandes empresas: sólo en pequeños golpes de mano y alianzas pasajeras ponían interés [24]. Esto explica, por ejemplo, que Polibio hable de los «bargusios», «airenosios» y «andosinos» como pueblos comparables en importancia a los «ilergetes» [25], y que en Ptolomeo aparezca «Bergusia» como una simple ciudad de éstos [26], que a su vez son sólo, según él, parte de lo que habían sido. Tito Livio se expresa en forma parecida a Polibio [27]. En realidad, la unidad social más fuerte y permanente en esta zona era la ciudad: contra las ciudades y sus campos se dirigieron los ataques sistemáticos de Catón, del que se decía que había sometido hasta cuatrocientas [28], lo cual parece exagerado, aunque tampoco se ha de creer que se trata de simples fortalezas *(castella)*.

La diversidad de cultura de cada ciudad o agrupación de éstas se notaba en cortas distancias. Tito Livio afirma que los «lacetanos» eran más salvajes que sus vecinos los «sedetanos», «ausetanos» y «suessetanos» y que atacaban a éstos con frecuencia [29]. Las ciudades del Pirineo catalán eran también más pobres que las de la costa y los montañeses guerreros más indómitos. Cuando los romanos entraron en la ciudad de «Cissis», les chocó lo pobre del botín: *supellex barbarica ac vilium mancipiorum* [30]. En la *Ora maritima* de Avieno los «indigetes» aparecen como pueblo de cazadores salvajes que vivían en lugares recónditos [31]; pero esto parece exageración, aunque hay que reconocer que los focos de cultura «ibérica» más sobresalientes no estaban en aquellas latitudes, sino en la región «edetana».

Destaquemos algunos rasgos comunes a todos los

[24] III, 4, 5 (157).
[25] III, 35, 2.
[26] II, 6, 67.
[27] XXI, 23.
[28] Plutarco, *Catón*, 10.
[29] Livio, XXXIV, 20.
[30] Livio, XXI, 60.
[31] 523-525.

pueblos enumerados. Partiendo de la existencia de la ciudad como unidad más importante dentro de la sociedad ibérica, hay que distinguir las grandes urbes comerciales de las pequeñas, núcleo de comunidades agrícolas y, sobre todo, pastoriles. Las primeras son las costeras.

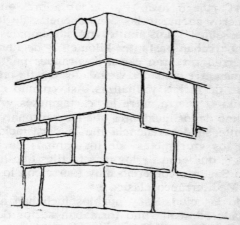

Fig. 33. Murallas de Olérdola (Barcelona), según Puig i Cadafalch.

Grandes murallas (fig. 33) defendían ciudades como Sagunto, Tarraco, etc., dominadas por una torre inmensa. En momentos de peligro lo más selecto de la juventud, armada de dardos, se colocaba en los puntos de mayor importancia estratégica [32]. A lo largo de la costa había multitud de atalayas (fig. 34) para aviso y defensa contra los piratas y enemigos de todas clases que vinieran del mar [33]. Atalayas y murallas no eran, sin embargo, sino una parte del sis-

[32] Livio, XXI, 7. Sobre las leyendas en torno a Sagunto, Silio Itálico, I, 271-273.
[33] Livio, XXII, 19.

tema de fortificaciones. Dominándolas se hallaba la ciudadela en donde se guardaban, en caso de guerra, grandes cantidades de trigo, como tenían los cartagineses en Ascua [34] y Alicante («Castrum album») [35] en la campaña contra los Escipiones. Fuera de las murallas de las grandes ciudades marítimas vivían grupos de pobres pescadores (como sabemos que ocurría en «Carthago-Nova») [36] o de labradores que eran los primeros en pagar las consecuencias de los frecuentes asedios [37]. Los límites jurisdiccionales de la ciudad abarcaban bastantes kilómetros de tierra fértil en derredor y eran causa de grandes pugnas, de suerte que entre ciudades y ciudades existía un juego constante de luchas y alianzas. Así, cuando empezó en España la guerra entre los cartagineses y los romanos, uno de los incidentes que más enconaron aparentemente su desavenencia fue la devastación que hicieron los «turbuletas» de los campos de los saguntinos [38], que eran de los más fértiles que había [39], teniendo Sagunto comercio muy fuerte con los puertos del Mediterráneo clásico [40].

Cuando las ciudades y pueblos luchaban aliados, los soldados de cada uno formaban sector definido en el frente de batalla: la amistad y unión no podía llegar a más. En la pugna que tuvo como resultado la muerte de Indíbil, el ala derecha la ocupaban los «ilergetes», el centro los «ausetanos» (de «Ausa») y el ala izquierda otros oscuros pueblos [41]. Cada ciudad tenía sus insignias, sus armas de tipo especial y su grito de guerra. Así, en el momento en que en el año 195 Catón lanzó a los «suessetanos» contra la fortaleza de los «lacetanos» y éstos vieron las armas

---

[34] Livio, XXIII, 19.
[35] Livio, XXIII, 27.
[36] Livio, XXIV, 41.
[37] Polibio, X, 7, 6.
[38] Livio, XXVIII, 36.
[39] Appiano, *Iber.*, 10.
[40] Polibio, III, 7.
[41] Livio, XXI, 7.

e insignias *(arma signaque)* de aquéllos, se envalentonaron, pues varias veces los habían vencido, y, en efecto, los «suessetanos» no resistieron sus gritos de guerra y su ímpetu, lo cual ya había sido previsto por el cónsul [42].

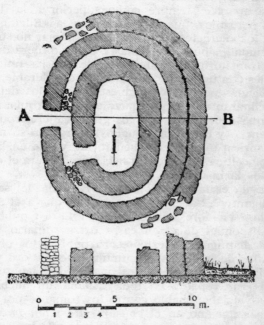

Fig. 34. Torre atalaya de Lucena del Cid (Castellón), según García y Bellido.

Régulos, príncipes y senadores

En cada ciudad había una sociedad estratificada: un núcleo aristocrático era el dirigente y dentro de

[42] Livio, XXIX, 2.

él existía alguna familia que alcanzaba el poder máximo con frecuencia. El senado, la institución real y el «principado» se hallan vigentes desde el Pirineo hasta el Sur, hasta los confines de la Tartéside, en forma análoga a como los encontraremos en la Celtiberia. En ésta, sin embargo, la fuerza de la aristocracia aparece siempre como superior a la de los reyes o régulos, que sobre todo en la «Edetania» y entre los «ilergetes» consiguieron dominar no sólo en una ciudad, sino sobre muchas, aunque fuera de manera transitoria. Es muy probable que las unidades sociales con un fondo ibérico más considerable, y las subyugadas por los cartagineses y pueblos del Sur, se inclinaran a dar más fuerza a la monarquía, mientras que aquellas en que los griegos ejercieron más influencia (y luego los romanos) otorgaron su mayor confianza a un gobierno senatorial, y que en las de estirpe céltica o estructura más simple fuera el «principado» la institución preferida.

Antigua es la aparición en la Historia del senado de Sagunto [43]. Sabemos, por el texto que a él alude, que los senadores custodiaban el tesoro público y que disponían de él en casos extraordinarios [44]: es difícil distinguir en este tesoro público los objetos sagrados de las joyas y acumulaciones de oro y plata [45]. Poco después de la destrucción de Sagunto, que causó gran espanto en toda España, un pueblo, el de los volcianos, habló contra los romanos por boca del más anciano en el consejo (*ita enim maximus natu ex iis in concilio respondit*) de manera que los avergonzó [46], y cuando Catón determinó desarmar y destrozar las fortificaciones de las ciudades de la parte norte del Ebro, hizo convocar a los senadores de todas ellas y pronunció un discurso para convencerlos de que eran los primeros interesados en que

43 Livio, XXIX, 20.
44 Livio, XXI, 14.
45 Livio, XXI, 14.
46 Diodoro, XXV, 15.

tuviera lugar aquella medida [47]. Las diferencias que hubiera en su vida económica entre un consejo de ancianos de ciudades internadas y primitivas y un senado como el de Sagunto debían ser notables, sobre todo en lo que se refiere a los problemas de tipo económico que se presentaban a unos y otros. La unanimidad dentro de tales organismos, como dentro de la aristocracia de una ciudad, no era frecuente: de aquí acaso las luchas que concluían en un poder personal. Según Apiano, los iberos del Sur y del Este, en la época más remota de que hay noticias concretas de ellos, estaban gobernados por reyezuelos, y en cada ciudad había un núcleo aristocrático que se inclinó más o menos a favor de Amílcar [48]: su yerno Asdrúbal tuvo más arte para contraer amistad con ellos [49]. Estos reyezuelos alcanzaron un gran prestigio en casos. Frecuentes son las referencias a Indíbil y Mandonio, régulos de los «ilergetes», que mantuvieron siempre una actitud equívoca u hostil para con los romanos. Partidario Andobales (como llama Polibio en una ocasión al primero) de los cartagineses cuando tuvo lugar el desembarco del año 218, fue hecho prisionero [50], pero pudo sublevarse un año después [51] y más tarde aún sonó su nombre. La dignidad real entre los «ilergetes» era hereditaria por entonces y la familia del rey tenía gran importancia. En las negociaciones diplomáticas intervenían los parientes de los régulos: así, al cónsul del año 195, que era el famoso Catón, se le presentaron tres legados de un sucesor de Indíbil, Bilistages, de los cuales uno era el propio hijo del reyezuelo [52]. Pero esta importancia de las familias reales les hacía pasar grandes peligros en las luchas entre los grandes pueblos que

[47] Livio, XXI, 19, 6.
[48] Livio, XXIV, 17.
[49] *Iber.*, 5.
[50] Polibio, II, 36, 1; Livio, XXI, 2, 3.
[51] Polibio, III, 76, 1.
[52] Livio, XXII, 21.

intervinieron en la Península. Gran porte y majestad le pareció a Escipión el Africano que tenía la mujer de Mandonio, hermana de Indíbil, cuando la encontró entre los rehenes que guardaban los cartagineses en Carthago-Nova [53], donde también estaban la mujer e hijos de Edecón, rey de los edetanos [54], y la prometida de Allucio, príncipe celtibérico [55]. Que la realeza estaba rodeada de cierto sagrado prestigio lo indica el hecho de que cuando los iberos vieron a los cartagineses vencidos veneraron sobremanera al autor de tamaña empresa, Escipión, y lo consideraron como a ser superior, llamándolo «el gran rey» [56]. La relación del nombre del rey con el de la tribu revela también esto. Relación semejante se ve bastante clara en el caso del citado Edeco o Edecón, rey de los edetanos, el primero que después de la toma de Carthago-Nova rindió homenaje a Escipión [57] y que debía tener como capital a «Edeta», llamada también «Liria», nombre que se ha conservado hasta hoy [58] y famoso en los anales de la Arqueología, como se verá.

A partir de la entrada en España de cartagineses y romanos, y a causa de las distintas alianzas, las relaciones entre las ciudades y tribus se hicieron menos cordiales. Así Mandonio e Indíbil atacaron en cierta ocasión a sus vecinos los «suessetanos» y «sedetanos» y devastaron sus campos, porque se habían aliado con los romanos [59]. Parece exagerada la cifra de 20.000 infantes y 2.500 caballos que da Livio como la de los guerreros que pusieron en movimiento [60]. Pero de todas formas había algo de contradicción entre la realidad y las apreciaciones de los escritores

[53] Livio, XXXIV, 11.
[54] Polibio, X, 18, 3.
[55] Polibio. X. 34.
[56] Livio, XXVI, 50.
[57] Dion Casio, frag. 57, 48; Schulten, *F.H.A.*, III, pp. 119-120, 297-298.
[58] Polivio. X. 34.
[59] Livio, XXVIII, 24.
[60] Livio, XXVIII, 31, 5. Appiano, *Iber.*, 37, dice que Indibil perdió 20.000 hombres.

latinos que dicen que los que dirigían semejantes huestes no eran sino jefes de bandidos, que no servían más que para incendiar pueblos y robar ganado [61]. El ganado era uno de los móviles de las guerras entre las tribus y ciudades, sobre todo en la región septentrional del territorio que nos ocupa: con ganados robados excitó la codicia de los «ilergetes» Escipión el Africano, haciéndolos caer así en una emboscada [62]; mas entre las *razzias* y una guerra sistemática había su diferencia, como la había entre un jefe de guerrillas y un régulo o príncipe propiamente dicho, aunque los romanos no quisieran reconocerlo, siendo verdad que a veces de uno podía salir otro y que entre una fortaleza con fines exclusivamente militares y una guarida de bandoleros existían grandes analogías. Era sede de los vergestanos, fracción de los ilergetes según Ptolomeo, una ciudad «Vergium Castrum» o «Bergidum» [63], que atacó Catón después de haber vencido a los lacetanos porque servía de refugio a gentes que se dedicaban al pillaje en los territorios sometidos a los romanos. El *princeps* de los vergestanos salió a darle excusas, diciendo que él no era responsable de que unos bandidos se hubieran apoderado de la ciudad [64].

El elemento celta en la sociología y lengua ibéricas

Es curioso señalar que la aparición de un *princeps* coincida con la de un nombre típicamente celta, como el de «Bergidum», en que entra en composición la palabra *berg*, que significa altura y que se repite en regiones del norte de la Península [65]. No deja de ser

[61] Livio, XXVIII, 32.
[62] Livio, XXVIII, 33.
[63] Unas veces se escribe con *b*, otras con *v*. Ptolomeo, II, 6, 7.
[64] Livio, XXXIV, 21, 1.
[65] Véase la nota 110 del capítulo IV.

significativo tampoco que el nombre de otro *princeps* del Pirineo catalán sea, asimismo, claramente celta. Cuenta Livio que los ausetanos, que tenían a Ausa como capital, capital que sufrió un sitio de treinta días el invierno del año 218, durante el que pocas veces la nieve alcanzaba menos de cuatro pies de espesor, se hallaban dirigidos por «Amusico», *princeps* que hubo de huir. Como los lacetanos, que eran vecinos y que quisieron ayudarles, fueron derrotados por los romanos, se entregaron [66]. «Amusico» es nombre celta [67], y celta debe ser también el nombre de un «capitán de bandoleros», «Tangino», que asolaba los campos de la Edetania por el año de 141 a. de J.C. y al que venció el cónsul Quinto Pompeyo [68].

Las alusiones a iberos en el territorio meridional de la actual Francia y las posteriores a la separación de iberos y celtas en el Pirineo [69] han producido a muchos historiadores zozobras sin cuento. La realidad es que desde el punto de vista lingüístico y etnológico es muy difícil dar contenido real a tal separación, puesto que la cultura «ibérica» está llena de elementos celtas e incluso las inscripciones tenidas por iberas nos arrojan un tanto por ciento de palabras celtas considerable. Hay que mencionar la publicación del gran estudio de don Juan Cabré sobre la cerámica de Azaila, en que tantos elementos hay para hacerse cargo de lo que era una ciudad del valle del Ebro inferior. Se considera que es la del Cabezo de Azaila

[66] Livio, XXI, 61: de los lacetanos (pueblo cuyo nombre se ha prestado a más de una confusión o duda) cayeron 2.000.
[67] En la provincia de Palencia hay un pueblo llamado «Amusco».
[68] Appiano, *Iber.*, 77: documentado en inscripciones, Holder, op. cit. II, cols. 1.718-1.719.
[69] Polibio, III, 39, 4; Ateneo, VIII, 2; Appiano, *Iber.*, 1. Según los arqueólogos franceses, que en esto parecen hacerse eco de teorías muy difundidas a primeros de siglo, el retroceso de los iberos en Francia tuvo lugar a partir del siglo IV a. J.C.; R. Lantier, «Celtas e iberos. Contribución al estudio de la relación de sus culturas», en *Archivo Español de Arqueología*, 42 (1941), pp. 141-155.

en su plano y estructura una ciudad típicamente ibérica. Convenientemente amurallada, las casas que la constituyen son cuadrangulares o rectangulares y de tipo mediterráneo. Al sur del cabezo hay una necrópolis «ibérica» y la cerámica recogida en ella ostenta dibujos maravillosamente hechos de animales y plantas en un estilo que recuerda al de ejemplares de más al Sur. Pues bien, parte de la población parece que hubo de ser céltica, como lo revelan los hallazgos del período hallstáttico hechos en la misma ciudad y una necrópolis que hay no lejos de ella. Para explicarse la aparición de otras formas y técnicas sobre estas hallstátticas, puede echarse mano de la teoría de Schulten sobre las invasiones iberas que expulsaron a los celtas de muchas partes. Pero si en varios de los cacharros «iberos» llegamos a determinar que con el sistema de escritura «ibérico» se encuentra puesto el nombre de «Belenos» = el brillante, el resplandeciente, tan común entre los celtas, todas las teorías arqueológicas basadas en semejantes especulaciones caen por tierra [70].

Un análisis de las inscripciones ibéricas y de las latinas con nombres y palabras indígenas arroja, sin embargo, algunos rasgos lingüísticos peculiares que recuerdan a ciertos casos que se observan en el vasco. Hace ya mucho que Schuchardt hizo un cuadro comparativo de nombres y palabras vascas y nombres aquitanos, hispanopirenaicos e hispanos de diversas partes, con objeto de defender el vascoiberismo más sistemático. Tal cuadro hoy día aún nos puede servir de base para demostrar lo dicho, aunque no ofrece la debida claridad en punto a los elementos de composición y afijación. Así, he hecho otros dos personales, recogiendo lo que estableció Schuchardt y ampliándolo; el primero de los cuadros tiende a precisar la existencia de ciertos sufijos comunes; el segun-

[70] *Corpus vasorum antiquorum. Cerámica de Azaila* (Madrid, 1944), pp. 1-7. Para el nombre citado, p. 26 (fig. 17) y Holder, p. cit., I, cols. 370-373.

Vasco	Aquitano	Pirenaico-ibérico	Hispánico-antiguo
1)	(Dann)adin(nis) Cfr. Dannorigis.	(Balci)adin, (Nalbe)aden, (Sosin)aden, Adin(gibas).	*a)* (Baes) adin(e), (Viser)adin, (Turcir) adin. *b)* (Ildur)adin, (Balce)adin, (Nerse)adin.
2)			
a) (Ahos)tar, (Belas)tar, (Ralis)tar. *b)* (baserri)tar = habitante del monte.	(Bon)tar, (Halsco)tar(ris), (Ho)tar(ris).	(Suise)tar(ten), (Urgi)dar.	*a)* (Urces)tar, (Lesuridan) tar(is). *b)* (Arsee)tar, (Arsgi)tar, (Ildir)tar, (Saitabie) tar.
3)			
b) *(gizon)ar = el hombre, demostrativo alejado.	(Sen)ar.	(Luspan)ar, (Arbisc)ar.	*b)* (Ecoson)ar, (birin)ar, etc.
4)			
b) (ed)err = hermoso. (ak)err = macho cabrío.	(Ah)er(belste), (Baes)er(te).	(Atansc)er, (Espais)er, (Sanibels)er.	*b)* (Etert)er, (balcus)er, (benebetan) er.
5)	(Bon)ten, (Andos)ten(o), (Sembet)ten(is), (Senit)ten (is).	(Nalbea)den, (Sosina)den, (Suisetar)ten.	
6)	(Armas)ton(i), (Lohit)ton.		*a)* (Bilese)ton, (Serge)ton.
7)			
a) (Bela)co, (Ocho)co. *b)* (bera)ko = de Vera.	(Ata)co(nis), (Esten)co(nis). (Sembec)co(ni).	(Austin)co.	*a)* (Ede)co, (Al)co. *b)* (Soristi)co, (Abili)co.
8)			
a) (Andera)zo, (Andera)zu, (Manuel)cho = Manolito.	(Gere)xso, (Illurberri)xo, (Andere)xo.		
9)	(Ander)ex, (Bel)ex.	(Agirn)es, (Arran)es, (Albenn)es, (Belenn)es.	*b)* (balcebiuran)es, (intan)es.

Vasco	Aquitano	Pirenaico-ibérico	Hispánico-antiguo
1)			
b) and(i), aund(i) = grande.	And(ei), And(oxus), And(osso).	And(obales).	*a)* And(ergi), And(oti).
2)			
b) baso(a) = bosque.	Baes(erte), Baes(ellae), Bais(othar), Beis(irisse).	(..es)pais(er).	*a)* Baes(adine), Baes(ippo), Baes(ucci), (Tanne) paes(eri).
			b) bas(er-okeiun-baida), bas(erokar) bas(irtir), bas(ertu).
3)			
a) Belas, Veilaz, Belas(co), Belas(cotenes).	Belex(conis), Belex(enis), (Bon)belex. (Har)belex.	Beles. (Umar)beles, (Esto)peles, (Benna)bels, (Sani)bels.	*a)* (Aeni)beli, (Neitin)beles
b) beltz = negro bel(ia) = cuervo.			*b)* (Icor)beles, (Indi)beles, (Ata)beles.
4)			
a) (Iri)berri, (Uri)barri, (Uli)barri.	(Ili)berri, (Ilur)berri(xo).		*a)* (Ili)berri(s).
b) berri = nuevo.			
5)			
	Bocco.		Boccus.
6)			
	Erge.		*a)* (And)ergi.
7)			
a) (Bai)gorri, (Muña) gorri.	(Bai)gorri(xo), (Heraus)corri-(tsehe).		(Cala)gurris(?)
b) gorri = rojo.			
8)			
	Harau. Harau(soni).		*a)* Arau(sa).
9)			
b) ilun = oscuro.	Ilun(i), Ilun(no), Ilun(osi).	(Umar)illun.	*a)* Ilun(on).

Vasco	Aquitano	Pirenaico-ibérico	Hispánico-antiguo	
10)				
a) Ilur(do), Ilur(doz).	Ilur(o), Ilur(oni).	Illur(tibas).	a) Ilur(o).	
11)				
	Netoni.		a) Nethoni, Neit(inbeles)	
12)				
Cembo(rain).	Sambo. Sembus. Semb(edonis), Semb(exonis).		a) Samb- (arulla).	
13)				
b) sen(ar), sen(ide).	Sen(arri).	San(ibels).	a) Sen(ario), San(igirsto).	
14)				
	Soson(nis).	Sosin(aden), Sosin(asae), Sosi(milus), Cacu)susin.	a) Sosi(milos), Soson(tigi).	b) Eosin- (biuru).
15)				
	Titil(uxsa).		a) Titili(cuta).	

do, la de nombres simples o compuestos. En la columna IV de los dos, en que se recogen los nombres hispánicos antiguos de zona no pirenaica, se establece la distinción entre: a) nombres escritos con caracteres latinos, y b) nombres escritos en caracteres ibéricos. También en la columna I se han separado: a) los nombres propios, de b) los comunes [71].

[71] «Baskisch = Iberisch der = Ligurisch», en *Mitteilungen der Anthropologischen Gesellschaft in Wien*, XLV (1915), páginas 109-124. A la teoría paniberista de Schuchardt, construida sobre los materiales y lecturas dados por Hübner en sus *Monumenta linguae ibericae* (Berlín, 1893), hay que preferir modernamente y sobre todo cuanto se trata de pueblos de este período las que limitan el ámbito de la lengua ibérica. Exposiciones repetidas en este sentido ha hecho don Manuel Gómez Moreno, autor de estudios importantísimos como «De epigrafía ibérica: el plomo de Alcoy», en *Revista de Filología Española*, IX (1922), pp. 341-366; «Sobre los iberos y su lengua», en *Homenaje ofrecido a Menéndez Pidal*, III (Madrid, 1925), pp. 475-499; «Las lenguas hispánicas», en *Boletín del Seminario de estudios de Arte y Arqueología*, de la Universidad de Valladolid, 28, 30 (1941-1942), pp. 1-20, y el ya citado en la nota 141 del capítulo anterior sobre «La es-

Muchas de las semejanzas consignadas en el segundo cuadro (números 12, 14 y 15 muy probablemente) pueden deberse a influencias célticas. Mas, de todas suertes, el aquitano, el vasco actual y el idioma de los antiguos ilergetes y cerretanos parecen tener relaciones estrechas que no se pueden explicar por influencias celtas. Ahora bien, dado lo desdibujado de la lingüística precelta de nuestra Península, es mucho decir que el fondo «ibérico» es el que produce tal semejanza, si se considera a lo ibérico como algo más

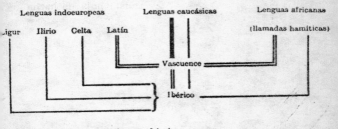

Relaciones de vocabulario y morfología.
Relaciones de vocabulario
Relaciones hipotéticas y sin apoyo de datos cuantitativos y cualitativos suficientes

que una entidad geográfica. Las observaciones que hicimos antes sobre el área de repartición de algunas palabras como *iri* = pueblo, *berri* = nuevo, etc., nos

critura ibérica». Los problemas epigráficos que ha planteado no del todo bien disgregados de los lingüísticos aún, han sugerido observaciones de J. Vallejo, «La escritura ibérica. Estado de su conocimiento», en *Emerita*, XI (1943), pp. 461-475, y de J. Casares, «El silabismo en la escritura ibérica. Contribución a su estudio», en *Boletín de la Real Academia Española*, XXIV (1945), pp. 11-39, a las que ha contestado el mismo Gómez Moreno, «Digresiones ibéricas: escritura y lengua», en el mismo *Boletín*... y tomo, pp. 275-288. Personalmente juzgo necesario insistir en que el problema lingüístico hay que separarlo en gran parte del cultural tocante a la escritura y que dentro del territorio «ibérico» hay señaladas diferencias entre lo vasco, lo pirenaico-oriental y lo mediterráneo-turdetano, de acuerdo con el texto de Estrabón, que dice que los turdetanos no tenían la misma lengua que los demás iberos, y que éstos tampoco usaban de una sola (III, 1, 6 (139).

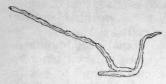

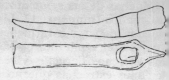

Arado de tipo dental, el típico mediterráneo, procedente de «Covalta».

Azuela, procedente de «El Charpolar». La pala es larga y estrecha, de boca cortante y terminada en el extremo opuesto por corta, pero robusta hoja de hacha.

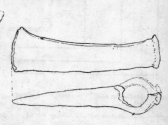

Hoz procedente de «Covalta». Es semejante a las actuales, excepto en la forma de enmangarse. Hoy se hace mediante espigón y en la época ibérica con roblones, sujetos por una arandela o, como en ésta, por dos cachas.

Hacha de leñador, procedente de «La Bastida». La hoja es delgada y larga, muy robusta, de boca cortante, que se ensancha en filo algo curvo, y con ojo o anillo para enastar el mango.

a)

Fig. 35 a y b. Instrumentos de trabajo ibéricos en la región valenciana, según Plá Ballester.

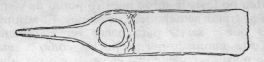

Alcotana o hacha de leñador. Es el típico «fes» de los leñadores y agricultores valencianos. Procedente de La Albufereta, de Alicante.

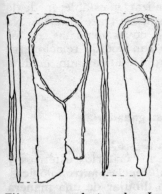

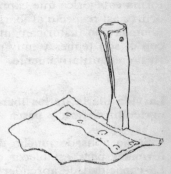

Tijeras procedentes de «La Bastida» y de «Covalta». Obsérvese que son de una sola pieza, formada por cuchillas triangulares alargadas, unidas entre sí por una varilla que se dobla en arco.

Legón o azada procedente de «La Bastida». La unión del tubo a la pala se hace hoy a cala y martillo, mientras que en los ejemplares ibéricos el tubo se lamina por su parte inferior acodándose y fijándose a la pala mediante fuertes roblones.

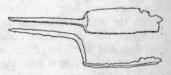

Paleta de albañil, procedente de «La Bastida». Es de tipo similar a las paletas que hoy se usan.

b)

255

permiten no insistir sobre nuestro punto de vista histórico al tratar semejantes cuestiones. El adjunto esquema puede servir para hacer ver claramente, a quien esté dominado por prejuicios, cómo la relación que se puede señalar entre el vasco y otros idiomas es positiva, mientras que la paralela que se pretende establecer entre éstos y lo llamado comúnmente ibérico es problemática aún. Los préstamos de palabras hechos al vasco, sus analogías gramaticales con otros idiomas se han podido analizar y establecer de la forma categórica que expresan los trazos fuertes. No ocurre así respecto al ibérico, cuyas analogías con los idiomas que históricamente han podido relacionarse con él son tenues y muy problemáticas aún, cualitativa y cuantitativamente.

La vida diaria de los iberos: ganadería, agricultura, caza y pesca

Se ha abusado mucho de los criterios estéticos y formales para establecer diferencias antropológicas. La capacidad de aprender a dibujar de una manera u otra depende de la escuela y no de la raza, en contra de lo que crean ciertos generalizadores; y el pensar que de un motivo decorativo, de una forma cerárica, en países influidos desde épocas remotas por griegos y cartagineses, cabe sacar deducciones antropológicas y lingüísticas es infantil. No puede negarse que ha existido un pueblo «ibero» en el oriente de España. Pero todas o casi todas las teorías hechas sobre su origen, carácter lingüístico y demás adolecen, hoy por hoy, de un esquematismo, de una pobreza de argumentación lamentables. La relación de este pueblo, mezclado considerablemente con celtas, con los del Mediterráneo oriental, hizo que su capacidad estética fuera grande, y gracias a ella, más que a los textos, podemos darnos cuenta de su régimen de vida. Las escenas pintadas en la cerámica de Liria, cuyo conocimiento se debe al celo de arqueólogos valencianos dirigidos por I. Ballester Tormo, nos reflejan, por ejemplo, cómo se desenvolvía la existencia de los edetanos [72]. Preséntansenos éstos como un pueblo eminentemente ganadero de hábitos bélicos y aficionado a la caza. La ausencia de escenas agrícolas en la cerámica de Liria no quiere decir otra cosa, sin embargo, sino que las clases superiores para las cuales estaba fabricada, desdeñaban aquella actividad. El cultivo de la vid y del olivo alcanzó gran incremento en toda la costa, y por la parte de Sagunto la cosecha de cereales era enorme [73]. La horticultura se practicaba en los alrededores de las ciudades y se cultivaban plantas delicadas: alcachofas [74], trufas [75], etc. El lino producía grandes ingresos, siendo famosa Setabis por su industria textil [76]. Los cartagineses, grandes agricultores, debieron introducir en la parte dominada por ellos plantas y cultivos especiales, como la palmera que hoy se halla en Elche formando bosque, que acaso descienda del que habla Plinio en su *Historia Natural* [77]. El paisaje de Levante, en general, no

[72] «La labor del Servicio de investigación prehistórica y su museo en el pasado año 1934» (Valencia, 1935), pp. 14-47 (*S.I.P.*, I); «La labor del Servicio de investigación prehistórica y su museo en los años 1935 a 1939» (Valencia, 1942), páginas 65-129 (*S.I.P.*, II).

[73] «Et Laletanae nigra lagona sapae», dice Marcial, VII, 53, 6; XIII, 18. Del vino de Tarraco habla también Silio Itálico, III, 369. Su primer origen hay que remontarlo mucho, si se ha de creer a Avieno, 501. Plinio, *N.H.*, XIV, 71, dice hablando de los vinos españoles; «Hispaniarum Laeetana copia nobilitantur, elegantia vero Tarraconensia atque Lauronensia et Baharica ex insulis conferuntur Italiae primis». Respecto al olivo recordemos el testimonio de Avieno, 495, 505 y la existencia de la ciudad de «Oleastrum», así como de un río «Oleum», al norte del Ebro. (Cfr. Schulten, *Hispania*, páginas 49 y 58-59.)

[74] Plinio, *N.H.*, XIX, 43, I: «Certum est, quippe carduos opud Carthaginem magnum, Cordubamque praecipue, sestertium sena millia e parvis reddere ascis».

[75] Plinio, *N.H.*, XIX, 11, 1.

[76] Del lino de Tarraco habla Plinio, *N.H.*, XIX, 10. Del de Setabis, muchos; Cátulo, XII, 14; Plinio, XIX, 10; Silio Itálico, III, 373, etc.

[77] Plinio, XIII, 26. No maduraban los dátiles.

tenía sin embargo los rasgos peculiares de la actualidad. Ni limones, ni naranjas, ni arroz cultivaban los antiguos «valencianos». En la región catalana, con viñedos, olivares, higueras [78] y pinos acaso haya cambiado menos, como también en la parte cercana a Carthago-Nova, donde el agua faltaba y las tierras daban esparto con que se fabricaban, como hoy, cuerdas, maromas para los barcos, sandalias y otros objetos de uso corriente [79]. El transporte de los productos agrícolas se hacía en carretas de bueyes. La más antigua referencia a éstas se remonta a las guerras de iberos y cartagineses: en una de las batallas que tuvieron los primeros contra Amílcar pusieron delante de las tropas carros llenos de leña según unos [80], de teas, sebo y azufre según otros [81], y los incendiaron, lanzando los bueyes contra el enemigo en pleno fragor. Catón por su parte, para señalar la violencia que tiene en la región catalanoaragonesa, donde combatió, el viento que hoy llamamos «cierzo», viento Norte y, por lo tanto, frío en general y que molestó mucho a sus soldados, dice de él que era capaz de derribar a un hombre armado y a una carreta con su carga *(plaustrum oneratum percellit)* [82]. Algún ca-

[78] De los higos saguntinos habla ya Catón, *De agr.*, VIII, 1; Plinio, *N.H.*, XV, 72 (famosos eran los higos secos de Ibiza), Plinio, *N.H.*, XV, 82. De los pinares de que se extraía la resina habla Plinio, *N.H.*, XIV, 127.

[79] Plinio, *N.H.*, XIX, 7, 1-8, ha descrito la industria tal como tenía lugar en un espacio que ocupaba 100 millas a lo largo del litoral por 30 de latitud. Primero se arrancaba el esparto, luego se hacían haces que se amontonaban, teniéndolos de esta suerte durante dos días. Al tercero se desliaba otra vez, se extendía al sol, se secaba y se volvía a liar. Después se mojaba con agua del mar (mejor con agua dulce) y se ponía a secar de nuevo al sol, volviéndoselo a mojar aún otra vez. Cuando se tenía prisa, la preparación se abreviaba sumergiéndolo en un tonel con agua caliente. Antes de hacer las cuerdas, maromas de barco, etc., se golpeaba. El mismo procedimiento tenían los griegos para usar el junco.

[80] Appiano, *Iber.*, 5.

[81] Frontino, *Strat.*, II, 4, 17.

[82] Aulo Gelio, *N.a.*, II, 22, 28: Catón designa al viento con el nombre de «cercius». En La Bastida (Mogente, Valencia), ha aparecido una figurita de bronce que representa un buey

rro de éstos se halla reproducido en exvotos hallados
más al Sur [83], pero en la cerámica en general, y particularmente en la de Liria, no hay por ahora demasiadas representaciones relacionadas con la vida agrícola; recordemos una de la recolección de granadas
que se puede considerar como escena de placer, ya
que los protagonistas son unos guerreros [84]. Grandes
cazadores eran todavía los edetanos y no se ha de
considerar que por motivos puramente deportivos.
En un vaso se ve reproducida una manada de cier-

Fig. 36. Cacería de ciervos con redes. (Detalle de un vaso
de San Miguel de Liria, Valencia.)

vos; dos de ellos han caído al parecer en una gran red
(fig. 36), mientras que a los otros los amenazan unos
lazos o cepos de menor tamaño [85]. En otra representación la caza del ciervo aparece hecha a caballo. Los

que debía estar uncido con otro a una carreta, que por des-
gracia no se ha hallado. Véase el resumen de arqueología de
Pericot en el «Suplemento anual, 1936-1939» de la *Enciclopedia
Espasa*, p. 127.

[83] Pero tirado por caballos, como el de Santa Elena: F. Alvarez Ossorio, *Bronces ibéricos*, pp. 78-79, lám. XII.

[84] *S.I.P.*, I, p. 31, lám. VI, b. El puro arte de la jardinería
debía estar desarrollado, cuando las rosas de Cartagena me-
recieron el recuerdo de Plinio, *N.H.*, XXI, 10. Una escena
agrícola creo haber descubierto después de escritas las líneas
del texto. Bosch-Gimpera, en *El problema de la cerámica ibérica* (Madrid, 1915), p. 28, reproduce un fragmento cerámico
(fig. 11), «decoración de un vaso de La Zaida» y cree que
representa a un «hombre que tiene en las manos un cayado
(pág. 29). En realidad se trata de un labrador que ara (con
arado dental y esteva vertical). Otro fragmento relacionado
con el anterior ostenta una vaca y pájaros.

[85] *S.I.P.*, I, pp. 26-28, lám. VI, A.

jinetes arrojan dardos a los animales que simula el artista que estaban desprevenidos [86]. Cerca de Liria (Lauron o Edeta) debía haber, a comienzos del siglo I a. de J.C., todavía una selva espesa [87] y en ella se refugiarían sin duda alimañas que amenazaban los ganados y sementeras. La escena de unos perros o lobos atacando a un jabalí que se halla en un vaso [88] debió ser observada frecuentemente, y junto a ella se ve a unos guerreros luchando y a dos hombres que procuran enlazar a un toro salvaje o semisalvaje, mientras otro parece dedicarse a domesticar un caballo [89], animal que debía ser muy estimados por los nobles edetanos.

La guerra

Frecuentes son las escenas de guerra en que aparecen hombres a caballo, escenas que reflejan diversas manos, tiempos y estilo. Casi todos estos guerreros empuñan dardos, llevan armaduras y mallas: los infantes, por lo general, se arman de lanzas, escudo largo (menos frecuentemente redondo) y *falcata*. A veces se ve algún casco que otro de tipo jónico o de cimera [90]. Aspecto análogo tienen los guerreros de un vaso de Archena (Murcia), en que se reproduce también la caza del jabalí a caballo, y los de otro de Oliva (Valencia) [91], y en relieves del Bajo Aragón hallamos representaciones semejantes que pueden ser ilustradas mediante los textos clásicos. Por ejemplo,

---

[86] *S.I.P.*, I, pp. 28-32, lám. VI, B. Contiene este vaso también la escena de la cogida de granadas y otra de pesca de que se habla luego.
[87] Frontino, II, 5, 31.
[88] *S.I.P.*, II, pp. 83-91, lám. VIII, A'.
[89] *S.I.P.*, II, pp. 84-85, lám. VIII, A'.
[90] *S.I.P.*, I, pp. 42-45, lám. IX, A: es de las más completas: *S.I.P.*, II, pp. 91-96, lám. IX, A', con muchas inscripciones.
[91] J. Colominas Roca, «La necrópolis ibérica de Oliva (Valencia)», en *Ampurias*, VI (1944), pp. 155-166 (láms. VIII-XV).

consideraba Aristóteles rito funerario propio de los belicosos iberos el de hincar alrededor de la tumba del guerrero tantas puntas de lanza como enemigos mato [92]: en estelas (fig. 37) de dicha zona, como la

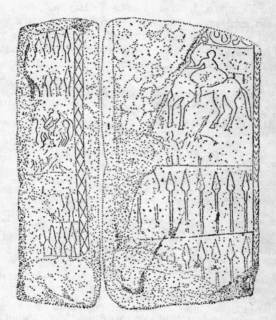

Fig. 37. Estelas funerarias ibéricas de Calaceite (Museo Arqueológico de Barcelona).

de una localidad próxima a Caspe, se ven reproducidas más o menos sumariamente las imágenes de guerreros y junto a ellas un número especial de puntas de lanza [93]. Es probable que la diferencia de ar-

[92] *Polít*, 1.324 b.
[93] Bosch Gimpera, *Etnología de la Península Ibérica*, p. 371, fig. 331.

mamento entre grupos de guerreros que se observa en escenas de Liria obedezca al deseo expreso de señalar diversidad de origen. Una peculiaridad se ha señalado en estos guerreros que hace suponer su relación con los colonizadores griegos sobre todo: la de que llevaban diversas clases de barba[94]. Hay autores, sin embargo, que sostienen que en su aspecto general se percibe ya la influencia romana, en cuyo caso la mayoría de las pinturas datarían de fines del siglo II a. de J.C.[95]. La fecha me parece demasiado

[94] I. Ballester Tormo, «Notas sobre las cerámicas de San Miguel de Liria. Las barbas de los iberos», en *Ampurias*, V (1943), 8 pp.

[95] Al arte ibérico en general comenzó asignándosele una fecha muy remota y entroncándolo con lo griego más primitivo, e incluso lo prehistórico. Pierre Paris, en el *Essai sur l'art et l'industrie de l'Espagne primitive*, I (París, 1903), II (París, 1904), admitía los remotos orígenes de aquél. Posteriormente nuevos descubrimientos y observaciones contribuyeron a precisar más la cronología, distinguiéndose en la labor Bosch (véase obra citada en la nota 84 y otras). Muchos son hoy los que admiten que la cerámica ibérica y otras manifestaciones del arte de la zona que nos ocupa reflejan claras influencias griegas, que van desde el siglo V a la época romana. Pero hace ya tiempo, A. García Bellido rebajó de modo considerable la fecha de la mayoría de los hallazgos en estudios como «De escultura ibérica. Algunos problemas de arte y cronología», en *Archivo español de Arqueología*, 52 (1943), pp. 272-299; «Algunos problemas de arte y cronología ibéricos», en el mismo *Archivo...*, 50 (1943), pp. 78-108, etc. Esta tentativa provocó publicaciones diversas como las que siguen, en que se pueden obtener datos cronológicos mucho más precisos que los considerados hasta ahora: A. del Castillo, «La cerámica ibérica de Ampurias: cerámica del Sudeste», en *Archivo...*, cit., 50 (1943), pp. 1-48 (piezas más antiguas correspondientes al siglo IV); J. Cabré, «La cerámica céltica de Azaila (Teruel)», en el mismo número, pp. 49-63; I. Ballester Tormo, «Sobre una posible clasificación de las cerámicas de San Miguel con escenas humanas», en el mismo número, pp. 64-77; A. Fernández de Avilés, «Notas sobre la necrópolis ibérica de Archena (Murcia)», en el mismo número, pp. 115-121; J. Lafuente Vidal, «Algunos datos concretos de la provincia de Alicante sobre el problema cronológico de la cerámica ibérica», en el mismo *Archivo...*, 54 (1944), pp. 68-87 (es curiosa la figura 14 en que se ve el ajuar de un pescador de La Albufera (Alicante); vestigios de anzuelos y redes que ilustran las escenas de Liria); D. Fletcher, «Los hallazgos de Ampurias y Carmona en relación con la cronología de la cerámica ibérica», en el mismo, 55 (1944), pági-

baja, y más si se tiene en cuenta que la escritura ibérica de las inscripciones que ostentan ofrece rasgos arcaicos en comparación con la generalizada en las monedas acuñadas bajo la presión de los romanos. Por otro lado, hay que tener presente el texto que Esteban de Bizancio toma de Artemidoro de Efeso (hacia 100 a. de J.C.), referente a la temprana introducción de la escritura latina en las costas españolas. Dice así: «Artemidoro en el (libro) segundo de la *Descripción geográfica* dice: emplean la escritura de los italos los iberos que habitan junto al mar» [96]

Muchas de las escenas de los vasos de Liria ofrecen un comentario escrito, desgraciadamente indescifrado hasta ahora. Hay una, sin embargo, que ha llamado particularmente la atención (fig. 38) porque su

Fig. 38. Escena guerrera con inscripción ibérica en la Albufera valenciana. (Detalle de un vaso de San Miguel de Liria.)

inscripción es corta y además susceptible de una «traducción» *mediante el vasco actual:* aquella de muy tosca ejecución [97], en que se figura la lucha entre un guerrero que está en tierra y otros que van en dos pequeños barcos en una laguna o marisma. Varios peces y líneas onduladas representan el agua. Unos triángulos en cuya base hay pequeñas líneas

nas 135-150; I. Ballester Tormo, *Ensayo sobre las influencias de los estilos griegos en las cerámicas de San Miguel y la tendencia arcaizante de éstas* (Valencia, 1945).

[96] s. v. Ἰβηρία, Schulten, *F.H.A.*, II, pp. 159, 241.

[97] *S.I.P.*, I, pp. 23-26, lám. v, C.

verticales podrían significar la existencia de construcciones de tipo palafítico. El guerrero de la parte de tierra está en ademán de arrojar un dardo de una sola punta, emparentado acaso con la *falárica* de los saguntinos, arma arrojadiza, compuesta de una larga vara de abeto, de sección circular a excepción del extremo en donde se colocaba la punta de hierro. Era allí la sección cuadrada y se fortalecía la punta, que tenía tres pies de largo, con una estopa empapada en pez. La *falárica* se lanzaba encendida [98]. También había unos dardos todos de hierro que tenían varias puntas [99]. Pero sigamos con la escena del vaso de Liria. Mientras con una mano arroja el dardo el guerrero que lleva un casco con cimera, con la otra se protege, mediante un escudo redondo, del dardo que a su vez le han lanzado los de uno de los barcos que parecen gentes extrañas; los barcos ostentan talladas en la proa cabezas de animal (jabalí y caballo ?), como sabemos que las tenían las embarcaciones tartesias. Un ánade asustado levanta el vuelo, mientras que un caballo anda al otro extremo de la orilla. Debajo de la primera barca casi, hay la corta inscripción que dice *gudua deitzdea* según la lectura del señor Beltrán, que la traduce por «llamada de guerra» [100]. Varias veces he hablado de lectura semejante exponiendo las dificultades que ofrece [101]. Ahora sólo quiero añadir que aun considerando que fuera verdadera y legítima no habría por ella modo de proclamar la existencia de un lenguaje ibérico, de origen africano, emparentado estrechamente con el vasco, porque precisamente la palabra *gudua* = guerra se encuentra en viejo germánico con el mismo aspecto

[98]   Livio, XXI, 8.
[99]   Appiano, *B.c.*, V, 83.
[100]   *S.I.P.*, I, pp. 62-63: «Sobre un interesante vaso escrito de San Miguel de Liria» (Valencia, 1942).
[101]   «Retroceso del vascuence», en *Atlantis*, XVI (1941), pp. 35-62; «La Aquitania y los nueve pueblos», en *Archivo Español de Arqueología*, 55 (1944), pp. 113-134.

y acepción que en vascuence antiguo [102]. Resulta, por otro lado, rarísimo que el resto de las inscripciones de Liria no contenga rasgos tan claros como se pretende que los tiene ésta, desde el punto de vista lingüístico. Relacionada, por su estilo y tema, con la escena que se ha descrito en las líneas anteriores está otra en que se representa, en parte, un episodio de pesca desde cierta embarcación en que van varios hombres, uno armado y dispuesto a la lucha. La pesca se efectúa con anzuelos y redes: algún pez parece ser izado hacia la borda. Otro lo ha pescado cierto hombrecito desde la orilla [103].

Sentido caballeresco de la vida

Al lado de éstas, son interesantes desde distintos puntos de vista (el religioso, o el sociológico estrictamente) otras que se deben a artistas más concienzudos. Cierto fragmento cerámico nos da la extraña escena de un hombre a caballo al que precede en la carrera una mujer jinete [104]. Otro, un combate de dos jinetes y dos peones que acaso tenga que interpretarse como un torneo, dado que la escena se completa con las imágenes de dos flautistas de sexo distinto: la mujer tañe una doble flauta y el hombre flauta sencilla [105]. Aunque vayan ataviados de otra manera, análoga pareja de músicos se ve a la cabeza de los danzantes que decoran otro vaso que parece ilustrar perfectamente aquel texto de Estrabón que dice que en la Bastetania bailan las mujeres con los hombres, agarrados de las manos [106] (fig. 39). Vemos, en efecto, tras los músicos, a tres hombres con indu-

---

[102] J. de Urquijo, «La famosa inscripción ibero-vasca de un vaso de Liria, *Gudua deitzdea*», en *Boletín de la Real Sociedad Económica Vascongada*, I, 2 (1945), pp. 123-143.
[103] *S.I.P.*, I, pp. 28-32, lám. VI, B.
[104] *S.I.P.*, I, pp. 33-34, lám. VII, A.
[105] *S.I.P.*, I, pp. 33-37, lám. VII, B.
[106] III, 3, 7 (153).

mentaria parecida, en la que llaman la atención las bandas que forman una cruz en el pecho y las calzas, y detrás de éstos, en la misma fila, cuatro mujeres de las cuales la primera ostenta adornos más lujosos que la segunda y ésta a su vez más complicados que las dos últimas. Traje análogo al de los bailarines referidos llevan unos guerreros que se ven en otro vaso, armados de escudos redondos y rectangulares y que tienen sujetos a unos caballos por sus ronzales. Como da la casualidad de que se ven luego (aunque fragmentariamente) otros dos hombres a pie, dedicados a la caza del jabalí (?) y de un ave que por su tamaño parece rapaz y por otros rasgos una paloma, hay derecho a pensar que los que llevan los caballos de la brida y van armados de escudos grandes, propios de los infantes, son una especie de «escuderos» que contemplan las proezas cinegéticas de personas de mayor rango y alcurnia [107]. No hay duda que es siempre una sociedad caballeresca la reflejada en las obras de arte de Liria. Más que la guerra en su aspecto brutal tan bien descrita por los historiadores romanos, vemos reproducidos torneos y lances que nos recuerdan los que se cantan en las viejas literaturas célticas [108] y en la propia de ciertas sociedades negras superiores de tipo señorial, de las que Frobenius nos ha dado una imagen acaso excesivamente poetizada [109]. Como comentario a las escenas de Liria hay que recordar, sin embargo, que tanto entre los celtas como entre los negros «sabel», que habitan en las estepas situadas entre el Sahara y la gran selva del Níger, el joven caballero, avido de glorias guerreras y amorosas, sale de su ciudad, o del territorio de su tribu, montado en un hermoso caballo, bien armado y acompañado de su escudero fiel y de su bardo, mitad músico, mitad poeta. Para con-

---

[107] *S.I.P.*, I, pp. 40-42, lám. VI, B.
[108] G. Dottin, *L'épopée irlandaise* (París, s. a.), pp. 1,34.
[109] *Kulturgeschichte Afrikas*, pp. 394-404. Considera este tipo de lances propios de la «cultura sírtica».

quistar el corazón de la hija de un príncipe o señor vecino debe luchar singularmente con rivales poderosos y ejecutar proezas cinegéticas y de otra índole [110]. Sería muy útil que los vasos de Liria se estudiaran teniendo en cuenta datos semejantes. Muchos de los descritos sumariamente deben aludir a poemas y cuentos en que se alababa a jóvenes de éstos, compuestos por sus bardos. Hay uno en que los descu-

Fig. 39. Escena de danza o procesión en un vaso del poblado de San Miguel de Liria.

bridores ven una «danza guerrera», porque dos hombres armados el uno de lanza y el otro de espada, y protegiéndose por escudos oblongos, luchan a pie mientras una mujer tañe la doble flauta y un hombre toca una gran trompa; pero bien pudiera tratarse, como en el caso del vaso en que otros dos luchan a caballo al son de la música, de un torneo de éstos, que sabemos existían entre los celtíberos [111].

Religión

En punto a escenas religiosas, dejando a un lado los bailes de hombres y mujeres que ya hemos ci-

[110] En realidad el poeta que cantaba estas hazañas entre los celtas no era siempre el «bardo» o «file», sino un tipo de parásito del que ya habló Posidonio al describir las costumbres de los galos; *Fragmenta historicorum graecorum*, III, p. 259 (fragm. 23).
[111] Véase más adelante.

tado y que pudieran tener significado ritual [112], hay que poner de relieve la existencia de una en que claramente se aprecia semejante sentido. Cuatro damas tocadas con mitras y cogidas de la mano danzan lentamente, al parecer seguidas por una figura de hombre desnuda y de carácter fálico. Rota la escena por la parte delantera, un fragmento que sigue nos da la imagen de otra dama que ofrece un ave a un guerrero armado de lanza, que lleva sujeta a la espalda, mientras que con una de las manos agarra un puñal de antenas, dispuesto sin duda a sacrificar al ave. Dándole la espalda a este guerrero, hay otro hombre, que parece llevar una diadema y que extiende sus brazos hacia una figura borrosa que pudiera ser itifálica. Vuelve a romperse la escena y luego se concluye con un guerrero arrodillado y una figura masculina de espalda a él [113]. Pudiera tener sentido religioso también un fragmento en que se ve a un hombre con una «sítula» y a otro sentado al lado, aunque es posible que se trate de una escena de carácter social, en que se reproduce a un campesino llevando algún líquido a su amo [114]. Por lo demás, la religión de los pueblos de la zona oriental no nos es tan bien conocida como la de los pueblos del Sur. Los griegos hubieron de dar culto especial a varios promontorios

[112] *S.I.P.*, II, pp. 73-79, lám. VI, B; hay otra.
[113] *S.I.P.*, II, pp. 97-104, lám. X.
[114] *S.I.P.*, II, p. 76, lám. VI, D. Un carácter religioso, aunque impreciso, tiene la famosa «Dama de Elche», objeto de tantas controversias, resumidas recientemente por A. García Bellido, *La dama de Elche y el conjunto de piezas arqueológicas reingresadas en España en 1941* (Madrid, 1942). (Cfr. del mismo, «La dama de Elche», en *Revista de la Universidad de Madrid*, III, letras (1943), pp. 91-122.) También lo tienen las esculturas oferentes del Cerro de los Santos, que desde que fueron dadas a conocer por J. de D. de la Rada y Delgado en su discurso de ingreso en la Academia de la Historia (Madrid, 1875), pp. 1-110, han provocado multitud de zozobras. A. Fernández de Avilés, «Escultura del cerro de los Santos. La colección Velasco...», en *Archivo Español de Arqueología*, 53 (1943), pp. 361-387, ha puesto de relieve (p. 386, nota 1) que los santuarios ibéricos subsistieron hasta el siglo IV de J. C.

de la costa. Conocido es el *Mons Jovis*, actual Mongó, citado por Mela[115], y otro del mismo nombre que debe corresponder al Monte Matas, junto al río Besós [116]. La sierra de Balaguer, al septentrión de la desembocadura del Ebro, era denominada ya «monte sagrado» *(Mons sacer)* por autores muy antiguos [117]. Más al Sur, en el cabo de San Antonio, se alzaba un templo de Artemis o Diana, fundado por los foceos [118], y el cabo de Palos se hallaba dedicado a Saturno [119]. Todas estas divinidades puede que tuvieran sus equivalentes indígenas, pero apenas si hay un templo o una imagen de las segundas. En último caso, sabemos que los massaliotas, es decir, los griegos de Marsella, comunicaron a los iberos los ritos de su culto nacional, de la Artemis de Efeso, y que éstos pronto, al menos en la parte norte, sacrificaron al modo de los griegos [120].

Culto semejante debió de propagarse por la Península, pues el gran Sertorio decía a los jefes que le secundaban, lusitanos e iberos de distintas regiones, que una cierva que le seguía dócilmente, regalo de un campesino, era don de Artemis y que le revelaba cosas ocultas. Nótese que así explotaba una superstición a la que los naturales del país donde operaba

---

115 II, 83.
116 Mela, II, 90.
117 Avieno, 503.
118 Avieno, 476.
119 Plinio, *N.H.*, III, 19.
120 Estrabón, IV, 1, 5 (180). No hay que perder de vista la posibilidad de influencias culturales de otros pueblos, como los etruscos. A. García Bellido, «Las relaciones entre el arte etrusco y el ibero», en *Archivo español de Arte y Arqueología*, 20 (1931), pp. 119-148, puso de relieve algunas. En cuanto a un paralelismo general entre la arquitectura de esta zona y la de otros puntos del Mediterráneo, véase del mismo *La arquitectura entre los iberos* (Madrid, 1945). Estos paralelismos siguen, como es natural, por el Sur. Véase J. Cabré, «Arquitectura hispánica. El sepulcro de Toya», en *Archivo Español de Arte y Arqueología*, 1 (1925), pp. 73-101, y A. García Bellido, «La cámara sepulcral de Toya (Jaén) y sus paralelos mediterráneos», en *Actas y memorias de la Sociedad Española de Antropología...*, XIV (1935), pp. 67-106.

se mostraban propicios [121]. Un sincretismo de tipo helenizante parecen reflejar también ciertos hallazgos arqueológicos como la pátera de plata hallada en Tivisa (Tarragona), que ostenta una inscripción en caracteres ibéricos análogos a los monetales.

Los pueblos de las islas Baleares y su diferencia con respecto a los de la costa española mediterránea

Marcado contraste con la vida de las costas de Valencia y Cataluña ofrecía la de las islas Baleares, habitadas por una población especial, emparentada probablemente con otras isleñas de más al oriente del Mediterráneo. Hay referencias históricas y datos arqueológicos que comprueban tales referencias, según las cuales los iberos de la costa española se hallaban en relación con pueblos de Córcega, Sicilia, etc. [122]. Se dijo ya en la antigüedad que los sicanos eran iberos [123], que entre los corsos y pueblos del norte de España incluso había relaciones curiosas de tipo etnológico y lingüístico [124]. Algún autor moderno ha procurado explicar tales relaciones posibles mediante la hipótesis ligur [125]. Otros mediante

[121] Plutarco, *Sert.*, 11; Appiano, *B.c.*, I, 110; Aulo Gelio, *N.a.*, XV, 22; Valerio Máximo, I, 2, 4; Frontino, I, 11, 13.
[122] Aparte de las ocasionadas por el reclutamiento de soldados ibéricos por los cartagineses, hay que colocar las que comprueban los arqueólogos al estudiar la Edad del Bronce y algunos textos clásicos, como el de Séneca, *Consolatio ad Helviam*, VII, 9, que señaló paralelismos etnológicos y lingüísticos entre corsos y cántabros, por ejemplo.
[123] Tucídides, I, 6, 2.
[124] Véase nota 122. Con respecto a Cerdeña hay que recordar que Pausanias, X, 17, dice que después de la primera población de aquella isla y de las colonizaciones de los libios y los griegos llegó Norax, hijo de Mercurio y nieto de Gerión, con unos iberos que construyeron la ciudad de Nora. El valor histórico cultural de esta leyenda ha sido puesto de relieve por A. García Bellido, «Los iberos en Cerdeña», en *Emerita*, III (1935), pp. 225-256.
[125] Costumbres como la de la covada, registrada entre los corsos (Diodoro, V, 14) y entre pueblos de la Península de

la de la expansión de los iberos históricos. Sin embargo, aunque se admita que éstos ejercieron un papel en las guerras de cartagineses con griegos y romanos en las islas mediterráneas[126], las afinidades étnicas entre los insulares deben explicarse mejor por medio de la arqueología de la Edad del Bronce, considerándolos como pueblos aislados entonces, o al menos sin gran contacto permanente con los europeos continentales, y con mucho mayor con los colonizadores y navegantes del norte de Africa. En época ya de dominio romano, calculaba Diodoro, inspirado acaso en Timeo, que Mallorca y Menorca contaban con una población de unas 30.000 personas. Raras eran las costumbres de éstas. Vivían en cuevas y abrigos naturales, cuando no las hacían artificialmente en acantilados y subterráneos. No usaban de moneda, habiendo prohibido importar oro y plata a las islas. Cuando servían de mercenarios, como lo hicieron, por ejemplo, con los cartagineses, emplearon el salario en comprar vino (pues eran muy aficionados a él y no tenían viñas) o esclavas, ya que era también desmedida su lujuria, de suerte que por una mujer de las que capturaban los piratas que con ellos comerciaban daban hasta tres y cuatro varones. Tampoco era común entre ellos el aceite y hacían para condimentar y untar sus vigorosos cuerpos una preparación de lentisco y grasa de cerdo. Gran fama tenían los ganados que cuidaban, especialmente los mulos, pero la mayor la conquistaron como honderos[127]. Sobre los honderos baleares y sus armas hay abundantes textos. Según parece, cada hombre combatía con tres hondas hechas de junco negro, de cer-

---

que luego se hablará, se han tomado, falsamente, como pruebas de un parentesco racial, físico.

[126] De tales actuaciones ha hecho especial estudio A. García Bellido en varios estudios, entre los que citaré ahora «Contactos y relaciones entre la Magna Grecia y la Península Ibérica, según la Arqueología y los textos clásicos», en *Boletín de la Real Academia de la Historia*, CVI (1935), pp. 327-349.

[127] Diodoro, V, 2, 17.

das o de nervios: una muy larga, otra intermedia y otra corta, que se empleaban según las distancias. Mientras no las usaban, las llevaban colocadas alrededor de la cabeza. El aprendizaje de su manejo comenzaba en la extrema niñez. Se contaba que las madres colocaban el pan en un palo alto y que los chiquillos, para comerlo, debían previamente tirar al palo con su honda [128].

Estos rasgos son los que los escritores clásicos griegos y romanos daban a los más antiguos pobladores de sus respectivos países, inspirados, sin duda, por el paralelo etnográfico que establecían entre ellos y las gentes mediterráneas más primitivas que conocían [129]. Los cíclopes descritos por Homero, habitantes de rocosas alturas junto al mar, pastores consumados pero desconocedores de la agricultura, inhábiles como marinos, que se gobernaban por vía patriarcal [130], parecen haber sido creados por la imaginación brillante de los griegos de vuelta de viajes en que vieron a baleares, a sardos [131] y otros habitantes de las islas mediterráneas. Algunos rasgos de la pintura homérica son, sin embargo, distintos a los que realmente tenían aquellos rústicos isleños.

Costumbre nupcial de los baleares era la de celebrar un banquete al que asistían los amigos y familiares de los recién casados que, por orden de edad, se iban uniendo con la esposa hasta que al final le alcanzaba la hora al marido. A los cadáveres los despedazaban a palos y los restos los metían luego en una urna, y sobre ellos elevaban grandes montones de piedra, según Diodoro [132].

La costumbre nupcial referida la señaló mucho antes Herodoto, como propia de los nasamones de Li-

---

[128] Estrabón, III, 5, 1 (168); Floro, I, 43, 5; Licofron, *Alex*, 633; etc.
[129] Esquilo, *Prometeo*, 450-453; Virgilio, *Eneida*, VIII, 314-318.
[130] *Odisea*, IX, 108, 113-114, 125-128, etc.
[131] Estrabón, II, 2, 7 (137); Diodoro, V, 14 (Córcega), 15 (Cerdeña), etc.
[132] V, 18.

bia [133], y puede estar en relación con otras muchas de diversos pueblos actuales; acaso los escritores griegos interpretaron mal la realidad. Con respecto al rito funerario, hay que reconocer que acaso esté en relación con la existencia de las *taulas* de Menorca, mesas enormes de piedra que servirían para poner los cadáveres despedazados con objeto de que se corrompieran, antes de colocar los huesos en las urnas. Sepulcros colectivos eran las «navetas», también particulares de las Baleares: los *talayots*, que servían de fortaleza, y las dos clases de construcciones antes citadas corresponden [134], sin embargo, al período final de la Edad del Bronce, y sus características hicieron que se extendiera la opinión de que todo lo construido con grandes bloques de piedra (murallas como las de Tarragona y Sagunto) era obra de los cíclopes antiguos.

Hay que marcar la diferencia entre las islas Baleares y las Pitiusas. Llamábase Pitiusa a Ibiza, según Diodoro, porque en ella crecían multitud de pinos. En cambio, la viña escaseaba y los olivos estaban injertados en acebuche. La capital, Ebusus, era ciudad cartaginesa cuyas casas estaban admirablemente construidas [135]. Alrededor había muchos campos de labranza y multitud de caseríos *(vici)* que eran saqueados cada vez que había un desembarco enemigo [136]. Los habitantes de tales caseríos cuidaban de hermosos rebaños cuyas lanas eran suaves y de excelente calidad [137]. La influencia cartaginesa en otros órdenes era también enorme [138]. Notemos que las obras de arte de tipo comercial que hacían los car-

---

[133] IV, 172.
[134] J. Martínez Santa-Olalla, «Elementos para un estudio de la cultura de los talayots en Menorca», en *Actas y memorias de la Sociedad Española de Antropología...*, XIV (1935), pp 5-66, XIX láms.
[135] Diodoro, V, 16.
[136] Livio, XXI, 20, 3.
[137] Diodoro, V, 16.
[138] Floro, I, 43; Orosio, V, 13, 1.

tagineses han podido en muchos casos servir como modelos para otras indígenas peninsulares, en que en un principio se vieron influencias del arte griego arcaico o arcaizante. Caído el imperio cartaginés, los baleares siguieron algún tiempo viviendo con independencia, sirviendo las islas de refugio a multitud de huidos y refugiados de toda clase. Entre los años 123-122 a. de J.C. se dedicaron a la piratería, armando embarcaciones muy primitivas, de tal suerte que los romanos organizaron una campaña contra ellos, siendo vencidos por uno de los Metelos. Estrabón les quita algo de culpa: puede, en efecto, que los verdaderos piratas fueran las gentes advenedizas referidas de distintas estirpes [139].

[139] III, 5, 1 (167).

7

LOS PUEBLOS DEL CENTRO DE LA PENINSULA

Distintos grupos de pueblos que cabe distinguir en el centro de la Península

La meseta central tenía en la Edad Antigua una fisonomía bastante uniforme, como ocurre en la actualidad. Pero con los pueblos que la habitaban es posible hacer una clasificación etnológica y geográfica estableciendo los grupos que siguen:

1) Pueblos de la zona oriental de la meseta.
2) Pueblos de la zona occidental y meridional.
3) Pueblos de la zona occidental y septentrional.

Los primeros son los «celtíberos» propiamente dichos, aunque hay que tener en cuenta que muchas veces se designa con este nombre a casi todos los habitantes de ambas Castillas e incluso de España[1]. Dichos «celtíberos» se dividían, al decir de Estrabón, en cuatro grandes unidades, de las cuales una llevaba por derecho propio también el mismo nombre, siendo las otras las de los arevacos, los lusones[2] y los pelendones que aquel geógrafo no cita[3]. Hay que tener

[1] Así, por ejemplo, en Diodoro, V, 33, 1. La primera exposición crítica de la Geografía del centro de la Península es la del P. Flórez, *España Sagrada*, V (ed. Madrid, 1859), pp. 1-53.
[2] III, 4, 13 (162)
[3] Ptolomeo, II, 6, 53; Plinio, *N.H.*, III, 26; IV, 112.

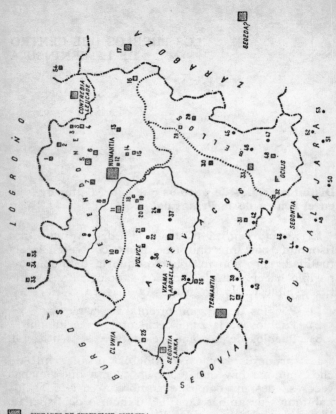

Fig. 40. Poblados y necrópolis en la Celtiberia Ulterior,
según Taracena.

1. Villar del Río.	* 6. Aldealices.
* 2. Taniñe.	7. Tera.
* 3. Sarnago.	* 8. Santervás de la Sierra.
4. Torretarranclo.	9. Vinuesa.
5. Ventosa.	10. Cabrejas del Pinar.

en cuenta, sin embargo, que él mismo dice en otra
ocasión que algunos autores establecen la división de
los celtíberos en cinco unidades y que es muy poco
posible precisar en este particular, por los cambios
frecuentes acaecidos en ellos por presión romana, sin
duda, y por lo desconocido del territorio para los
griegos, únicos capaces de hacer observaciones exac-

←

11. Ocenilla.
* 12. Ventosilla.
13. Valdegeña.
14. Fuensaúco.
* 15. Fuentenecha.
16. Cueva de Agreda.
17. Veruela.
* 18. Ontalvilla de Frentes.
19. Camparañón.
* 20. Izana.
21. Fraguas.
22. Nódalo.
23. Zayas de Torre.
24. Quintana Redonda.
25. Ventosa de Fuentepi-
    nilla.
* 26. Gormaz.
27. Castro.
28. Almazul.
29. Miñana.
30. Momblona.
31. Barahona.
32. Miño de Medina.
* 33. Canales de la Sierra.
34. Mansilla.
* 35. Viniegra de Abajo.

36. Necrópolis de la Merca-
    dera.
37. Necrópolis de Osonilla.
* 38. Necrópolis de Quintanas
    de Gormaz.
39. Necrópolis de Retor-
    tillo.
* 40. Necrópolis de Hijes.
* 41. Necrópolis de Atienza.
* 42. Necrópolis de Alpanse-
    que.
* 43. Necrópolis de Olmeda.
* 44. Necrópolis de Atauce.
* 45. Necrópolis de Monte-
    agudo de las Vicarias.
* 46. Necrópolis de Almaluez.
* 47. Necrópolis de Montuen-
    ga.
* 48. Castillo de Monreal de
    Ariza.
* 49. Necrópolis de Pelegrina.
* 50. Necrópolis de Luzaga.
* 51. Necrópolis de Ciruelos.
* 52. Necrópolis de Clarés.
* 53. Necrópolis de Turmiel.
* 54. Poblado de Fitero.

Las necrópolis y poblados señalados con asteriscos y las
ciudades de *Numantia, Termantia, Clunia, Segontia, Lanka,
Voluce, Contrebia, Leukade, Segeda* y *Ocilis* han sido objeto
de excavación o prospección metódica.

Excepto las necrópolis de Uxama, Monteagudo de las Vi-
carías y Ciruelos, plenamente celtibéricas, las restantes pertenecen a la cultura posthallstáttica, pero tienen algún ente-
rramiento del siglo III.

tas, ya que los romanos brillaban por su falta de curiosidad intelectual [4]. Esto explica las diferencias entre los límites dados a estas y a otras grandes unidades sociales por los diversos autores, y la mención en unos de pueblos que no son citados por otros. Al sur de los cuatro pueblos celtíberos vivían los «carpetanos» [5] y los «oretanos» [6], y fronteros con estos últimos por la parte occidental se hallaban los «vettones» [7], que constituyen el segundo grupo de los que hemos establecido: al oeste de los pueblos celtíberos y norte de los «vettones» vivían los «vacceos» [8], que forman por sí el tercero. Más adelante se citará una serie de unidades sociales periféricas y de menor potencia que debemos incluir dentro de los tres grandes grupos de la meseta [9]. Ahora vamos a recordar algunos rasgos generales de tipo geográfico que observaron los antiguos en ella. Estrabón habla de su aspereza [10]: montes, llanuras áridas y bosques [11] constituían su mayor parte; hoy día el monte y el páramo la caracterizan mejor que el bosque, aunque se conserven ciertas manchas forestales.

Appiano dice que Numancia, cabeza de los arevacos, cuyos alrededores están hoy casi desprovistos de vegetación, se hallaba rodeada de espesísimas selvas y que sólo un camino conducía hasta sus puertas [12]. También Livio afirma que en aquel país abundaban los bosques y los caminos ásperos [13], caminos que en invierno se hacían impracticables por las lluvias y los desbordamientos de los ríos, sobre los que había pocos puentes y que era necesario vadear, como les

4   III, 4, 19 (165-166).
5   Ptolomeo, II, 6, 56.
6   Ptolomeo, II, 6, 58.
7   Ptolomeo, II, 5, 7.
8   Ptolomeo, II, 6, 49.
9   «Murbogos», Ptolomeo, II, 6, 51; «Turmogidi», en Plinio, N.H., III, 26; «berones», Ptolomeo, II, 6, 54.
10   III, 4, 12 (162).
11   III, 1, 2 (137).
12   Appiano, *Iber*, 76.
13   XXVIII, 1.

ocurrió a los que quisieron ir en auxilio de Contrebia el año 181 [14]. En los montes bajos, que formaban también parte considerable del territorio celtibérico, abundaba la caza, y en los malos momentos el ejército romano, que carecía de vino, sal, aceite y vinagre, debía alimentarse de carne de ciervos y liebres que cazaba en ellos, de un poco de trigo y cebada que cocía sin sal, cual acaeció en el cerco de Intercatia [15].

Dentro de este paisaje, sombrío en conjunto, en seguida el soldado romano o el comerciante o viajero griego distinguieron las zonas más fértiles. La Celtiberia propiamente dicha era menos fértil [16] que la Carpetania y Oretania [17] desde el punto de vista agrícola. En sus campos y bosques vivía una población muy poco civilizada, y las ciudades, aun en época romana, ejercían muy poca influencia sobre ella, que repartida en castillejos y aldeas recónditas constituía a veces un serio peligro [18]. En la Carpetania, el paisaje era más abierto: el olivo, árbol querido de todo buen mediterráneo, llegaba en ella hasta el norte del Tajo. Appiano habla de un monte de Venus, plantado de olivos, que debía corresponder a la actual sierra de San Vicente [19]. Las zonas cerealistas de los vacceos y de algunos pueblos del extremo septentrional de esta área, como los berones, asentados en la actual Rioja y a los que se consideraba pueblo de entronque celta de los más puros [20], producían también más atracción que la celtibérica fundamentalmente pastoril, desde épocas mucho más remotas

[14] Livio, XL, 33.
[15] *Iber*, 53-54.
[16] Estrabón, III, 4, 13 (162).
[17] Estrabón, III, 1, 6 (139).
[18] Estrabón, III, 4, 5 (163).
[19] Appiano, *Iber.*, 64: Schulten, *F.H.A.*, IV, pp. 1110-111.
[20] Véase nota 9 y el estudio concienzudo de B. Taracena, «La antigua población de la Rioja», en *Archivo Español de Arqueología*, 42 (1941), pp. 157-176.

que la de las guerras narradas por Polibio, Livio, Appiano, etc.

Los celtíberos propiamente dichos y su organización social y económica: importancia de la ganadería

Para demostrarlo podemos recurrir al testimonio de la *Ora maritima*. Esta coloca en la costa mediterránea de la Península a Hemeroscopion, colonia focense situada cerca de la actual Denia [21]. Un poco después habla de una ciudad *Sicana*, situada junto al Júcar *(Sicanus)* [22] y no lejos del río *Tirius*, el Turia actual [23]. Y en la tierra alejada del mar por aquellas latitudes —añade— se extendía un país montuoso, cubierto de bosques, en el que vivían los «beribraces», tribu feroz de nómadas pastores que se alimentaban de leche y queso [24]. Es probable que estos «beribraces» fueran celtas, como se ha dicho, y que la noticia recogida de viejos autores griegos correspondiera a una de las invasiones de aquel pueblo. Y si resulta difícil reconstruir los episodios de la lucha de ellos con los de más arraigo, hasta que se creó la estirpe celtibérica de que se gloriaba Marcial [25], es claro y manifiesto, en cambio, que en épocas posteriores a éstas tan remotas, la economía del este de la meseta se basaba en la existencia de grandes rebaños y que los celtas formaban una clase superior.

La zona celtibérica durante las guerras aludidas es, si no absoluta, sí preponderantemente pastoril, y así es caracterizada por los escritores clásicos. Diodoro

---

21 476-478.
22 479.
23 482.
24 483-489.
25 IV, 55, 8: «nos Celtis genitos et ex Hiberis», VII, 52, 3: «ille meas gentes et Celtas rexit Hiberos», X, 65-3-4; X, 78, 9-10: «Nos Celtas, Macer, et truces Hiberos...». He copiado las citas para hacer ver que en Marcial hay todavía una cierta idea de división entre celtas e iberos.

de Sicilia dice que el alimento principal de los celtíberos eran carnes variadas e hidromiel, aunque en este texto se habla de Celtiberia en términos generales como los indicados antes, pues poco después el autor añade: «el vino lo compran a los mercaderes que navegan hasta allí»[26]. En el discurso dirigido a los soldados iberos que pone Livio en boca de Aníbal en el momento de atacar Italia, hay estas palabras: «Bastante habéis perseguido a los rebaños por los montes de la Lusitania y Celtiberia, sin ver ninguna recompensa de tantos peligros y fatigas: hora es ya de que hagáis una guerra más rica y provechosa»[27]. Esta es cita más concreta. Entre los estudios de Joaquín Costa hay uno que trata de la ganadería en particular, y en él se hallan recogidos todos los testimonios que revelan la importancia de ella en la vida de la España antigua y de la meseta en especial[28]. Claro es que aquel autor, siguiendo el sistema que en su época estaba en uso y del que todavía no se han desprendido ciertos historiadores, de estudiar por un lado los hechos en bloque, como si no existieran gradaciones o diferencias económicas y culturales, y ajustándolas, por otro, a divisiones étnicas de contenido cultural problemático, hace una pintura uniforme de la que se deduce que las condiciones de vida fueron las mismas en el extremo norte de la Península, en la meseta o el litoral andaluz. Otro estudio del mismo que sigue al anterior versa sobre el robo de ganados en la Protohistoria española y se denomina *Cuatrería y abigeato*. Pero estos nombres, a los que se da un contenido jurídico especial desde hace mucho, no reflejan bien lo que Costa estudió, que en realidad es la lucha de unos pueblos o sectores de la sociedad contra otros, para apoderarse de los ganados, expresión máxima de la riqueza. Los textos reunidos por él y por otros autores nos hacen

[26] V. 34.
[27] Livio, XXI, 43, 3.
[28] *Estudios Ibéricos* (Madrid, 1891-1895), pp. I-XXXVIII.

pensar en la existencia en el centro de la Península, tanto como en la zona del Pirineo oriental, de un régimen de vida muy semejante al de determinados pueblos del norte de Africa, del Asia Menor y del Cáucaso, que descienden de antiguos nómadas pastores.

Ciudades y fortalezas

Dentro de estas grandes unidades territoriales y étnicas de que hablamos, como la de los arevacos o carpetanos, la población se repartía en ciudades (*urbes*), aldeas (*vici*) y castillos camprestres (*castella*), que parecen corresponder a los existentes en las poblaciones pastoriles actuales de los países esteparios, que se agrupan alrededor de una fortificación mayor o menor que sirve de almacén y que están organizadas siguiendo un sistema patriarcal de jerarquías hereditarias. Si los «arevacos» formaban una gran entidad social y territorial, si por encima de éstos los «celtíberos» en conjunto se consideraban emparentados y relacionados, las ciudades arevacas, o celtíberas, guardaban celosamente su independencia y las luchas entre las de una misma unidad debían ser frecuentes, así como los juegos de alianzas. El nombre de algunas de ellas ya nos indica sus pretensiones frente a las vecinas. Es curioso, por ejemplo, que Estrabón diga que entre las ciudades famosas de los arevacos destacaban «Numancia» y «Segeda», que entre las celtíberas propiamente dichas destaque a «Segóbriga» y que entre los vacceos cite la de «Segesama» [29]. *Sego-* es palabra céltica que expresa fortaleza, como ya se vio antes.

Tal «fortaleza» no dejó de prestarse a burlas y sátiras un poco crueles. Posidonio se reía de la afirmación de Polibio cuando decía que T. Sempronio

[29] III, 4, 13 (162): «La más fuerte».

Graco había destruido 300 ciudades celtibéricas, pues aquéllas no eran sino simples fortines[30]. Esto es generalizar demasiado, y lo más prudente es adoptar un término medio al imaginarnos cómo eran las «urbes» de que nos hablan los autores clásicos. Según Appiano, Numancia no tenía más de 8.000 habitantes en tiempo de paz[31]; 4.000 le asigna Floro[32]. Pero el campo propio de la ciudad contendría más gente, con seguridad, pues de lo contrario no se explica la lucha pertinaz con los romanos. Los hallazgos arqueológicos, particularmente los efectuados por Blas Taracena en las provincias de Soria y Logroño, revelan de manera intuitiva la naturaleza de varias de estas ciudades y la de los poblados rurales adscritos a ellas (fig. 41), que ostentan facies locales muy típicas en el trabajo del hierro y en otros rasgos. El modelo de ciudad celtíbera más conocido, no sólo por los textos históricos, sino también por las excavaciones sistemáticas, es el de Numancia, excavaciones que emprendió Schulten y luego han sido continuadas[33]. Se hallaba ésta a 1.087 metros de altura, cerca del Duero, y tenía un perímetro ovalado de unos 3.100 metros. Su casco urbano ocupaba 24 hectáreas y constaba en su longitud mayor de dos calles, cruzadas por otras diez cortas, o más cortas. Había otra periférica y todo el recinto estaba defendido por una muralla de anchura variable. Las casas, de pequeño tamaño y planta cuadrangular, ofrecen un

[30] III, 4, 14 (163).
[31] *Iber.*, 76.
[32] 1, 34.
[33] En realidad, quien identificó científicamente a «Numancia» fue don Eduardo Saavedra en 1853. En 1905 Schulten inició sus excavaciones en Numancia, que siguió con la ayuda económica de Guillermo II de Alemania, en la ciudad primero y luego en los campamentos. A partir de 1906 fueron seguidas por J. R. Mélida, al que auxilió B. Taracena, quedando éste por último como más experto conocedor de la Celtiberia. En un libro publicado hace años por la Editorial Barna *(Historia de Numancia)*, Schulten resumió todas sus investigaciones sobre el tema.

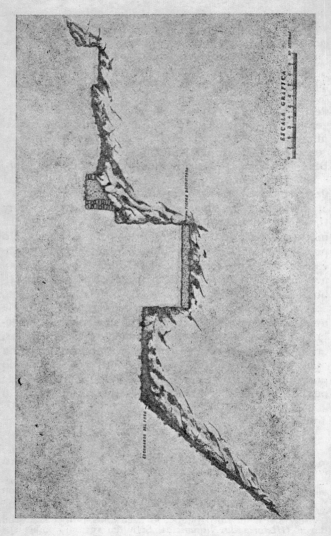

Fig. 41. Sección del foso y la muralla de la ciudad celtibérica de Contrebia Leukade (Inestrilla), según Taracena.

ajuar poco rico, del que luego se hablará. Sólo haré notar aquí el uso de la piedra y el adobe combinados en la construcción y que se calcula que, en conjunto, la ciudad tendría 2.000 casas, cifra que encaja muy bien con la de la población de 8.000 habitantes que le asigna Appiano. Ahora bien, como en un momento de la lucha con los romanos, el año 153, se dice que albergó dentro de sus recintos a 20.000 guerreros y muchos refugiados, cabe suponer que hubo un recinto mayor atrincherado, exterior a la ciudad propiamente dicha, que tendría dominio en una extensión territorial de unos 50 kilómetros de Norte a Sur y 20 de Este a Oeste, es decir, la décima parte del territorio arevaco en conjunto, del que en algún momento pudo considerarse como la «capital» [34]. Pero en las cercanías había algunas ciudades más que tenían o habían tenido un gran poder de absorción con respecto a otras próximas. Así le pasó a Segeda, ciudad de los celtíberos llamados *belos*, que atraía la población de otras menores, de suerte que hubo de prolongar sus murallas, congregando dentro de ellas no sólo a los de la tribu de los *belos*, sino también a los vecinos *titios* [35]. Como tipo de *vicus*, es decir, de poblado, podemos poner el de Izana (Soria), situado en un cerro, el de Castil Terreño, en lo alto del cual hay un recinto amurallado de 2,50 a 1,50 metros de altura con viviendas de tipo numantino repartidas irregularmente, o el de Arévalo de la Sierra, acaso más antiguo. Es curioso señalar que semejantes hallazgos arqueológicos se han hecho en lugares denominados siempre de suerte que se evoca la idea del castillo: Castil Terreño (Izana), El Castillejo (Ventosa de la Sierra, Tañiñe), Los Castellares (Suellacabras) son nombres que se repiten en las obras descriptivas de don Blas Taracena de manera que llama la atención. Pero aún es más curioso que los «*cas-*

---

[34] Schulten, *F.H.A.*, IV, pp. 1-93, recoge todos los testimonios escritos.
[35] Appiano, *Iber*, 44.

tella» aislados y más modestos, como los que se hallan en la zona septentrional de Soria (fig. 42), en lugares cuya altitud oscila entre los 1.000 y los 1.400 metros, cubiertos por lo general hoy día de una ligera vegetación de robles y encinas y que linda con la pinariega, hayan dejado un recuerdo popular hasta el presente. Allí donde se encuentra una ermita dedicada a la Virgen del «Castillo» (El Royo) o un alto llamado «El Castillejo» (Langosto), o «El Castillo», el arqueólogo encuentra ciertos recintos irregulares, con un anillo defensivo de piedras espetadas, además de fosas y trincheras, dentro de los cuales debía vivir aquella población más silvestre de que Estrabón habla, y que es casi seguro que estuviera compuesta en su mayoría de pastores que en los meses más fríos del año bajaban hacia partes menos inhóspitas [36]. Tosca cerámica y unos molinos amigdaloides es lo que queda de su ajuar casi siempre, lo cual no creo yo que indique siempre fecha muy arcaica, sino sencillamente el carácter transitorio de tales habitaciones y la inferioridad social de los que las habitaban normalmente, que en la mayoría de los casos debían depender de gentes de mayor alcurnia y posición que vivían en las ciudades. En efecto, sabemos que cuando los celtíberos quedaban derrotados, al punto se dispersaban por las pequeñas aldeas y fortificaciones campestres. Así ocurrió a raíz de la rendición de Contrebia, a la que habían querido socorrer muchos; «*extemplo* —dice Livio— *in vicos castellaque sua omnes dilapsi*». Claro es que no les valía esta disgregación, pues las milicias romanas se dedicaban a talar los campos y a tomar cada castillo

---

[36] Noticia de lugares semejantes da B. Taracena en sus monografías descriptivas: «Excavaciones en diversos lugares de la provincia de Soria» (Madrid, 1926), memoria 75 de las de la «Junta Superior de Excavaciones»; «Excavaciones en las provincias de Soria y Logroño» (Madrid, 1927), memoria 86; «Excavaciones en las provincias de Soria y Logroño» (Madrid, 1929), memoria 103, etc. Resumen hasta la fecha en Bosch-Gimpera, *Etnología de la Península Ibérica*, pp. 569-597.

uno por uno [37]. T. Sempronio Graco, el año 179 antes de Jesucristo, incendió muchos castillos de éstos con sus campos [38]. Ello explica muchas observaciones que los arqueólogos han hecho sobre restos quemados de todas clases. La trashumancia que hoy día se observa

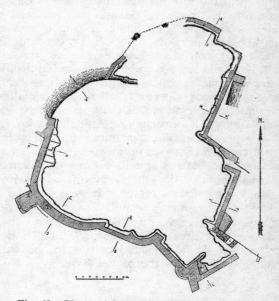

CASTILLO DE OCENILLA

Fig. 42. Planta del castillo celtibérico de Ocenilla, según Taracena.

en la antigua Celtiberia no podía existir en forma análoga en la Antigüedad, por la inseguridad de volver que tendría todo ganado que se alejase mucho de la ciudad a que pertenecía. La hipótesis de algunos

[37] Livio, XL, 33.
[38] Livio, XL, 47.

historiadores que interpretan ciertos datos, de que luego se hablará, como prueba de una gran trashumancia no pasa de ser fantástica. El nomadismo pastoril hubo de limitarse en forma muy grande desde el momento en que surge el «estado-ciudad» entre los celtíberos. Sabemos, de hecho, que los ganados de cada ciudad pastaban en un territorio marcado. Cuenta Frontino que Viriato en cierta ocasión se emboscó con sus tropas, mandando una pequeña parte de ellas a robar el ganado de los segobrigenses, es decir, los habitantes de «*Segobriga*», cerca de Saelices (Cuenca), con el fin de hacerles caer en una celada [39]. Los ganados, sin embargo, no serían propiedad común, sino de familias o individuos que tendrían para custodiarlos siervos o clientes especializados, como aquellos que en la Lusitania se enrolaban junto con sus amos a las órdenes de Aníbal, y a los cuales hizo el general cartaginés promesa de libertad el día de su victoria [40]. Esta clase social que a veces se insubordinaba debía ser aquella en que más elementos indígenas había, y de ella salían masas de jóvenes que, unidos y huidos a regiones fragosas y poco habitadas, fundaban nuevas «ciudades» como la de los «cemelos» (Κεμελετῶν), que dice Diodoro lo fue por fugitivos, desertores y bandoleros [41]. Por lo demás, la estructura de la sociedad celtibérica no es muy diferente de la de los iberos del Este.

Más régulos y príncipes

Examinando los textos relativos a los celtíberos, vemos que entre ellos el poder político y social se hallaba dividido en la forma siguiente. A la cabeza de cierta unidad social bastante superior a la ciudad

[39] III, 10, 6.
[40] Livio, XXI, 43-45.
[41] XXIX, 28. Según Schulten, *F.H.A.*, III, p. 214, se trata de «Complega».

podría haber en ocasiones un régulo, un reyezuelo, cuyos caracteres y atribuciones no son muy claros. Tito Livio y Orosio dicen que el pretor Marco Fulvio, el año 193 a. de J.C., venció a los celtíberos y a los pueblos vecinos (vacceos y vettones), apresando a su rey Hilerno [42]. Observa Schulten que ésta es la única ocasión en que alude a un «rey» celtíbero [43], lo cual es cierto. Lo más común son referencias a régulos de distinta fortaleza e importancia, pero siempre limitadas. Entre los de la época de Sempronio Graco, uno de los más potentes era Thurro, más tarde aliado de los romanos, y al que el pretor había cogido dos hijos y una hija prisioneros [44].

Es posible que, cual ocurrió en las Galias, la sociedad celtíbera, en un momento arcaico de inestabilidad territorial, obedeciera a reyes poderosos que dirigían estados un tanto amorfos e inconsistentes, y que fuera poco a poco adquiriendo otro carácter por obra de la fuerza creciente de una aristocracia feudal ya asentada, poseedora de los *vici* y *castella*.

Más frecuentes que las menciones a *régulos* son aquellas relativas a *príncipes*, es decir, los hombres más importantes de una tribu o ciudad. A la cabeza de una legación, para parlamentar en casos de guerra y paz, iba generalmente uno de éstos [45]. «Allucio» es, por ejemplo, el nombre de uno al que Escipión hizo favor insigne y que, en señal de agradecimiento, llevó a cabo una leva entre sus clientes, presentándose poco después ante el general romano con 1.400 jinetes seleccionados [46]. Esto indica que en la Celtiberia existía una «clientela» en forma parecida acaso a

[42] Livio, XXXV, 7, 6; Orosio, IV, 20, 16.
[43] *F.H.A.*, III, p. 214.
[44] Livio, XL, 49.
[45] Livio, XXVI, 50. «Avaro» es el nombre del jefe de una misión enviada por los numantinos para pedir la paz a Escipión: Appiano, *Iber.*, 95. Nótese el carácter céltico de estos nombres. «Avaricum» era la capital de los «bituriges» (hoy Bourges).
[46] Livio, XXVI, 50.

como existía en las Galias, aunque cabe pensar también que el poseedor del «principado» tenía aquí poderes mayores. Hay que pensar que en ciertas localidades llegaba a ser una especie de monarca. Cuando Escipión celebró en Carthago-Nova los juegos en memoria de su padre y tío, muertos en España, muchos régulos mandaron súbditos que demostraron el valor de su pueblo. Unos lucharon en honor de su jefe; otros, por pura vanagloria, y otros, por último, con objeto de dirimir contiendas privadas: Corbis y Orsua, primos hermanos, lucharon por el *principado* de la ciudad de Ide (*«de principatu civitatis quam Idem vocabant»*) [47]. Esto indica que había una ley de herencia que reglamentaba la sucesión en aquel rango y que ambos se creían con derechos.

De otros *príncipes* de que se hace mención, como Thyreso, que vivía en el campamento de Escipión Emiliano al punto de tomar Numancia [48], no se puede decir sino que era noble en su tribu. Estos *príncipes* vivían en barrios especiales, rodeados de su servidumbre y amigos: así, Retogenes, que sobresalía entre sus conciudadanos los numantinos por su nobleza, riqueza y honores (*«cum omnes cives nobilitate pecunia honoribus praestaret»*), vivía en la parte más hermosa de la ciudad (*«vicum suum qui in ea urbe speciosissimus erat...»*) [49]. Este mismo texto nos indica que había, sin embargo, allí más nobles, más aristócratas, aunque de rango inferior. *Nobiles equites* es una expresión que usa Livio aludiendo a los celtíberos, como si expresara una clase especial [50].

[47] Livio, XXVIII, 21.
[48] Orosio, V, 8, 1: «Thyresum quendam Celticum principem».
[49] Valerio Máximo, III, 2 ext. 7.
[50] XL, 47.

El senado y la asamblea popular

Pero mucho más frecuentes que las relativas a *nobles* son las referencias al *senado*. Así, el senado de la ciudad de Cauca, ciudad vaccea, recibió las condiciones de paz de boca de Lúculo el año 151 antes de Jesucristo, condiciones infamemente holladas luego por él [51]. Del senado de Segeda y de uno de sus miembros llamado Caciro hablan también los textos [52], y hay, asimismo, mención en la Historia del senado de la ciudad de Lutia [53], amiga de Numancia. A veces no se hace referencia a senadores, sino sencillamente a autoridades de las ciudades (ταῖς ἀρχαῖς τῶν πόλεων) [54].

Constituían el senado los más viejos y sobresalientes miembros de la tribu y ciudad correspondiente, y debía tener incluso atribuciones militares, como el de Numancia [55]. Pero sus decisiones las debía ratificar el pueblo, como ocurrió en el caso de Segeda [56], y a veces éste, reunido en forma de asamblea (ἐκκλησία), tomaba decisiones sin contar para nada con él: así vemos que los arevacos en masa decidieron la guerra contra Roma, el año 153 a. de J.C. [57]. Lo abigarrado de estas asambleas, peligrosas y turbulentas, está expresado en el siguiente verso de Lucilio:

> *Conventus pulcher: bracae, saga,*
> *fulgere torques caelati magni* [58].

[51] Appiano, *Iber*, 50.
[52] Diodoro, XXXI, 39.
[53] Appiano, *Iber*., 93.
[54] Appiano, *Iber*., 41.
[55] Plutarco, *Apoph*., 21.
[56] Diodoro, XXXI, 39.
[57] Diodoro, XXXI, 42.
[58] 409; Schulten, *F.H.A.*, IV, pp. 94, 307. «Caelati» es enmienda de Cichorius, por «datis» de los códices.

«Brillante asamblea: bragas y sagos, y relucían los collares de magnífico cincelado». Por el año 93 antes de Jesucristo, el pueblo de Belgeda, ciudad celtibérica, ansioso de sublevarse, quemó a los que formaban el consejo o asamblea (τὴν βουλὴν) que vacilaba (sin duda eran ancianos que recordaban las catástrofes de su juventud) dentro del edificio donde tenían lugar las deliberaciones (αὐτῷ βουλευτηρίῳ) [59].

Años después, acercándose Pompeyo a una ciudad también celtíbera cuyo nombre se desconoce, los ancianos aconsejaron la paz. Pero las mujeres empuñaron las armas y, colocándose en la parte más fuerte de ella, se encararon con los hombres y les dijeron que, puesto que se prestaban a vivir sin patria, sin mujeres y sin libertad, se encargaran también de parir, amamantar y demás funciones femeniles. Con estos argumentos se encendió el furor bélico de la juventud, que se rebeló contra el senado [60].

Podríamos, pues, decir que las tendencias democráticas que se notan siempre en caso de guerra entre los pueblos celtas [61] se percibían en España con peculiar violencia y, como ocurre en todo régimen o instante en que el pueblo tiene en sus manos el poder, los celtíberos reunidos en asambleas lo solían entregar con rapidez a un jefe, a un cabecilla distinguido siempre por su valor, aunque no por su tacto político.

La asamblea popular reunida en Segeda, al declarar la guerra a los romanos, eligió como jefe a Megaravico, según Floro [62]; a Caro, según Appiano, el cual dice también que al tercer día de ser elegido disponía de 20.000 infantes y 5.000 jinetes, trabando el

---

[59] Appiano, *Iber.*, 100.
[60] Salustio, *Hist.*, II, 92.
[61] Quien ha dejado mejores descripciones de estas asambleas ha sido César, que pinta también la movilidad de los galos, su credulidad ante las noticias que divulgaban mercaderes y viajeros, su versatilidad y bizarría.
[62] Floro, I, 34, 3.

23 de agosto del año 153 a. de J.C., fiesta de Vulcano, una batalla con el cónsul Nobilior, en que pereció, después de haber causado grandes daños a los romanos [63]. Por el mismo tiempo, los arevacos, congregados en Numancia, eligieron como jefes a Ambón y a Leucón [64].

La guerra

Las elecciones de jefes semejantes se hallaban rodeadas de misteriosas supersticiones. Aparte de valor personal y talento estratégico, se les atribuían ciertas cualidades taumatúrgicas. El año 170 a. de J.C. surgió un caudillo que se rebeló contra los romanos, Olindico u Olónico, que hacía profecías y que blandía una lanza que decía le había sido enviada del cielo [65]. Creían también los celtíberos, como se ve por el caso de Sertorio, que explotó con fortuna su credulidad, que a los jefes distinguidos se les aparecían los dioses en sueños para predecirles los acontecimientos [66]. Tal fe mística en las relaciones del jefe con las divinidades explica la existencia de una práctica que estaba muy extendida entre ellos, que los romanos llamaron *devotio* y los griegos κατάσπεισις [67], descrita muy bien por Plutarco en la vida de aquel famoso general y político romano: «los que formaban el séquito de un caudillo debían perecer con él, en caso de que éste muriera. A esta fidelidad suprema llamaban consagración o devoción. La mayor parte de los jefes solían tener unos cuantos amigos resueltos a este acto, pero a Sertorio le seguían millares de hombres que demostraron estar dispuestos a él» [68].

[63] *Iber.*, 45.
[64] Appiano, *Iber.*, 46.
[65] Floro, I, 33, 13; Livio, «per.», 43.
[66] Floro, I, 33, 13; Livio, «per.», 43.
[67] Plutarco, *Sert.*, 20: variante en Aulo Gelio, *N.a.*, XV, 20.
[68] *Sert.*, 14.

En Aquitania, Adiatunno, rey de los sotiates en tiempo de César, tenía en derredor suyo 6.000 de estos incondicionales llamados *solidurios*, que vivían en común y participaban de sus bienes tanto como de sus infortunios [69]. Pero esto de la *devotio* podía darse con jefes mucho menos importantes. Aparece en Appiano, por ejemplo, un guerrero numantino, un *princeps*, Retógenes Craunio, acompañado de cinco amigos devotos, cinco sirvientes y diez caballos, dispuesto a llevar a cabo una empresa heroica [70], dato que, por otra parte, recuerda aquel texto de César referente a los galos que dice: «*genus equitum ita plurimus circum se ambactos clientesque habet*» [71]. La clase de los sirvientes, *ambactí*, de que en él se habla parece haber estado muy extendida en España, pues numerosas son las inscripciones latinas en que aparece el nombre de *Ambatus* (la pérdida de la *c* en el grupo *ct* es característica del habla céltica de la Península y ha influido después) como personal [72]. Este nombre y otros muchos que ya se han recogido nos indican la importancia del elemento céltico en la Celtiberia.

Hay que insistir, para deshacer equívocos, en que entre los galos propiamente dichos y los celtíberos existían muchos puntos de contacto en todos los órdenes. Unos y otros aprecian más que nada cierto modo de vivir «caballeresco» que ya hemos descrito, en parte, al tratar de los pueblos de la España oriental, con los que también tenían muchas semejanzas. Es curioso indicar que algunas de las escenas de los vasos de Liria parecen aludir a hechos que los histo-

[69]   Ateneo, VI, 249 A, citando a Nicolás Damasceno, da la palabra «solidurios» y dice que es gala, de lo cual duda Schulten, *F.H.A.*, V, p. 22. César, *B.g.*, III, 22, 1, proporciona otros detalles.

[70]   Appiano, *Iber.*, 93.

[71]   *B.g.*, VI, 15, 2.

[72]   Gómez Moreno los creía, sin embargo, ligures. Hay que señalar que «ambaht» es palabra existente en germano antiguo también.

riadores clásicos registran como frecuentes entre los celtíberos. Práctica relativamente usual en aquellas guerras era la de los retos o desafíos personales. Así, al atacar Lúculo a Intercatia, uno de los sitiados, «montado en un caballo, se presentó ante los dos ejércitos, armado resplandecientemente, y retó a cualquiera de los romanos a singular combate»[73], y a un noble romano, Quinto Occio, que era legado de Metelo, lo retó un joven celtibérico al que venció, como también venció en circunstancias análogas a otro joven, Pyrreso o Tyresio, al que perdonó la vida. Entregó Pyrreso su espada al romano, además de su ságulo, a la vista de los dos ejércitos, y Occio, por su parte, solicitó que se los uniese por la ley del *hospicio*, una vez establecida la paz[74]. ¿No parecen ilustrar hechos semejantes algunos de los combates individuales pintados en los citados vasos? ¿No recuerdan otros que narran César y varios autores más que describieron la peculiar manera de ser de los galos en general? La idea de la guerra para ellos ofrecía, sin duda, rasgos mucho más atrayentes y poéticos que para otros pueblos.

En las relaciones amorosas, el prestigio bélico del hombre tenía importancia decisiva. Un texto que se refiere al momento en que Numancia estaba atacada por Mancino dice que el padre de una muchacha que se distinguía por su belleza, y por cuya mano disputaban dos rivales, puso la condición para entregarla como desposada a uno de ellos el que presentase la mano derecha de un romano[75]. Otro texto dice que era costumbre propia de los celtíberos la de que las jóvenes no se casaban obedeciendo a la voluntad paterna, sino que ellas escogían al preten-

---

[73] Appiano, *Iber.*, 53.
[74] Valerio Máximo, III, 2, 21. Bastantes de las instituciones celtibéricas han sido estudiadas por Ramos Loscertales desde un punto de vista jurídico.
[75] *De vir. ill.*, 59.

diente que más se había distinguido en la guerra[76]. Aunque las dos referencias sean contradictorias en detalles, el fondo refleja un espíritu igual. La sociedad celtibérica, que tan poco se cuidaba de vivir con refinamiento y molicie, al revés de lo que le ocurría a la de muchos pueblos del Mediterráneo, manifiesta siempre una especie de coquetería en lo que se refiere a las armas y atributos bélicos: toda su capacidad técnica se polariza en el perfeccionamiento de las espadas, lanzas, etc.

Las armas y la técnica bélica

Diodoro ha dejado una descripción general de su traje y armas. Vestían, según él, sayos negros y ásperos de lana, y arrolladas a las piernas llevaban grebas de pelo. En caso de guerra guarnecían su cabeza con un casco de bronce adornado de gran cresta de color escarlata, y en una mano llevaban un escudo ligero de tipo galo, o la *caetra* redonda de tamaño mayor. Sus espadas —añade— eran de dos filos, y los puñales, de un palmo de longitud; de éstos se servían para la lucha cuerpo a cuerpo[77] (figura 43).

Son muy abundantes las referencias a la bondad de las espadas celtíberas, a lo agudo de su punta y a lo cortante de su filo; causa de que los romanos desde las guerras anibálicas las imitaran, aunque sin poder alcanzar nunca su perfección[78]. Los arqueólogos españoles contemporáneos han comprobado la legitimad de los elogios y la exactitud de las descripciones. La cerámica numantina ofrece representaciones de guerreros que, dentro de su esquematismo y abstracción, ilustran el texto de Diodoro, que don

[76] Salustio, *Hist.*, II, 91.
[77] V, 33.
[78] Suidas, s. v. μάχαιρα (fragm. 96); Schulten, *F.H.A.*, II, pp. 144-145, 236-237.

Juan Cabré, por su parte, ha aprovechado al dar sus hábiles reconstrucciones de la *caetra*[79].

Filón (250 a. de J.C.), en su tratado de mecánica, ha dejado una descripción curiosa de la forja de es-

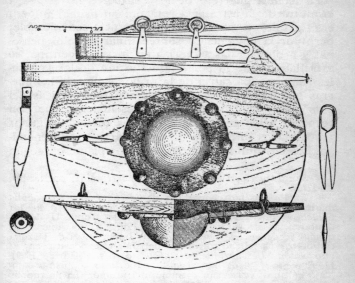

Fig. 43. Ajuar de una tumba de guerrero celtíbero (Monreal de Ariza) con espada de La Tène II y *caetra*, según Cabré.

padas, tal como la llevaban a cabo los celtas e iberos. Eran, según él, tan flexibles que se podía formar con ellas un arco, sin que por esto al soltarlas de uno de los extremos quedaran torcidas. El secreto de esta bondad estribaba en que el hierro de que usaban era purísimo y en que lo golpeaban en frío con martillos

[79] La distinción que algunos etnólogos han usado entre el escudo redondo y el rectangular o alargado, en culturas de tipo complejo como las que se van describiendo, no es posible el utilizarla.

no muy grandes y sin fuertes golpes [80]. Inútil será decir que en las excavaciones se han hallado numerosos ejemplares de ellas, entre los que descuellan los de Aguilar de Anguita [81].

La técnica guerrera de los celtíberos no estaba a la altura de la estrategia romana: su primer ímpetu era terrible, su capacidad de resistencia considerable; pero por la tendencia a sobreestimar el valor personal y a obtener las victorias en forma repentina, se estrellaban ante la pensada actuación de los generales romanos. La causa de la prolongación de las guerras hay que buscarla en las condiciones físicas del país [82], en parte. Estas condiciones hicieron que, con respecto a los galos, los celtíberos tuvieran algunas modalidades diferentes de enfrentarse con el enemigo. Era costumbre tradicional de los primeros, según

[80] *Syntax-mech.*, IV-V, 46; Schulten, *F.H.A.*, II, pp. 108-109, 226-227.

[81] Exploradas por el marqués de Cerralbo, «Las necrópolis ibéricas», en *Asociación Española para el Progreso de las Ciencias*. Congreso de Valladolid de 1915. Tomo II de las Conferencias de Sesiones (Madrid, 1916), tirada aparte. Al mismo se deben los descubrimientos importantes de la zona celtibérica castellano-aragonesa del Jalón, expuestos en *El alto Jalón. Descubrimientos arqueológicos* (Madrid, 1909). M. Almagro y otros han seguido estudiando el mismo complejo cultural; véase, por ejemplo, del último, «La necrópolis céltica de Griegos», en *Archivo Español de Arqueología*, 47 (1942), pp. 104-113.

[82] No podemos hacer cálculos aproximados sobre la densidad de la población celtibérica. Pero las proporciones de ésta eran muy diferentes a las que hoy ostenta. Ciudades de las zonas más septentrionales como Pamplona y Zaragoza, que hoy día ofrecen un desarrollo notable, aun en tiempo de los romanos tenían un exiguo perímetro si se compara al de Numancia o al de Termes, que según su explorador I. Calvo, «Termes, ciudad celtíbero-arevaca», en *Revista de Archivos, Bibliotecas y Museos*, XXIX (1913), pp. 374-387 (p. 378 en especial), tenía cinco kilómetros de largo por tres de ancho. (Véase también N. Sentenach, «Termes», en la misma *Revista...*, XXVI (1911), pp. 285-294, 473 (481). Tipo de ciudad más pequeña debía ser «Contrebia Leucade», identificada por B. Taracena, «Noticia de un despoblado junto a Cervera del Río Alhama», en *Archivo Español de Arte y Arqueología*, 4-5 (1926), pp. 137-142. La suma de todos los hallazgos, sin embargo, nunca arrojaría una población tan nutrida como la de las Galias, si son ciertas las cifras de César.

César, incluso cuando iban a trabar combate a caballo, que tras ellos marcharan grandes convoyes con pesados carros que, en caso de derrota, procuraban desplazar todos los bienes de la comunidad a un nuevo punto [83]. En Celtiberia no se alude a carruajes de este tipo, que en las Galias, en Britannia y Germania son frecuentísimos, y que en la época romana sirvieron para promover el comercio entre las ciudades de las grandes llanuras y suaves colinas de aquellos países; es muy probable que en épocas preromanas las vías de comunicación en semejantes países fueran más abundantes que en la Península y que contribuyeran a la mayor rapidez de su conquista. Pero también hay que tener en cuenta, para explicarse la prolongación de las guerras celtibéricas, la manera peculiar de luchar de los indígenas y la prudencia extremada de los estrategas de Roma, que toda la retórica de Tito Livio no puede ocultar, dadas las contradicciones en conceptos fundamentales.

Aunque las cifras que dan los historiadores latinos sean exageradas, hay que reconocer que los celtíberos llegaban a formar ejércitos considerables. Dice Livio que L. Manlio Acidino luchó con ellos cerca de Calagurris, hacia 187 a. de J.C., y los derrotó, muriendo 12.000 y quedando prisioneros más de 2.000 [84], y que otro ejército celtibérico que peleó cerca del Tajo, y que fue derrotado por L. Quinctio Crispino y C. Calpurnio Pisón, contaba con 35.000 hombres [85]. Constaban estos ejércitos de caballería e infantería, pues los celtíberos eran magníficos jinetes, pero también resistentes infantes [86]. Proverbial era su aptitud para correr, saltar por rocas, peñascos y fragosidades; sus cuerpos eran ligeros y sus armas también [87]. Al partir a la guerra, las madres narraban a sus hi-

[83] César, *B.c.*, I, 51. Del comercio, Diodoro, V, 26.
[84] Livio, XXXIVX, 21.
[85] Livio, XXXIX, 31.
[86] Diodoro, V, 33.
[87] Livio, XXII, 18, 2.

jos las hazañas de sus antepasados, y ellos, en el momento de la lucha, cantaban[88]. Ahora bien, si admitimos esto, ¿cómo vamos a creer que los jefes capaces de mover huestes semejantes eran simples bandoleros o capitanes de fortuna? ¿Cómo hemos de admitir que un pueblo pobre pudiera poner periódicamente en pie de guerra tales masas? Ni concebimos la existencia de tamaños ejércitos ni creemos en el desprecio manifestado por los historiadores a sus jefes. Hay anécdotas que revelan bien la realidad exacta. Livio, el historiador patriota, cuenta que cuando T. Sempronio Graco sitió Certima (ciudad no identificada), el año 179, fueron a verlo unos legados que le dijeron con «simplicidad antigua» que combatirían contra él si tuvieran fuerza suficiente (*«veniunt legati ex oppido, quorum sermo antiquae simplicitatis fuit non dissimulantium bellaturos, si vires essent»*). Pidieron, en consecuencia, a los romanos que se les dejara ir en busca de auxilio a los campamentos celtíberos, y dijeron que si no lo alcanzaban se separarían de aquéllos. Asintió T. Sempronio Graco a tan cándida petición y, a los pocos días, volvieron con diez legados más. Gran sorpresa produjo a los romanos el que lo primero que se les ocurrió al estar ante el pretor fue que les dieran de beber. Era mediodía y sin duda estaban muy sedientos, pues vaciados los primeros vasos no entraron en materia, sino que pidieron más vino. Esto produjo la hilaridad de todos los militares romanos circunstantes. Pero la flema resultó aún mayor. Acabada la segunda ronda, el más viejo de los legados dijo: «Hemos venido enviados por los nuestros para saber en qué confiáis para atreveros a atacarnos.» A esto contestó el pretor con un hermoso discurso probablemente y con unas maniobras del ejército que espantaron a los legados[89]. Y es que a ellos les faltaba la técnica y la capacidad de

[88] Salustio, *Hist.*, II, 92.
[89] Livio, XL, 47.

obrar guiados por la razón, en un momento de peligro, tanto como a los otros les sobraban estas facultades y, acaso, no andaban muy sobrados de verdaderos instintos bélicos.

El estado en que Escipión Emiliano encontró al ejército sitiador de Numancia y la forma en que consiguió vencer a esta ciudad que para los romanos llegó a ser una obsesión, son pruebas suficientes de esto. El soldado romano tras la guerra veía la solución de una serie de problemas económicos muy concretos; el celtibérico aún se lanzaba a la batalla con una serie de prejuicios heroicos y si se quiere estéticos. De ahí sus mofas intencionadas y aparatosas[90] y el lujo desplegado en adornos y pertrechos poco necesarios, lujo que Escipión hubo de reprimir en sus tropas, contagiadas siquiera en los rasgos exteriores[91].

La caballería

El orgullo de los celtíberos se hallaba concentrado en la caballería. Las monedas de la mayor parte de las ciudades sojuzgadas por los romanos ostentaban como emblema, a pesar de la derrota conocida, a un jinete con una espada, un dardo, o una palma según las regiones[92]. Toda España producía cantidad de caballos salvajes habituados a escalar montañas[93], que una vez domesticados se convertían en los compañeros inseparables del guerrero.

Tanto es así, que en multitud de estelas funerarias de la zona celtibérica aparecen relieves de jinetes que recuerdan algo a los de las monedas[94]. Es muy po-

[90] Appiano, *Iber.*, 53.
[91] También era característico esto de los galos. Diodoro, V, 29.
[92] Sobre la repartición de estos emblemas ha llamado la atención últimamente F. Mateu Llopis.
[93] De los de la meseta hablan incluso las inscripciones. *C.I.L.*, II, 266, «equi silvicolentes».
[94] De los jinetes celtíberos hablan Diodoro, V, 33; Polibio, fragm. 95, etc. Hace mucho que J. R. Mélida publicó ya un

sible que en representaciones semejantes haya alusión
no sólo al muerto que de modo concreto yace bajo
la estela, sino también a una divinidad ecuestre masculina como la que tenían los celtas de varias regiones [95], los germanos [96] e incluso los pueblos clásicos [97].

Según ciertos textos griegos, inspirados probablemente en Posidonio, los guerreros de caballería, cuando veían a sus infantes acosados por el enemigo, se
apeaban y dejaban los caballos formando fila, suje-
tándolos con unas clavijas colocadas en los extremos
de las bridas, que hincaban en su suelo,[98] y adopta-
ban la formación de la infantería [99]. Por su parte,
Estrabón dice que a veces en un mismo caballo iban
dos combatientes, de los cuales uno bajaba en el
momento de la lucha [100].

Ya se verá más adelante cómo los celtíberos tenían
entre sus divinidades una femenina, que también se
halla entre los galos y que debía ser protectora de
los caballos, llamada «Epona» (= «fuente del caballo», paralela en principio a la «Hippocrene» griega),
en cuyo nombre se observa el cambio de q en p, de

---

artículo sobre «El jinete ibérico», en *Boletín de la Sociedad
Española de Excursiones*, VII (1900), pp. 173-181, en que lo
relacionaba con el complejo religioso de los dioscuros, punto
de vista que habría que volver a estudiar.

[95] El caballo «Rudiobros», adorado en Neuvy-en-Sullias,
debía de corresponder a un jinete invisible.

[96] Con manifestaciones en el folklore incluso.

[97] No hay que perder de vista que la equitación es un arte
posterior al período homérico, que los héroes más antiguos
aparecen montados en carros y que los galos aun en época
de César combatían con frecuencia en éstos. Schulten, *Hispania*, p. 64, después de reunir, con su erudición característica, todas las referencias acerca de los caballos hispánicos,
dice: «es muy probable que los caballos ibéricos, como los
mismos iberos, procediesen de Africa». Me parece esta opinión aventurada. Si todos los aderezos y armas de los jinetes celtíberos se hallan relacionados con los de los celtas
continentales, lo lógico es pensar que la cría del caballo, el
arte de la equitación, etc., tengan el mismo entronque.

[98] Suidas, fragm. 95 (s. v. ἴδιον); Schulten, *F.H.A.*, II,
pp. 145, 237.

[99] Diodoro, V, 33.

[100] III, 4, 18 (165).

tanta importancia histórica (*epo-* es del mismo origen del latín *equus*). Pero es posible que en España exista recuerdo de otro nombre del caballo propio de los celtas que es el de *marca* [101], en el de la ciudad de *Marcolica*, tomada por Marcelo el año 169 [102], comparable a *Marco-magus* y a *Marco-durum*, que acaso tuviera como emblema un caballo o fuera abundante en ellos.

Para terminar con estas bélicas materias, indicaré que el coger rehenes era corriente, como es natural, en las guerras de los celtíberos: Retógenes, que se pasó a Metelo, hubo de sufrir venganzas de sus compatriotas los nertobrigenses que tenían guardados a sus hijos [103]; que los ramos eran emblemas de paz o súplica [104], y que los heraldos o enviados llevaban atuendo especial: el año 152 a. de J.C. los nergobrigenses (o mejor dicho nertobrigenses), al verse sitiados por Marcelo, le enviaron un heraldo «vestido de una piel de lobo en señal de paz» [105].

Industria y agricultura

La piel de lobo era emblema entre los galos de un dios nocturno que empuñaba un martillo, dios con caracteres civilizadores que recibía entre otros el epíteto de *Sucellus* = el que golpea bien [106]. Es decir, que se trataba de una especie de Vulcano, divinidad muy adecuada a pueblos que tanta atención prestaban a la forja del hierro. Aún en la época romana, la Celtiberia era país donde las fraguas tenían fama especial. De ellas no sólo salían buenas armas, sino también herramientas y aperos de labranza excelentes,

---

[101] Pausanias, X, 19, 2.
[102] Livio, XLV, 4.
[103] Valerio Máximo, V, 1, 5.
[104] Appiano, *Iber.*, 93.
[105] Appiano, *Iber.*, 48.
[106] S. Reinach, «Sucellus et Nantosvelta», en *Cultes, mythes et religions*, I (París, 1905), pp. 217-232.

aunque hay que pensar que la fabricación de éstos fue fomentada por los romanos.

La industria siderúrgica, y en particular la de las armas, llegó a un grado notable de perfección en tiempo de Sertorio, en lo que se refiere a la cantidad que salía de cada taller. El año 77 a. de J.C., en efecto, dio éste orden a todas las ciudades de la Celtiberia para que fabricasen armas en proporción a sus medios. Como las del valle del Jalón eran las más afamadas, es lícito pensar que allí debió hacer una leva de obreros especializados y sobresalientes para los que montó talleres públicos en los que el trabajo se hallaba organizado por estatutos generales al parecer [107].

Hay que notar, y acaso tenga relación con el fomento de la industria de la forja que se debe a Sertorio, que la generalidad de los restos de rejas de arado que se encuentran en la Celtiberia, así como de otros aperos de labranza, son de tipo tardío. Por ejemplo, en Langa de Duero el instrumental es del tipo galo de «La Tène III» [108], aunque las rejas de arado de Izana, etc., sean de aspecto distinto al de las galas y romanas [109]. Una floreciente industria del hierro debía haber en el poblado de Vativesca, cantado por Marcial, que canta también a sus robustos labriegos [110].

Las zonas de Numancia, Uxama y Termes eran las de mayor actividad agrícola en territorio arevaco, y aunque se cuenta que en cierta ocasión el ejército romano sorprendió a sus habitantes entregados a las faenas de la cosecha, no cabe pensar que en esto pudieran competir con los vacceos [111]: trigo y cebada

[107] Livio, fragm. 91.
[108] Taracena, «Excavaciones en las provincias de Soria y Logroño» (1929), p. 47.
[109] Taracena, «Excavaciones...» (1927), pp. 16-17; «Excavaciones en diversos lugares de la provincia de Soria» (1926), p. 22.
[110] IV, 55, 25-26.
[111] Appiano, *Iber.*, 76.

era lo que más producían sus campos, y con aquellos granos, aparte del pan, hacían una bebida que se llamaba «celia», que fue la que los numentinos consumían durante el cerco. Floro dice que la hacían de trigo [112] y Orosio afirma que para fabricarla había que calentar el grano [113], lo cual hay que admitirlo en un sentido relativo.

Aparte de la industria del hierro y de esta casera fabricación de cerveza, se señalan entre los celtíberos las de los tundidores y de los tejedores de lana, derivadas de su economía eminentemente pastoril. Para hacer la paz con los romanos en los años 140-139 a. de J.C., los numantinos y termestinos se comprometieron a entregar, respectivamente, 300 rehenes, 3.000 pieles de buey, 8.000 caballos y 9.000 sagos o sayos [114], hechos por lo general de un tejido negro y áspero de lana, parecida en su aspecto, según los griegos, a la de las cabras salvajes [115]. Estos datos económicos no pueden ser más significativos, como tampoco los hay que revelen más su condición de descendientes de nómadas pastores que el del uso de orines para lavarse el cuerpo y los dientes, muy censurado por los autores clásicos. Hablan de él, Diodoro que lo atribuye a los celtíberos en general [116], Catulo [117] y otros asignándolo a pueblos especiales del Norte, y es típico en poblaciones pastoriles del presente [118].

[112] I, 34, 11.
[113] V, 7.
[114] Diodoro, XXXIII, 16.
[115] Diodoro, V, 33.
[116] V, 33.
[117] 37, 18-20: «Cuniculosae Celtiberiae fili
Egnati, opaca quem facit bonum barba
Et dens Hibera defricatus urina.»
También, 39, 17-21.
[118] Tengo noticias imprecisas de que la costumbre ha subsistido hasta épocas más modernas.

Religión

La religión de los celtíberos nos es poco conocida, aunque cabe afirmar que entre ellos jamás los colegios y castas sacerdotales, cuya influencia fue tan grande en las Galias y en Irlanda, adquirieron demasiada importancia. Hay que distinguir de todas formas, dentro de sus creencias y cultos, los de carácter privado de los de carácter público. Los de carácter privado son los familiares, los públicos los de la ciudad. Los primeros han dejado más recuerdo que los últimos, ya que en las ciudades celtibéricas apenas es posible señalar la existencia de un templo anterior a épocas romanas. La religión céltica se manifestaba sobre todo por sacrificios. Los celtíberos, como otros pueblos eminentemente pastoriles, tuvieron especial repugnancia por los templos grandes y llenos de imágenes, que se hallan de modo tan frecuente en las viejas sociedades de agricultores y hortelanos.

Sabemos que las ciudades, en fechas determinadas del año, celebraban sacrificios especiales, como los que estaban llevando a cabo los segobrigenses cuando Viriato cayó sobre ellos de modo imprevisto [119], pero fuera de esto apenas podemos decir en concreto más sobre tales sacrificios. Un árbol que entre la mayoría de los pueblos de Europa fue venerado, y que los drúidas asociaban con su propio sacerdocio, recibía sin duda culto entre los celtíberos también: el roble y su pariente próxima la encina.

En el «Burado», monte situado en su territorio, había un encinar que en el siglo I a. de J.C. aún era considerado como sagrado [120], y junto a los árboles recibían culto los montes más altos, como el «Vadaveron» [121] y el *mons Caius* [122]. Al lado de estos cultos na-

[119] Frontino, III, 11, r4.
[120] Marcial, IV, 55, 23.
[121] Marcial, I, 49, 6.
[122] Marcial, IV, 55, 2.

turalistas y poco determinados, son conocidos los que recibían en época romana divinidades individuales como la citada «Epona» [123], que llegó a popularizarse hasta en Roma [124], y que Salomón Reinach creyó que era una divinidad de origen totémico, como otras muchas célticas asociadas a animales, lo cual no ha sido admitido unánimemente [125]. Las «Matres», veneradas en distintas partes de Castilla y más al norte en Alava [126], son asimismo características de la religión céltica y también de la germánica [127]: en el país de Gales todavía se llama *madres (mamau)* a las hadas, lo cual acaso nos aclara bastante su fisonomía. «Lugoves» es nombre de dios venerado en Celtiberia [128]. «Lug» es el dios solar de la mitología irlandesa, epónimo en Lugdunum [129]. Vemos, por estos rasgos, confirmada la idea de que, lejos de ser los celtíberos históricos «iberos que ocupaban territorio celta en épocas anteriores», como pretendió Schulten en un tiempo, o «iberos mezclados con celtas», como era opinión tradicional en la Antigüedad, eran más bien «celtas en territorio ibérico», en lo que ya vio claro D'Arbois de Jubainville [130]. Gentes caballerescas y hos-

[123] Véase capítulo 10.
[124] Juvenal, 8, 156.
[125] «Les survivances du totémisme chez les anciens celtes», en *Cultes, mythes et religions*, I, p. 63.
[126] *C.I.L.*, II, 2.764: «Matribus Useis» (Laguardia). F. de Baráibar, «Lápidas de Puebla de Arganzón y Laguardia», en *Boletín de la Real Academia de la Historia*, LXIV (1914), páginas 179-181.
[127] No hay que perder de vista, sin embargo, que la expansión de algunos de estos cultos puede ser obra de época romana.
[128] *C.I.L.*, II, 2.818 (Osma), 2.849 (Pozalmuro). En Galicia (Sinoga, Rabade) ha aparecido la dedicación «Lucovebus», Fl. López Cuevillas y R. Serpa Pinto, «Estudos sobre a edade do ferro no noroeste peninsular. A relixion», en op. cit., nota 146 del capítulo IV, pp. 11-12.
[129] Un texto un poco inseguro de Plutarco, *De fluviis*, 1.151 D (VI, 4) indica que λουγος significa cuervo en celta; S. Reinach, «Sucellus et Nantosveltas», en op. cit., en la nota 106 de este capítulo.
[130] Otros varios rasgos son comunes a celtas y celtíberos.

pitalarias en tiempo de paz que consideraban un gran honor el tener forasteros, pues creían que los dioses mostraban su agrado enviándolos a una familia [131]. Esto explica que se hayan encontrado varias teseras de hospitalidad en los territorios celtibéricos y limítrofes, con forma de animales, etc. [132], que se prestan a curiosas investigaciones, puesto que llevan a veces inscripciones en el sistema de escritura ibérica, que en Numancia adquiere peculiares caracteres y que usaron en sus acuñaciones monetales casi todas las ciudades celtíberas.

Se ha considerado que la introducción de la escritura ibérica de la zona oriental en la meseta, la estructura de las ciudades como Numancia, la técnica de la decoración de las vasijas y recipientes son debidas a «invasiones» ibéricas que desplazan a todo lo céltico. Pero ¿hay derecho a pensar esto, cuando incluso los pueblos de la zona oriental tienen tantos rasgos comunes con los celtas, y después de ver la cantidad de rasgos célticos que ostenta la sociedad descrita en este capítulo? Nombres propios como los de «Retógenes» («Rectógenes»), «Caraunios», «Caros», «Avaros», etc., citados por los clásicos, nos dan una clave lingüística. Nombres de ciudades como los de «Segóbriga», «Contrebia» y «Segeda» nos la confirman. Pero la técnica en la cerámica o en la construcción no nos dicen nada desde tal punto de vista; en todo caso, nos dicen mucho menos, manejando datos de la misma índole, que la persistencia del arma-

---

Así, por ejemplo, la caza de cabezas y su conservación como trofeos de que nos habla Diodoro, V, 29, al describir a los primeros, tiene su comprobante arqueológico entre los segundos. B. Taracena, «Cabezas-trofeo en la España céltica», en *Archivo Español de Arqueología*, 51 (1943), pp. 157-171.

[131] Diodoro, V, 34.

[132] Ramos Loscertales ha fijado algunos de sus rasgos jurídicos, mejor que lo habían hecho antes otros autores. Uno de los monumentos más interesantes entre los que parecen reflejar pactos entre ciudades (Arecorada y Lutia) es el bronce de Luzaga publicado por Hübner «*Monumenta*» linguae *ibericae*, pp. 170-171 (núm. XXV).

mento hallsttático, el empleo de insignas y trompetas como las de los galos, y el sistema de dar sepultura a los muertos [133]. Es curioso indicar a este respecto, sin embargo, que Silio Itálico considera como propio de los celtíberos el dejar a los que cayeron en la guerra expuestos a la intemperie para que los despedazaran los buitres, y de esta suerte fueran llevados a los cielos, creencia que no parece ser común a todos los habitantes de la Península ni mucho menos [134]. Refleja particular fe en que la divinidad suprema reside en las alturas y se aparta de las ideas que en punto a la vida de ultratumba se consideran típicas de los celtas: por ejemplo, la de la metempsícosis que difundían, según Lucano, los drúidas, para los cuales la muerte no era sino el tránsito de una vida a otra [135]. La costumbre celtibérica tiene semejanza con las propias de los persas, medos y otros pueblos de Asia y Africa de tendencias pastoriles [136].

Los vettones y carpetanos

Pero dentro de la meseta es posible hallar aún áreas pastoriles con caracteres más arcaicos que los

[133] En la necrópolis ya citada (cfr. nota 81 de este capítulo) de Aguilar de Anguita, se encontraron más de 2.200 sepulturas, alineadas al parecer, dejando como calles. La existencia de cada una de ellas estaba expresada por una piedra a modo de estela, y, aparte de la urna de incineración, contenían las armas masculinas, y los adornos propios del sexo las de las mujeres.

[134] III, 340-e343.

[135] *Farsalia*, I, 454-458; César, *B.g.*, VI, 14, 19; Diodoro, V, 28, 6; etc.

[136] Aun los parsis de Bombay exponen sus cadáveres en puntos especiales, llamados «torres de silencio»: D. Menant, «Les rites funéraires des Zoroastriens de l'Inde», en *Conférences faites au Musée Guimet* (París, 1910), pp. 141-198. Véase también Herodoto, I, 140. No hay modo de explicar satisfactoriamente las semejanzas entre ciertos de los ritos celtibéricos y los persas (sobre ellas he de hacer estudio especial), a pesar de que Varrón, según Plinio, *N.H.*, III, 8, colocó una «invasión persa» en España, después de la ibérica: «In universam Hispaniam M. Varro pervenisse Hiberos et Persas et Phoenicas Celtasque et Poenos tradit».

de la celtibérica. Una es la del sudeste de ella, otra la del sudoeste. La primera la constituían fundamentalmente los «carpetanos» y «oretanos», lindantes ya con la Bética, y algunas unidades más pequeñas y poco conocidas, como los «olcades» y «lobetanos». La segunda, los «vettones», que en la época romana entraban dentro de la provincia lusitana, mientras que los anteriormente citados pertenecieron a la Tarraconense y después a la Cartaginense [137]. Dentro de la actual Castilla la Nueva, cabe decir que los límites entre carpetanos y vettones (que por el Norte alcanzaban la sierra que hoy lleva sus dos nombres) iban de Norte a Sur por una línea recta entre Talavera y Toledo [138] y del Tajo al Guadiana. En tiempos de los romanos las adjudicaciones de terreno a unos u otros hubieron de variar notablemente la situación anterior, que tampoco sería muy estable.

Es opinión general la de que todos estos pueblos tienen menor cantidad de elementos célticos que los anteriores estudiados [139]. Pero ello no pasa de ser una generalización. Entre los vettones cita Ptolomeo las ciudades de «Cottaeobriga», «Augustobriga» y «Deobriga» [140] y otros nombres que menciona el mismo y

---

[137] Los primeros textos nos hablan de los «carpesios» (Καρπήσσιοι) como Polibio, III, 14, 1, en vez de «Carpetani», y a la par hallamos Ὤρητες en vez de «oretani» y Εσδητές por «edetani» (Schulten, *F.H.A.*, III, p. 24): la forma griega, más antigua, nos hace dudar respecto a la legitimidad del punto de vista de Wackernagel, según el cual, el sufijo *-itanus* pasa al latín por influjo de la lengua ibérica y otras eemparentadas con ella (cfr. G. Devoto, *Storia della lingua di Roma*, p. 43).

[138] Plinio, *N.H.*, III, 19, dice: «Primi in ora Bastuli, post eos quo dicetur ordine intus recedentes Mentesani, Oretani et ad Tagum Carpetani, iuxta eos Vaccaei, Vettones et Celtiberi Arevaci». Así se explica que Lúculo tomara como pretexto para atacar a los vacceos de Cauca el que habían molestado a los carpetanos, súbditos de Roma desde antes (Appiano, *Iber.*, 50. El mismo, 64, considera a la Carpetania como tierra fértil).

[139] Véase, sin embargo, ahora el artículo de Menéndez Pidal, citado en la nota 130 del cap. IV.

[140] II, 5, 7.

otros autores ofrecen rasgos celtas muy marcados. Entre los carpetanos y oretanos a primera vista parece haber menos, pero ya se han señalado anteriormente algunos. Es posible de todas formas que la población carpetano-oretana contara con mayor cantidad de elementos de origen precéltico.

La forma de vivir de los pastores, que la componían en parte considerable, es distinta a la de los pastores celtas. Muchas de las ciudades carpetanas se hallaban asentadas en riscos y escarpaduras con cuevas naturales o artificiales que servían a la gente de mansiones, como hoy mismo ocurre en Tarancón y otros pueblos de Cuenca.

Plutarco habla de la ciudad de los caracitanos, la «Caracca» de Ptolomeo, que corresponde a la actual Taracena (situada a 4 kilómetros al nordeste de Guadalajara), que no estaba compuesta de casas, como la generalidad de las ciudades y aldeas, sino que en realidad era un monte bastante alto y de cierta extensión con muchas cuevas orientadas hacia el septentrión. Vivía en ella gente dedicada a la ganadería fundamentalmente, contra la que usó Sertorio de una estratagema el año 77 a. de J.C., haciendo grandes montones de polvo, que el viento norte, el cierzo, llevó hasta las referidas cuevas, ahogando casi a sus habitantes [141].

Estas poblaciones, en alto y subterráneas al mismo tiempo, ofrecían de todas formas serias dificultades para ser tomadas y amenazaban a las del llano. Así Tito Didio hizo trasladar la ciudad de «Termes» o «Termantia», que era de este tipo, del alto en que estaba asentada a una planicie cercana [142]. Hay, por

[141]   Plutarco, *Sert.*, 17; Ptolomeo, II, 6, 56.
[142]   Appiano, *Iber.*, 99-100. Sobre las cuevas artificiales habitadas, véase B. Taracena, «Arquitectura hispánica rupestre», en *Investigación y Progreso*, VIII (1934), pp. 257-268; de las carpetanas en particular, J. Pérez de Barradas, «Las cuevas artificiales del valle del Tajuña (provincia de Madrid)», en el *Boletín del Seminario de Estudios de Arte y Arqueología* de la Universidad de Valladolid, 31-33 (1942-1943), p. 11. Con es-

lo demás, pocos datos acerca de la manera de vivir de los carpetanos.

Carácter eminentemente pastoril de carpetanos y vettones

Los vettones parecen haber constituido una unidad cultural no muy diferenciada con respecto a ellos. Es en su territorio sobre todo donde se encuentran aquellas extrañas y toscas esculturas de animales conocidas vulgarmente con los nombres de *bichas, verracos, toricos*, etc., que, sea la que fuere su significación particular, no pueden ser sino obra de pastores de ganado mayor. El área por la que vemos difundidas tales manifestaciones de un arte elemental abarca las cuencas medias de los ríos Tajo y Guadiana, norte de la provincia de Córdoba, sur de las de Salamanca y Avila, y por caso extrañísimo se halla también una en Vizcaya y, lo que es menos sorprendente, varias en la Lusitania propiamente dicha [143].

Citas curiosas de los *toricos* hay en nuestros clásicos. En *El Lazarillo de Tormes*, al principio, se habla de uno que había en Salamanca, ciudad, en el puente sobre el río [144]. Y en *El mejor maestro el tiempo*, de Lope de Vega, acto II, un lacayo habla con otro y dicen [145]:

> TURÍN. —*¿Ha visto vuesa merced,*
> *en aquel pradillo ameno,*
> *a los toros de Guisando?*

---

tas cuevas, que sin duda ya fueron construidas en la Edad del Hierro, se pueden establecer tres grupos: el baleárico, el andaluz-levantino y el central. Pero sería muy difícil el asignar su construcción a una sola etnia.

[143] Bosch-Gimpera, *Etnología de la Península ibérica*, páginas 530-533.

[144] *Obras en prosa de Hurtado de Mendoza* (Madrid, 1881), p. 196 (tratado I).

[145] *Obras de Lope de Vega, publicadas por la Real Academia Española (nueva edición), obras dramáticas*, VII (Madrid, 1930), p. 253.

OTÓN.   —*Sí, he visto.*
TURÍN.   —*¡Huélgome dello!*
          Pues yo los desjarreté,
          y al de piedra, que está puesto
          en Salamanca en la puente,
          de un revés rapé los nervios.
          Así están sin pies ahora.

Los vettones vivían en ciudades fortificadas y en poblados de poca importancia cuya relación con las unidades sociales del tipo de las llamadas «gentes» en la época romana no se ha precisado bien todavía. Estrabón dice que desde el río Tajo hasta la costa del Norte había no menos de treinta pueblos [146]. Claro es que éstos se multiplicarían cuanto más al septentrión se marchaba.

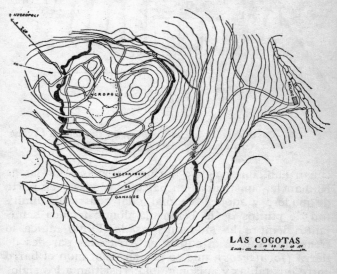

Fig. 44 a. Castro vetón de Las Cogotas, en Cardeñosa (Avila): plano de conjunto, según Camps y Cabré.

[146] III, 3, 5 (154).

Las excavaciones de J. Cabré en Las Cogotas (Avila) han revelado la fisonomía de una de las ciudades más típicas del área vettónica (fig. 44 *a* y *b*). Los recintos amurallados de los vettones guarecían a una serie de casas que no guardaban ninguna armonía ni se

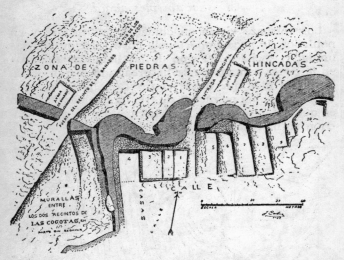

Fig. 44 b.   Castro vetón de Las Cogotas, en Cardeñosa (Avila): entrada principal, según Cabré.

construían con arreglo a normas urbanas como las de Numancia, construidas en parte de piedra y en parte de madera y adobes o tapial, cual ocurría en multitud de puntos de la Península donde técnica semejante siempre ha sido muy usada. Plinio indica lo frecuentes que eran aquí y en Africa las paredes de tierra *(formaceos)*, que se hacían colocando el barro entre dos tablas y apisonándolo: resistían a los siglos y ni los vientos ni las lluvias las destruían. En su época —añade— todavía existían las garitas de observación que había mandado hacer Aníbal de esta suerte y las torrecillas colocadas en lo alto de las montañas por el mismo [147].

El barro se usaba como aglutinante de la piedra incluso: en Sagunto las murallas eran de piedras unidas con barro y no con cal, según costumbre antigua, como dice Livio [148], costumbre que tenían los vettones igualmente. Pero lo más interesante de la ciudad de Las Cogotas son los grandes recintos en que se guardaban los ganados y, cosa curiosa, a la entrada de ellos es donde se ha encontrado uno de aquellos verracos a que se ha aludido, lo cual parece indicar que en casos tenían un significado apotropaico. Hay que señalar hallazgos de cantidades considerables de trigo a la par que falta de rejas de arado [149]. ¿Acaso este pueblo hacía incursiones, como los del Norte, a los territorios limítrofes, habitados sobre todo por labradores, para aprovisionarse de cereales? Ello es muy posible, como veremos. Los vettones no parecen haber sido grandes trabajadores. Conocida es la anécdota que refiere Estrabón acerca de los guerreros de aquella estirpe, que cuando vieron a unos soldados romanos pasear delante de sus campamentos pensaron que eran locos, pues estimaban que un hombre, cuando no se hallaba en la pelea, debía permanecer sin hacer absolutamente nada, «descansando» [150].

Si la cultura material de Numancia resulta tosca en comparación con la de los pueblos del Este, sobre todo en ciertos aspectos (cerámica, arquitectura), la de los habitantes de Las Cogotas es inferior aún a la de Numancia. Los elementos que de Oriente pudieron

[147] *N.H.*, XXXV, 169.
[148] Livio, XXI, 11. La ligereza del barro español está atestiguada por Posidonio, que afirmaba que en la Península había unos ladrillos de tierra arcillosa, de la que se hacían también los moldes para los vasos de plata, que, a pesar de ser compuestos, flotaban en el agua: Estrabón, XIII, 1, 67 (615).
[149] *Excavaciones de las Cogotas (Ávila). I. El castro* (Madrid, 1930), pp. 98-99 (láminas II y IX).
[150] III, 4, 16 (164).

llegar hasta la Celtiberia no llegaron a los vettones. Así, ni usaban la escritura llamada ibérica, ni decoraban sus vasos con dibujos más que esporádicamente, encontrándose en cambio cerámica de tipo hallstáttico y aun otra de aspecto eneolítico, amén de espadas de tipo especial y diferenciadas de las celtibéricas [151].

No se puede saber bien cómo era la estructura de la propiedad territorial en pueblos semejantes. Pero cabe suponer que dada su economía fundamentalmente pastoril, cada ciudad tendría unos terrenos propios dentro de los cuales pastarían los ganados: los terrenos serían comunales, pero los ganados no; pertenecerían a diversas familias y constituirían la expresión de la riqueza. Este régimen se encuentra en bastantes pueblos actuales de tipo análogo y conviene incluso a las poblaciones célticas más primitivas, como se vio anteriormente. Sin embargo, sería prematuro el adscribirlo a unas gentes o a otras de manera absoluta. Hoy día la mayor parte de las dehesas del territorio vettónico se hallan valladas con largas paredes de piedra. Pero esta limitación de la propiedad parece lo más seguro que empezara a llevarse a cabo en épocas posteriores a la que nos ocupa, en época romana por lo menos.

Por otra parte, es muy posible que los vettones, para indicar los límites de los campos pertenecientes a diversas ciudades, colocaran esculturas como las indicadas, es decir, toricos o verracos de piedra que allí podrían tener también su sentido protector y religioso: sabido es el carácter sagrado que se da a los hitos en multitud de pueblos y cómo se asocian a determinadas divinidades. Hace muchos años, el in-

---

[151] La diferencia de las necrópolis del oeste de la meseta con respecto a las celtibéricas se halla señalada en J. Cabré, «Las necrópolis del Bajo Duero y del Norte de Portugal», en *Archivo Español de Arte y Arqueología* (8, 1930, pp. 259-265). Otros caracteres distintivos, en la cultura de las Cogotas, estudió el mismo «Tipología del puñal, en la cultura de Las Cogotas», en el mismo *Archivo...*, 21 (1931), pp. 221-241.

vestigador extremeño don Vicente Paredes los interpretó como puntos de referencia que tuvieron a lo largo de un camino tradicional antiguos pastores trashumantes. Pero esta interpretación no tiene en cuenta que dado el particularismo tribual que venimos describiendo, las grandes derrotas ganaderas eran poco menos que imposibles [152]. Y descartada mediante las excavaciones la hipótesis de que sean monumentos funerarios, queda como única la que les da un sentido religioso, protector, con la aplicación que se indica. Así, pues, cabe pensar que los vettones se inspiraron para concebirlas en las representaciones de toros, esfinges, etc., propias de los pueblos del Sur, de origen clásico oriental. En lo que se refiere a los ritos funerarios y a otros elementos culturales, los vettones ofrecen rasgos de tipo céltico, pero hay que tener en cuenta que tanto los hallazgos de Las Cogotas como los de la Osera parecen algo anteriores a los numantinos y celtibéricos.

Los vacceos y su economía agrícola; sentido que hay que dar al «colectivismo» vacceo

Dentro del área de la meseta, en efecto, cabe señalar, sin recurrir al procedimiento socorrido de las invasiones y desplazamientos de pueblos, una evolución o estandarización en la técnica con focos determinados, técnica que unos pueblos propagan rápidamente y otros no. En muchos casos, el medio influye para que se desarrollen más unos elementos de ella que otros: por ejemplo, el trabajo agrícola o el pastoril.

La existencia del «colectivismo agrario» en los aledaños del curso del Duero occidental, dentro de la meseta y al norte de la sierra carpetovettónica, se

[152] *Historia de los framontanos celtíberos desde los más remotos tiempos hasta nuestros días* (Plasencia, 1888).

suele admitir tomando como base un texto famoso de Diodoro de Sicilia [153] que comentó el erudito autor Joaquín Costa en su gran libro sobre el tema [154]. Dice Diodoro que entre los vacceos existía la costumbre de dividir el campo por suertes cada año, que luego se trabajaban las parcelas según el sorteo, y que lo cosechado se ponía en común, dándose por último la parte necesaria para el sustento «a cada cual» y castigándose con pena de muerte al que ocultara algo. Rostovtzeff relaciona este sistema con el existente entre los dálmatas y getas [155], y yo señalaría también una semejanza de él con el que observó Nearco en algunas partes de la India, cuando la expedición de Alejandro [156]. Pero de ningún modo creo que se pueda interpretarlo en un sentido «comunista» o «socialista».

Ocupaban los vacceos una parte considerable de Castilla la Vieja y el antiguo reino de León. Desde las montañas cantábricas alcanzaban las alturas del Guadarrama por la parte septentrional: dejando al Este el territorio montañoso y las altiplanicies de Soria y Burgos, se extendían por los campos de Valladolid y Palencia, por la parte más triguera de España, llamada hoy «Tierra de Campos» y que siglos después fue mansión preferida de los visigodos. Ciudades vacceas conocidas en la Historia son «Intercatia» (Villalpando ?), «Segisama» (Sasamón), «Pallantia» (Palencia) y «Cauca» (Coca) [157]. En una época, «Helmantica», es decir, Salamanca, les pertenecía también, aunque después pasó a los vettones [158]. Muchos son los nom-

[153] V, 34, 3.
[154] *Colectivismo agrario en España. Partes I y II* (Madrid, 1915), pp. 419-347: hay cierta confusión, sin embargo, en este comentario, como en todo lo que el polígrafo aragonés escribió acerca de la España antigua.
[155] *Historia social y económica del Imperio romano*, I (Madrid, 1937), pp. 484 y 492. Los textos sobre los dichos pueblos se usan en la discusión que sigue.
[156] Estrabón, XV, 1, 66 (716).
[157] Ptolomeo, II, 6, 49.
[158] Ptolomeo, II, 6, 49: cita una ciudad, «Eldana», que

bres celtas que parecen hallarse entre los de las ciudades vacceas. Recordemos los de «Brigaecium» [159], «Lacobriga», «Segontia Paramica», «Segisama», entre los más significativos y claros. ¿Cómo es posible que en pueblos de estructura semejante hubiera un régimen comunista? ¿Cómo conciliar la existencia de fortalezas y de una estructura estatal y social parecida a la que hemos hallado entre los celtíberos de más al Este con el dato de Diodoro? Poniendo grandes limitaciones a nuestra interpretación del «colectivismo».

En primer lugar, entre los vacceos se puede señalar la existencia de clases sociales diferentes. Dicen los escritores clásicos, refiriéndose a una época bastante antigua, que sus dos ciudades más potentes eran las de Arbucala y Helmantica [160]; con los habitantes de ellas y con los de Althia, la más fuerte de los olcades, luchó Aníbal, y los historiadores griegos y romanos cuentan grandes hazañas de las mujeres de la segunda, Salamanca hoy día, como se ha indicado [161]. Pues bien, sabemos que cuando el gran general cartaginés la sitiaba, los habitantes *de condición libre* dejaron dentro, para ir a parlamentar con él, las armas, las *riquezas* y los *esclavos*, vistiéndose de sólo una túnica [162]. Si la repartición de las tierras hubiera sido hecha en la forma que algunos de los comentadores políticos de Diodoro pretenden, no hubiera habido razón para que existieran ricos y pobres. Pero lo más probable es que cada año se hiciera un sorteo entre las grandes familias de cada ciudad, que cada una de ellas trabajara el terreno arable que se le

---

Müller lee «Elmana», considerándola Salamanca. Pero en II, 5, 7, menciona claramente a «Salmantica» entre los vettones y dentro de la provincia lusitana.

[159] *It. Ant.*, 339.

[160] Polibio, III, 13, 5; Livio, XXI, 5, 2.

[161] Plutarco, *Virt. mul.*, 248 *e*; Polieno, VII, 48.

[162] Plutarco, *Virt. mul.*, 248 *e*; de vuelta hacia el sur, derrotó a los carpetanos, pero parece exagerado que en la batalla que dio a éstos y a los vacceos y olcades que pudieron agregarse a ellos hubiera hasta 100.000 indígenas: Livio, XXI, 5, 2.

asignaba por suerte, que luego se pusiera el producto en grandes almacenes y que al final al jefe de cada una se le diera la parte que necesitaba y que debía ser grande, pues no hay que interpretar el «cada cual» del texto griego en el sentido de que fuera un pobre labrantín el aludido. Así en la India, en tiempo de Nearco, había regiones en las que el trabajo del campo lo llevaban a cabo en común todos los de una misma parentela. Estrabón añade a esto una coletilla moralizadora, la de que después de hecha la recolección tomaban lo necesario para su mantenimiento en todo el año, quemando el resto, para que hubiera necesidad de trabajar [163].

También lo que dice Horacio de los getas y de su peculiar manera de repartir las tierras, no se sabe si proviene de observaciones exactas o de una hipótesis filosófica acerca del estado ideal de ciertos pueblos bárbaros [164]. El dato sobre los dálmatas de que cada ocho años repartían las tierras [165] parece más objetivo. El texto de Tácito sobre la condición de los campos entre los germanos es uno de los que pueden aclarar mejor nuestras ideas sobre la manera de trabajar de los vacceos: dentro de una sociedad estratificada, las tierras de cultivo se confiaban en turno a distintos brazos; sin embargo, en Germania la repartición se hacía con arreglo al rango social claramente. Pero en definitiva la comunidad era la propietaria real del terreno, por derecho de conquista, y el acuerdo entre las familias que la componían podía obtenerse de maneras diversas hasta que se llegó al establecimiento de la propiedad privada con sus límites concretos [166].

[163]   Es muy posible que las «interpretaciones morales» de este orden de hechos hayan sido inspiradas por lecturas filosóficas entre las cuales la *Política* de Aristóteles (II, 2) ocupara lugar preferente.
[164]   *Carm.*, III, 24, 11-16.
[165]   Estrabón, VII, 5, 5 (484).
[166]   *Germ.*, 26, 1-4: R. Koebner, en *The Cambridge Economic History*, I (Cambridge, 1942), pp. 14-17. César, *B. g.*,

Es curioso notar que entre los iberos del Cáucaso, Estrabón señala la existencia de cuatro clases sociales y al mismo tiempo cierta tendencia colectivista. De la primera clase salen los reyes; de la segunda —prosigue—, los sacerdotes. La tercera es la de los soldados y agricultores, y la cuarta la plebe, los siervos que se utilizan en toda clase de labores. Dentro de cada familia, los bienes son comunes y dirige los actos el más anciano [167].

El que en la Antigüedad se hallen instituciones análogas a las hispánicas entre pueblos de abolengo ilirio y caucásico justamente puede ser un hecho que contribuya a aclarar muchos puntos de la Protohistoria a los que ya se ha hecho referencia. Joaquín Costa consideraba el sistema «vacceo» como eminentemente ibérico, es decir, precelta [168]. Vinogradoff quería explicar todas las modalidades de «colectivismo» por un hecho que consideraba corriente entre los pueblos indogermanos en un momento dado: el paso de la comunidad de tribu a la comunidad rural [169]. Pero parece que en esto hay cierta generalización excesiva.

Evoluciones distintas de la propiedad territorial en pueblos antiguos del Occidente

No se puede establecer una «evolución» del sistema de grandes tierras hacia la pequeña propiedad,

---

VI, 22, interpreta moralmente la costumbre: «Agricultura non student, majorque pars victus eorum in lacte, caseo, carne consistit. Neque quisquam agri modum certum aut fines habet proprios; sed magistratus ac principes in annos singulos gentibus cognationibusque hominum, qui una coierunt quantum et quo loco visum est agri attribuunt: atque anno post alio transire cogunt. Eius rei multas afferunt causas; ne assidua consuetudine capti-studium belli gerendi agricultura commutent; ne latos fines parare studeant, potentioresque».

[167] XI, 3, 6 (501).
[168] *Colectivismo agrario...*, pp. 422-423.
[169] *Principes historiques du Droit. Introduction. Le Droit de la Tribu* (París, 1924), pp. 327-348.

ni la contraria, de una manera constante, por lo mismo que la agricultura tiene por lo menos dos formas muy distintas e independientes.

Así, en Inglaterra hay un momento en que las tierras son cultivadas con azadas y tienen un aspecto, otro en que se cultivan con arados sencillos y ofrecen otro, y, por último, cuando se cultivan con grandes arados ostentan un tercero, pero ello no es por obra de una evolución interna, *in situ*. Es el pueblo de los «belgas» el que allí dio origen al *common* que antes se creía de ascendencia romana o teutónica, y este pueblo mitad celta mitad germánico entró en la isla en el siglo II a. de J.C. solamente, asentándose en las orillas de los ríos [170] cuando los celtas más viejos cultivaban campos de no muy gran extensión [171].

Se ha solido considerar que los celtas isleños tenían tendencias análogas a las de los germanos, iberos, getas e indios ya descritas [172]. Pero esto no pasa de una generalización que no comprueban las investigaciones hechas mediante la fotografía aérea, sobre todo de los sistemas agrícolas vigentes en la época romana y antes, que es útil recordar: los campos de cultivo más viejos, correspondientes a la Edad del Bronce insular, ostentan una forma redondeada o de polígono y se hallan agrupados o dispersos, rodeados de pequeños muros de piedra, de los que quedan vestigios, y

[170] R. E. M. Wheeler, «Belgic Cities of Britain, en *Antiquity*, VII (1933), pp. 21-35.
[171] G. A. Holleyman, «The Celtic Field-System in South Britain: a survey of the Brighton District», en *Antiquity*, IX (1935), pp. 443-454.
[172] En realidad, en la época en que tenían una gran movilidad, como la que era característica de los germanos en tiempos más modernos, puede que el reparto de tierras, nunca definitivas, lo hicieran los «príncipes». Pero cuando se asentaron más, en un punto concreto, hubieron de copiar formas de explotación del suelo de pueblos avanzados en la agricultura, cuyo sentido de la propiedad, fuera ésta pequeña o grande, estaba muy desarrollado. Y pronto fueron agricultores y terratenientes de grandes conocimientos: Plinio, *N. H.*, XVIII, 48, habla ya del arado de ruedas de los galos béticos.

asociados a fondos de cabaña y túmulos circulares con la máxima frecuencia. Estos campos debían ser labrados con azadas y aperos semejantes. En la última Edad del Bronce insular, que corresponde a la primera Edad del Hierro continental de Occidente, aparecen campos cuadrangulares o rectangulares cortos, formando varios de ellos un polígono, polígono limitado por caminos o barreras naturales, y que se debían labrar con arado sencillo (el *aratrum*). Este sistema, llamado en ocasiones céltico (y que se encuentra también en el litoral del Mediterráneo), fue sustituido en el Sudeste por el de roturar grandes extensiones de terreno y que se inicia en el momento en que los citados belgas introducen el arado de gran tamaño tirado por bueyes y con ruedas *(curuca)*.

Durante la época romana se nota que las aldeas y poblados tenían un régimen de propiedad que permitía que subsistiera el sistema céltico. Pero las *villas*, tan abundantes también, obedecen a un tipo de cultivo dentro del cual es más adecuada la existencia del sistema belga. Con las invasiones anglosajonas de los siglos v-vii de J.C., el sistema céltico parece disminuir aún más, debido a las tendencias peculiares de los nuevos elementos étnicos, y en países más aislados, como el de Gales, y en partes de Irlanda y Escocia, a los campos cuadrangulares sucede en ocasiones el régimen de *run-rings*, es decir, el de fraccionar en tiras el cuadriculado céltico, por causa de determinado sistema hereditario, tiras que hasta la época moderna se han cultivado con arados muy elementales [173].

Estas observaciones son ahora de gran interés para nosotros. Que en España apenas se ha conocido el

[173] Véase la nota de R. V. en *L'Anthropologie*, XLVI (1936), pp. 491-493. R. G. Collingwood, en el libro publicado con J. N. L. Myres, *Roman Britain and the English Settlements* (Oxford, 1941), pp. 208-214; T. D. Kendrick y C. F. C. Hawkes, *Archaeology in England and Wales, 1914-1931* (Londres, 1932), pp. 149, 173-174, 300-301, etc.

arado de ruedas que los romanos denominaron *cu-ruca*, tomándolo de los galos y germanos, es evidente, y que los vacceos cultivaban campos extensos con arados sencillos también lo es. Investigadores modernos han hecho la distinción fundamental entre los arados de cama curva o mediterráneos y los cuadrangulares. En la Península, además, había que distinguir, dentro de los de cama curva, los arados dentales, que ocupan toda la parte meridional, desde el sur de la provincia de Murcia (incluida Lorca), gran parte de Badajoz y las mitades occidentales de Cáceres, Zamora y León, y los arados-cama o castellanos, que ocupan la mayor extensión del país, dejando a un lado las zonas en que se utiliza la laya o el arado cuadrangular. El territorio de los vacceos entra dentro de la zona en que se emplea el arado-cama o castellano. Por el contrario, el propio de los lusitanos y turdetanos es el arado dental, que se halla igualmente en todo el Mediterráneo y el que describen desde Hesíodo[174] a San Isidoro[175] varios escritores clásicos. Virgilio, en cambio, parece describir el arado-cama[176].

Estamos, pues, en presencia de dos tipos de arado con reparto distinto, pero los dos de la Europa meridional: el primero, más arcaico que el segundo, probablemente[177]. En Africa el arado curvo ocupa todos los territorios septentrionales del Mediterráneo occidental y medio. En la parte oriental alcanza latitudes más meridionales por influencia de las culturas agrícolas del Nilo[178].

[174] En realidad, Hesíodo describe dos arados, uno αὐτόγυον, de una pieza, y el otro πηκτόν, de tres (*Erg.*, 430): a éste nos referimos.

[175] *Etym.*, XX, 14, 4.

[176] R. y B. Aitken, «El arado castellano: estudio preliminar», en *Anales del Museo del Pueblo Español*, I (1935), pp. 109-138, hacen la clasificación seguida y comparan el arado castellano con el descrito en *Georg.*, I, 169 y ss.

[177] Ya he indicado en la nota 84 del capítulo VI cómo en un vaso ibérico aparece representado.

[178] A pesar de lo dicho en el texto, hay que observar que en el estudio de los Aitken, citado en la nota 176, no se llama

Datos semejantes nos hacen ver cuán peligroso sería que, prematuramente, no dudáramos en considerar «celta» el sistema vacceo, o que le asignáramos otro origen igualmente concreto como lo hizo Costa.

Otros rasgos del pueblo vacceo

De todas formas, el régimen de explotación del suelo descrito por Diodoro hizo que la población vaccea aumentara intensamente: pueblo acaso menos famoso que otros, produjo siempre cierto respeto a los romanos. Siendo pretor de la España Citerior Quinto Cecilio Metelo Nepote, entre los años 56 y 55 a. de J.C., se sublevó, y aunque fue vencido no se atrevió aquél a hostilizarlo demasiado, dado su gran número [179]. Si se tiene en cuenta que ya entre los años 137-136 a. de J.C. los vacceos fueron acusados de aprovisionar a los numantinos y por eso les hizo la guerra Emilio Lépido [180], y que el año 134 Escipión recorrió otra vez su campiña, talando las mieses no maduras con el mismo pretexto [181], se puede llegar a adquirir una idea respecto a su potencia y a la repugnancia

---

de modo conveniente la atención sobre la diversidad de rejas de arado que cabe encontrar. Aunque hoy día, como se verá, la casi totalidad de Castilla usa el arado-cama con una reja en forma de lanza ajustada sobre el dental, y en Andalucía la reja se halla como enchufada a éste. ostentando una forma cónica, las que se han encontrado en España en los yacimientos arqueológicos y muchas que se usaban hasta hace poco en Vasconia, etc., son como las correspondientes a la época de La Tène III que se hallan en Dechelette. *Manuel d'archéologie...*, IV (ed. París, 1927), p. 885 (fig. 610), con una enmangadura sacada de los dos lados de la lámina férrea en uso. De tierras lindantes con las de los vacceos hay ejemplares como el publicado por J. Mª Luengo, «Hallazgos de la época de La Tène en Geras (León)», en *Atlantis*, XVI (1941), pp. 182-185 (fig. 2). en que se reproduce una reja semejante a la de Echauri (Navarra): Bosch-Gimpera, «El problema etnológico vasco y la Arqueología», en *R.I.E.V.*, XIV (1923), p. 637 (fig. 10).

[179] Dion Casio, XXXIX, 54.
[180] Appiano, *Iber*, 80.
[181] Appiano, *Iber.*, 87.

de los romanos por hacer guerras de exterminio en aquella zona, aunque los sitios de «Pallantia» y «Cauca» sean famosos en los anales bélicos [182].

Las existencias de trigo y otros productos del campo que tanto nos son ponderados presuponen la edificación de grandes almacenes y transportes. De los carros usados en las faenas agrícolas por los vacceos hay mención en algún texto. Precisamente una estratagema que se les atribuye fue la de rodear sus tropas acosadas con carretas (*plaustra*) llenas de hombres vigorosos vestidos de mujer [183]. De los almacenes nos habla el hecho de que los romanos tomaron como pretexto fundamental para declarar la guerra a los cántabros y astures el que estos montañeses, que no disponían de grandes bienes, continuamente hacían incursiones hacia el Sur para robar trigo, vino, etcétera, siendo los damnificados no sólo los vacceos, sino también los autrigones y los turmogos o turmodigos, pueblos asentados al nordeste de éstos [184].

A pesar de ser pueblo eminentemente cultivador del campo, no despreciaba el vacceo las actividades pastoriles, como lo atestigua el hecho de que una de las condiciones que puso Lúculo a los habitantes de Intercatia al rendirse fue la de que habían de entregarle 10.000 sagos [185], que, como ya se ha dicho, eran de lana. Por lo demás, la industria no llegó a grandes perfecciones en esta zona, mucho más pobre arqueológicamente que las ya estudiadas y en algunos aspectos parecida a la vettónica y carpetana, aunque falten en ella las típicas esculturas animales de piedra, si no es en los confines con la primera.

Según Appiano, cuando los romanos llegaron allí, el oro y la plata eran aún poco estimados. Así, al pedir Lúculo oro y plata a los habitantes de Intercatia,

---

[182] Appiano, *Iber.*, 50-52 (Lúculo contra Cauca), 55 (contra Pallantia), etc.
[183] Ps. Frontino, IV, 7, 33.
[184] Floro, II, 33 (IV, 12, 59-60).
[185] Floro, II, 33 (IV, 12, 59-60).

no pudo obtener estos metales preciosos, porque no los conservaban con cuidado [186]. Esto contribuye a explicar por qué faltan monedas de casi todas las ciudades vacceas y a marcar una diferencia con respecto a los celtíberos. Sin embargo, el arte de hacer sellos de metal era conocido, como lo atestigua el hecho de que el hijo del guerrero muerto por Escipión Emiliano en singular combate frente a los muros de la ciudad citada, firmaba con un sello en que aquella lucha estaba representada [187].

[186] Appiano, *Iber.*, 54.
[187] Plinio, *N.H.*, XXXVII, 9.

8

LOS PUEBLOS DEL OESTE
DE LA PENINSULA

Los lusitanos

Con el nombre de Lusitania se conoce una provincia del Imperio romano y una región de la España antigua que es la que ahora nos interesa. Consideramos pueblos lusitanos, dejando fuera a los vettones, de que ya hablamos antes, a todos los que habitaban el oeste peninsular, ocupado hoy por Portugal, desde el Duero hasta el Algarve, y entre los cuales hay que contar, aparte de los «cuneos», «cinetes» del extremo sur relacionados con los turdetanos o tartesios desde épocas muy antiguas [1], a los «celtas» o «célticos» de la parte meridional del Tajo [2], a los «lusitanos» propiamente dichos que llegaban del Tajo al Duero [3] y de los cuales una fracción parece que era la de los *turduli veteres* [4]. Todos los geógrafos y escritores antiguos están de acuerdo en considerar la zona próxima a la costa que se extendía entre los dos referidos

---

[1] Avieno, 201, 205, 223; Herodoto, IV, 49. La forma romana es «cunei» según Schulten, y la griega «cynetes». Pero Polibio, X, 7, 4, da Κώνιοι y además tenemos «Conimbriga» y «Conistorgis» (Schulten, *F.H.A.*, III, p. 97).
[2] Ptolomeo, II, 5, 5.
[3] Ptolomeo, II, 5, 6.
[4] Ptolomeo, II, 5, 2; Plinio, *N.H.*, IV, 21. La Geografía antigua de la Lusitania ya está bastante bien esbozada en Flórez, *España Sagrada*, XIII (ed. Madrid, 1816), pp. 1-72.

ríos como una de las más fértiles conocidas en su época. Pero señalan también el desequilibrio social que reinaba en ella[5]. Varias son las causas de esto y una de las fundamentales acaso la de que junto a las vegas magníficas que parecen haber sido uno de los núcleos más viejos del cultivo de plantas[6] había núcleos montañosos y llanadas áridas pobladas por pastores y cazadores muy primitivos. Si en el capítulo anterior se ha señalado una diferencia económica entre los habitantes de la meseta, más dados unos que otros a la agricultura que al pastoreo, o viceversa, en Lusitania cabe señalar ésta aún exagerada. Así se explica la existencia de un capitalismo agrícola extraordinario al lado de una pobreza que instigaba a la gente que la padecía a actos de pillaje y bandolerismo. Los dos extremos se hallan muy bien representados por Astolpas y su yerno Viriato: las riquezas del uno contrastaban con la pobreza del otro[7], y aquellas riquezas ya se hallaban catalogadas desde tiempos remotos conforme a unas tarifas que nos revelan especiales concepciones capitalistas debidas, sin duda alguna, al contacto con comerciantes del Mediterráneo.

Ya en la obra que inspiró a Avieno en su *Ora maritima* se describía una ruta comercial que iba tierra adentro desde la desembocadura del Tajo hacia la legendaria «Tartessos»[8]. Pero el que nos ha dado la más antigua tarifa que tenemos para el estudio de la historia económica de la Península ha sido Polibio.

La lista de precios que da Polibio, en texto conser-

---

[5] Este desequilibrio en realidad no ha sido mitigado sino muy modernamente.

[6] Véase cap. II.

[7] Diodoro, XXXIII, 7, 1-7.

[8] Avieno, 178-182, parece describir un camino que partiría de la desembocadura del Tajo aproximadamente, hasta Tartessos, y en cuyo recorrido, andando, se tardarían cuatro días, camino que Schulten, *F.H.A.*, I, pp. 92-93, supone hecho por los focenses.

vado por Ateneo, es la siguiente: un medimno siciliano de cebada (es decir, 52 litros) costaba un dracma, que, fuera de Alejandría o fuera del Atica, venía a valer alrededor de una peseta. Otro de trigo costaba nueve óbolos, o sea, una cincuenta. Un metretes de vino (o sea, 40 litros), un dracma. Un cabrito mediano o una liebre valían un óbolo, o diecinueve céntimos. Un cerdo cebado de 100 minas (50 kilos) de peso valía cinco dracmas, y una oveja, dos, es decir, cinco y dos pesetas. Un talento de higos (26 kilos) costaba tres óbolos (alrededor de dos reales); un ternero, cinco dracmas, y un buey de arar, diez. La caza se regabala [9].

La riqueza agrícola de la Lusitania se refleja también en aquella jactancia con que los lusitanos dijeron a Graco, cuando éste los amenazaba, que tenían provisiones para diez años [10]. Semejante ostentación de riquezas se manifesta también en los actos de la vida privada. Por ejemplo, era enorme el lujo con que se celebraban las bodas de los potentados lusitanos. En ellas se exponían multitud de vasos de oro y plata, y tejidos preciadísimos. Las mesas se cubrían de manjares magníficos. Todo esto fue despreciado por Viriato cuando se casó con la hija del hombre riquísimo al que ya hemos nombrado [11].

Había ciudades que contaban con un considerable tesoro público y gran cantidad de trigo y caballos, como la de «Talabriga», a la que expolió Bruto [12] de todo esto. Pero la parte triste, la parte grave de la vida lusitana nos la reflejan textos como uno de Varrón que dice que, aun en su tiempo, era peligroso invertir el capital en propiedades situadas en ciertas zonas de aquella región, pues no había seguridad de poderlas aprovechar bien por las incursiones de ban-

---

9 Ateneo, 330; Polibio, XXXIV, 8, 4; Schulten, *F.H.A.*, II, pp. 140-141. Equivalencia en pesetas de 1946.
10 Frontino, III, 5, 2.
11 Diodoro, XXXIII, 7, 1.
12 Appiano, *Iber.*, 75.

doleros que tenían su refugio en los montes[13], a las que hay que sumar las de tribus del Norte que en masa se lanzaban a empresas de pillaje.

La moral romana, que no se escandalizaba demasiado por las continuas malversaciones de los funcionarios que venían a la Península con cargos militares y administrativos, tomó siempre como pretexto para sus guerras este bandolerismo propio de sociedades bárbaras o simplemente primitivas[14]. Estrabón acusa directamente a los montañeses (que habitando un suelo pobre deseaban los bienes de los otros) como responsables del desequilibrio social de la Lusitania. Es cierto que hay otros textos históricos que parecen corroborar su punto de vista. Así, cuenta Dion Casio que en el monte Herminio, que debe corresponder a la actual sierra de la Estrella, vivía gran cantidad de lusitanos. César, entre el año 61 y el 60 a. de J.C., les ordenó que bajaran a vivir a las llanuras, pretextando que así no podrían dedicarse al bandidaje. No obedecieron los lusitanos, y se entabló la guerra. César los persiguió hasta el océano y los destruyó en la isla de Peniche, al parecer[15].

Pero hay derecho a pensar en la existencia de algo que no es precisamente el bandolerismo de una tribu o una ciudad, como el que encontramos en Levante, en el Sur (recuérdese el caso de Astapa) y más en la zona septentrional, sino un movimiento social para cuya comprensión podemos recurrir a textos relativos a épocas más antiguas que la de César.

Interpretación del llamado bandolerismo lusitano

Cuenta Diodoro que cuando los jóvenes lusitanos alcanzaban la edad viril y se encontraban en mala situación, si tenían vigor físico y denuedo, *se marcha-*

[13] *R.r.*, I, 16, 2.
[14] III, 3, 5 (154).
[15] Dion Casio, XXXVII, 52; Schulten, *F.H.A.*, V, p. 13.

ban a las montañas y allí formaban grupos que preparaban golpes de mano sobre las poblaciones pacíficas. Estas partidas se distinguían por su ligereza, y ligeramente se armaban. Hasta aquellos lugares recónditos no llegaban los ejércitos regulares y en ellos amontonaban las riquezas fruto de sus latrocinios [16].

La falta de propiedad territorial era uno de los móviles para lanzarse a semejante vida. El año 151 antes de Jesucristo fingió el pretor Servio Sulpicio Galba que se compadecía de un grupo considerable de lusitanos que se dedicaban al latrocinio, pues, decía con malicia feroz, era la esterilidad de sus campos lo que les impelía. Confiados ellos en que les iba a dar tierras, depusieron las armas y, cuando esperaban pacíficamente, hizo espantosa carnicería, de la que, por cierto, pudo escapar Viriato [17].

Lo de la esterilidad hay que interpretarlo, sin duda, en el sentido de que la parte rica estaba en manos de grandes propietarios, y lo que quedaba libre eran páramos y serranías. Varias veces surge la posibilidad de la paz mediante una repartición de tierras en tiempos de las guerras de Viriato. Cuando Vetilio era el general romano que dirigía las campañas, los luistanos la pretendieron alcanzar a cambio de que se los estableciera, pero Viriato los disuadió [18]. Muerto éste, Tautalo o Tautamo, su sucesor, se rindió a Cepión, que concedió a los guerreros que mandaba tierras suficientes para que no volvieran a sentir la tentación del bandolerismo [19].

Los historiadores españoles han protestado airadamente de que los escritores griegos y latinos llamen siempre bandolero a Viriato: dicen éstos, en efecto, con constancia de tópico, que de cazador y pastor pasó a bandolero y de aquí a general [20]. Aun un his-

16 Diodoro, V, 34.
17 Appiano, *Iber.*, 58-60.
18 Appiano, *Iber.*, 61.
19 Appiano, *Iber.*, 72; Diodoro, XXXIII, 1, 3.
20 Schulten, *F.H.A.*, IV, pp. 130-134, 327-331.

toriador tan tardío como Orosio le califica como
«*homo pastoralis et latro*», y añade que empezó como
salteador de caminos y terminó venciendo a pretores
y cónsules [21]. En parte, nuestros autores tienen razón,
pues exigir sobre las cosechas próximas, saquear a
los que se resistían a las exigencias [22], coger en rehenes a las mujeres e hijos de los notables de las ciudades cercadas, como hizo Viriato con los segovien-
ses [23], etc., eran costumbres que lo mismo caracterizaban a partidas de bandoleros, como decían los mismos
romanos, que eran los que luchaban contra ellos, que
a un ejército mandado por un cónsul.

Muchas veces los bárbaros mismos, al entablar
combate con los enemigos, lanzaban primero sus
ganados, para excitar su codicia y entretenerlos, estratagema que el prudente César en su lucha contra
ellos despreció [24]. Pero, de todas formas, entre el
bandolerismo de tribu, como el que hay en la parte
del Pirineo y el Cantábrico, y el bandolerismo surgido en Lusitania existen marcadas diferencias. El
primero es un acto de guerra de un estado, minúscu-
lo si se quiere, pero organizado, contra otro. El segundo es más bien un movimiento de rebeldía de
clases sociales desamparadas, la de los pastores y
cazadores de tierras fragosas, esclavos y mozos sin
fortuna, contra gentes pudientes.

Las guerras de Viriato tienen, en consecuencia, un
fondo social diferente al que tuvieron otras contiendas de zonas distintas: pero no fueron las primeras
ni las últimas motivadas por los mismos hechos políticos y económicos.

Ya el año 193 a. de J.C., C. Flaminio, en la España
citerior, hubo de luchar contra partidas de «bandoleros» [25], y aún en tiempos de César abundaban éstos

[21] V, 4, 1. Cfr. Livio, *per.*, 52.
[22] Appiano, *Iber.*, 64.
[23] Ps. Frontino, IV, 5, 22.
[24] Dion Casio, XXXVII, 52.
[25] Livio, XXXV, 7, 6.

en la Lusitania [26]: al decir de Plutarco, cuando Mario ejerció mando en la España ulterior (114-113 antes de Jesucristo), muchos de los iberos seguían creyendo que el bandolerismo era la ocupación más bella [27], a la que se prestaban maravillosamente ciertas regiones de paisaje misterioso y sombrío digno de un pintor romántico.

Grandes bosques había en las tierras interiores de Lusitania, como aquel en que murió Vetilio, el general romano que luchó contra Viriato [28]. A través de ellos y de las serranías y páramos existían caminos escondidos, conocidos por los «remontados», que iban de un punto a otro con gran rapidez, sobre sus ligeros caballos [29]. Aquí y allá se alzaba una pequeña fortaleza, protegiendo por lo general a una aldea minúscula. Salustio recuerda las aldeas y castillos (vicos castellaque) que incendió Metelo en sus poco afortunadas campañas del comienzo de la guerra contra Sertorio [30]. En un castillo de éstos, el de Becor, tenía refugio particular Viriato [31].

Para los rudos hombres que vivían del modo que describimos, la vejez era un mal y no apreciaban mucho a los que la habían alcanzado. Así, Viriato mismo cuando derrotó a Vetilio, no habiéndolo reconocido, lo mató, como hombre de ningún precio e importancia, pues estaba viejo y gordo [32].

Capitalismo y democracia

Diodoro alaba los apólogos compendiosos y las razones de sentido común que empleaba el mismo ca-

26 Dion Casio, XXXVII, 52.
27 «Mario», 6. Recientemente ha vuelto a reunir todos los materiales sobre el tema A. García Bellido, *Bandas y guerrillas en las luchas con Roma* (Madrid, 1945), 68 pp.
28 Appiano, *Iber.*, 63.
29 Appiano, *Iber.*, 62.
30 *Hist.*, I, 112; Schulten, *F.H.A.*, IV, pp. 174, 353.
31 Appiano, *Iber.*, 65.
32 Appiano, *Iber.*, 63.

becilla, y reconoce que el talento natural, no moldeado por maestros, puede alcanzar grandes resultados[33]. Sin embargo, esta verdad no impide que, a nuestros ojos, las costumbres de los lusitanos aparezcan con rasgos más bárbaros y repelentes que las de otros pueblos de los descritos hasta ahora. Hay en Lusitania una mezcla extraña del refinamiento que se halla en la Turdetania con una barbarie y crueldad que no es la común en aquella región y en otras peninsulares, y, por otro lado, muchos de los rasgos políticos y sociales que caracterizan su cultura son análogos a los de los celtíberos, etc. Estos rasgos recuerdan, por otra parte, a los de diferentes pueblos en su carácter. Así, hallamos entre los lusitanos la elección de jefes en asambleas populares y tumultuosas, armamento de tipo céltico, ritos funerarios y sacrificios que se parecen a los descritos por varios autores como propios de las poblacciones de las Galias y Britannia, aparte de peculiaridades lingüísticas de una gran importancia, no siendo de los datos menos importantes el de la existencia de unos *celtici* junto al Tajo.

Digamos primero algo sobre la elección popular, que determinaba quién había de ser el jefe en caso de guerra. Ninguno de los que conserva recuerdo la Historia es llamado régulo o rey. El año 156 debió sublevarse un grupo considerable de lusitanos, al mando de Púnico. Muerto éste, después de brillantes campañas en que, auxiliado por los vettones, llegó hasta el Sur, fue sucedido por otro jefe, Césaro. También se sublevaron por entonces unos lusitanos de «más allá del Tajo» y, a las órdenes de Cauceno, atacaron a los cuneos, tomando la ciudad de Conistorgis[34]. Luego vienen las grandes guerras de Viriato, que fue elegido como jefe en asamblea general de guerreros[35], y a la vez que Viriato ponía en mala

[33] XXXIII, 7, 5.
[34] Appiano, *Iber.*, 56-57.
[35] Appiano, *Iber.*, 61-62.

situación a los romanos surgían otros jefes, Curio y Apuleyo, que tuvieron peor fortuna [36]. Estos jefes repartían los alimentos entre los suyos, generalmente pan y carne, como lo hizo Viriato en sus bodas, ante el asombro de los refinados potentados de su país, acostumbrados a otras maneras [37], y a ellos se adscribían amigos fieles hasta la muerte, siguiendo la práctica de la *devotio*. Los más fieles a Viriato se decía que eran Audax, Ditalcón y Minuro, corrompidos, sin embargo, por Cepión [38], según dice Appiano; Diodoro sustituye a Minuro por Nicorontes, y dice que los tres eran de la ciudad de Ursón [39]. Pero otras fuentes coinciden con Appiano [40]. Muchos nombres de éstos es posible que se hallen corruptos en los textos griegos, pero en otros es fácil apreciar su celtismo: especialmente en el de «Viriato».

El guerrero lusitano

Hay una época en la que la demarcación entre los luistanos y los galaicos no estaba hecha del todo, y ello explica que ciertos autores parezcan hablar de unos y otros (e incluso de los montañeses del Cantábrico) como si fueran pueblos análogos. Sin embargo, en estos mismos autores, entre los cuales sobresale Estrabón, que, como es sabido, no dio los últimos toques a su gran obra geográfica, es posible marcar lo que corresponde claramente a los lusitanos y lo que se refiere a los «montañeses», galaicos, astures y cántabros, hasta los vascones del Pirineo occidental, que, aunque es lícito pensar que tenían entre sí ciertas diferencias étnicas, forman en conjunto un área cultural bastante homogénea que he estu-

---

[36] Appiano, *Iber.*, 68.
[37] Diodoro, XXXIII, 7, 1.
[38] Appiano, *Iber.*, 71.
[39] Diodoro, XXXIII, 21.
[40] *Pap. Oxyrh.*, 197.

diado con particular atención y a cuyo análisis se destina el capítulo que sigue. Refiriéndose concretamente aquel antiguo geógrafo a los lusitanos, dice que su armamento consistía en un escudo pequeño, de unos dos pies de diámetro, cóncavo por el lado exterior (como algunos que se ven en los vasos de Liria); escudo semejante iba sujeto con correas y no tenía asas ni abrazaderas. Sus corazas eran de lino, lo cual, desde un punto de vista etnológico, es de gran importancia, pues corresponde a un pueblo de agricultores fundamentalmente. Pocos llevaban cotas de malla. Como armas ofensivas hay que contar el puñal y la lanza, que a veces era de punta de bronce. Los cascos (y también los escudos) solían ser a veces tejidos de nervios, aunque no faltaba alguno que otro de tres cimeras. Los guerreros de a pie llevaban perneras y empuñaban varias jabalinas [41]. Diodoro añade que sus dardos tenían forma de anzuelo y que, a pesar de ser considerados como hombres de valor excepcional, eran menos resistentes que los celtíberos en los combates cuerpo a cuerpo [42]. Conservamos bastantes efigies pétreas de los guerreros lusitanos que debían colocarse en las sepulturas. Semejantes efigies no brillan por lo general, sin embargo, por lo logrado de su ejecución [43].

Llevaban también grandes cabelleras, que sacudían con fiereza al entrar en batalla, lanzando al mismo tiempo gritos salvajes y armando estrépito con las armas [44]. Su modo de luchar era así: formaban avalanchas que se dirigían contra el enemigo, sin guardar orden, y creyendo que el valor y el impulso personal podían triunfar sobre la táctica. Aún en tiempo de las guerras entre César y Pompeyo los soldados espa-

[41] III, 3, 6 (154).
[42] V, 35.
[43] P. Paris, en su *Essai...*, I, pp. 64-79, ya pudo hacer un estudio detallado acerca de ellos gracias a la infatigable laboriosidad de los arqueólogos portugueses, que hoy día sigue.
[44] Appiano, *Iber.*, 67.

ñoles seguían tal sistema, que el primero de estos dos grandes jefes afirma que influyó de manera perniciosa sobre ciertas tropas romanas enemigas suyas, ya que es cosa común que el soldado se deje influir por lo que ve en los países donde lucha [45]. Durante la paz, los lusitanos se ejercitaban en una danza ligerísima, y en los mismos combates, hasta llegar no muy lejos del enemigo, avanzaban a paso rítmico y cantando himnos guerreros, que los historiadores griegos equipararon al «pean» [46].

Las cifras que asignan los romanos a los ejércitos lusitanos parecen fabulosas. Dice Livio que en una batalla librada el año 189 a. de J.C. murieron 18.000, siendo hechos prisioneros 2.300 [47]. Esto nos hace ver que los partes de guerra siempre han mentido: no puede haber nunca tal desproporción entre muertos y prisioneros, pero es más fácil exagerar en lo que resulta incomprobable que en lo que hay persona que pueden controlar más o menos. Más razonable parece la cifra de 6.000 muertos que se da como los que tuvieron cerca de Asta peleando contra C. Atinio [48].

Cultos sangrientos, ritos funerales

Cuando se trataba de obtener una paz negociada, salían unos emisarios hacia el campo enemigo con ramos de olivo en la mano, como los que llevaban los enviados a Vetilio el año 147 a. de J.C. [49]. Práctica corriente durante la guerra era la de amputar la mano derecha de los prisioneros y consagrarla a los dioses.

Los cultos sangrientos entre ellos se hallaban muy

[45] B.c., I, 44.
[46] Diodoro, V, 34.
[47] Livio, XXXVII, 57.
[48] Livio, XXXIX, 21.
[49] Appiano, Iber., 61.

desarrollados. El mismo Estrabón dice que examinaban las vísceras sin separarlas del cuerpo y que del acto de tocar las venas del pecho sacaban adivinaciones [50]. Las vísceras de los prisioneros eran auscultadas una vez cubiertas con sagos, y de la caída de la víctima sacaban una primera predicción.

Para justificarse Galba de la pérfida matanza de los lusitanos que organizó siendo pretor, decía que la había hecho porque había descubierto que aquéllos, que se hallaban acampados junto a él, a pesar de haber inmolado un hombre y un caballo en señal de paz, querían atacarlo [51]. Parece, pues, que las paces se refrendaban mediante sacrificios semejantes. Muchos años después todavía seguían efectuándose con ocasiones varias en las zonas no romanizadas.

Habiéndose enterado Publio Craso, procónsul de la Ulterior en los años 96 al 94 a. de J.C., de que los bletonenses, es decir, los naturales de Bletisa en Lusitania (y no lejos de Salamanca), hacían sacrificios humanos en honor de sus dioses, llamó a sus jefes (ἄρχοντας) para castigarlos. Pero éstos demostraron que desconocían las leyes que prohibían tales sacrificios y Craso los dejó en libertad, prohibiéndoles que los volvieran a llevar a cabo [52]. Con motivo de la muerte de algún personaje, los sacrificios se multiplicaban, llevándose a cabo diversos actos de ostentación simultáneamente. Así, por ejemplo, sabemos que el cadáver de Viriato fue vestido con toda esplendidez y quemado en una pira enorme. Muchas víctimas fueron inmoladas mientras que los soldados celebraban simulados combates en derredor, cantando sus glorias. Cuando se extinguió el fuego tuvieron lugar combates singulares sobre su túmulo [53]. En ellos

[50] Estrabón, III, 3, 6 (154).
[51] Livio, per., 49.
[52] Plutarco, Quaest. rom., 83; Schulten, F.H.A., IV, páginas 152-153, 342.
[53] Appiano, Iber., 71.

dice Diodoro que intervinieron doscientas parejas de luchadores [54].

En cuanto a la estructura urbana y a las unidades sociales, se notan matices y diferencias sensibles con respecto a las regiones ya estudiadas. Que cada ciudad tenía unas autoridades o magistrados a la cabeza, ya se ha visto por el caso de Bletisa. Pero si en la región vettónica las casas dentro de los recintos amurallados no guardaban gran orden, las ciudades lusitanas eran aún más abigarradas e informes. Dos eran las más importantes, la actual Lisboa y Morón, rodeadas de campos fértiles y con un gran comercio fluvial [55]. Pero al sur del Duero los lugares excavados de mayor importancia para nuestro estudio son *castros* como el de Santa Olalla y necrópolis como la de Alcacer do Sal. En ambas localidades se observan influencias turdetanas y tartesias. Las casas no eran circulares, como veremos que eran las de los numerosos castros del norte de aquel río, sino rectangulares; la cerámica y el ajuar en general reflejan relaciones comerciales con fenicios, griegos y cartagineses [56]. Más al Sur, en la zona del Algarve y el Alemtejo bajo, la influencia tartesia se aprecia incluso en el sistema de escritura. Hay, en efecto, una serie de sepulturas en Ourique, Bensafrim, etc., en que las losas que forman la cista ostentan inscripciones que son parecidas a las andaluzas [57].

Los pueblos que las grabaron, sin embargo, parece que fueron los «cuneos» y «célticos» de los autores

[54] XXXIII, 21. Recordemos que entre las costumbres de los galos y las de los lusitanos hay en éste y otros aspectos analogías muy notables: los ritos mortuorios de los galos los describió ya César, *B.g.*, VI, 14, 19. Diodoro, V, 28, 6, y otros dan detalles, coincidentes con los arqueológicos. De sus sacrificios humanos también hablan: Diodoro, V, 31; etc.

[55] Estrabón, III, 3, 1 (152).

[56] Fueron publicados estos hallazgos por Estacio da Veiga en sus *Antiguedades monumentaes do Algarve*, IV (Lisboa, 1891).

[57] Parecen corresponder, a causa de la fecha que se puede dar a hallazgos contiguos, al período púnico.

clásicos, cuya capital era «Conistorgis». La sequedad y aridez de este extremo meridional y occidental de España, puestas de relieve por algunos autores a los que Estrabón, con su peculiar tendencia a la polémica, rebatió sin grandes pruebas [58], se hallan comprobadas por textos fidedignos y alusiones pasajeras. Sabemos que los habitantes de la ciudad Lacobriga, situada en el Algarve, cuando fueron sitiados por Metelo no contaban sino con un pozo de agua en el interior. Salvólos Sertorio de la muerte enviándoles 2.000 pellejos con agua por un camino montañoso en el que su viejo rival no podía atacarle [59].

La mezcla de capitalismo y miseria que hemos señalado, la real influencia de los invasores celtas sobre una masa oscura de gentes numerosas asentadas en el país desde épocas remotísimas, la falta de armonía en los elementos de la cultura son rasgos suficientes para caracterizar al pueblo lusitano con quien los soldados de Roma hubieron de luchar sin demasiada gloria.

Podemos decir de él que participa de ciertos rasgos de los pueblos del Sur, otros le son comunes con los de la meseta y, por último, muchos son semejantes a los de los del Norte. Hoy día mismo, Portugal, al español que está acostumbrado a las divisiones regionales de su patria, le desorienta un poco, porque ve convivir en aquella nación rasgos que él casi siempre ha visto desunidos al lado de bastantes que desconoce. Señalemos también, como particular de la Lusitania antigua, la existencia de la poligamia, atestiguada por una anécdota que se pone en boca de Viriato. Contó éste a los habitantes de la ciudad de Tuca que un hombre de edad regular tomó dos mujeres. La más joven, para que se semejara más a ella, le arrancaba las canas, mientras que la más vieja,

[58] XVII, 3, 10 (830) contra Posidonio, que señaló la sequedad del occidente de la Mauritania y de la parte que nos ocupa.
[59] Plutarco, *Sert.*, 13.

con el mismo fin, le arrancaba los cabellos negros, hasta que se quedó calvo. Lo mismo, según Viriato, les iba a pasar a los de la ciudad de Tuca, porque no se decidían ni en favor de los romanos ni en favor de los lusitanos, de suerte que quedarían arruinados [60].

[60] Diodoro, XXXIII, 7, 5.

9

LOS PUEBLOS DEL NORTE
DE LA PENINSULA

Pueblos del norte

Al tratar Estrabón de los pueblos del norte de la Península, dice que sus costumbres eran iguales y comprende entre ellos desde los galaicos hasta los vascones [1].

Los galaicos en la época romana fueron divididos en dos grandos grupos: los bracarenses, dependientes de Braga, y los lucensos, que dependían de Lugo y que ocupaban en bloque la actual Galicia, excep-

[1] En este capítulo se usa fundamentalmente de los datos y opiniones expuestas en J. Caro Baroja, *Los pueblos del norte de la península ibérica (análisis histórico-cultural)* (Madrid, 1943), 241 pp. Se parte allí también del texto de Estrabón, III, 3, 7 (156). Sobre los pueblos éstos, Bosch-Gimpera, *Etnología de la Península ibérica*, pp. 603-611. C. Sánchez Albornoz, «Divisiones tribales y administrativas del solar del reino de Asturias en la época romana, en *Boletín de la Real Academia de la Historia*, XCV (1929), pp. 315-395. Para ciertos puntos de interés etnológico fundamental he aprovechado la lectura del reciente libro de A. Schulten, *Los cántabros y astures y su guerra con Roma*, (Madrid, 1944). Como en muchos escritos de autores contemporáneos no se dedica el debido recuerdo a las investigaciones de los antiguos, quiero insistir en que ya hay una síntesis regular de la Geografía del N. en Flórez, *España Sagrada*, XXIV (ed. Madrid, 1804), pp. 5-16, 43-48, 61-62, 63-64 y en *La Cantabria*, del mismo (ed. Madrid, 1877), 205 pp. De Galicia se trata con especial cuidado en *España Sagrada*, XV (ed. Madrid, 1906), pp. 1-78, y de Asturias en XVI (ed. Madrid, 1905), pp. 1-19.

tuada la provincia moderna de Orense y el sur de Pontevedra[2]. Al este de los galaicos vivían los astures, que ocupaban una parte considerable de la provincia de León, la mayor parte de Asturias, desde la sierra de Rañadoiro por el Oeste hasta el valle del Sella por el Este, que pertenecía ya a los cántabros[3]. Estos poseían una extensión que va desde el Sella hasta las tierras de Laredo, Santoña y la sierra de Tarsia al Este, alcanzando por el Sur desde Amaya a las riberas del Cea[4].

Más al Oriente aún que los cántabros, hasta llegar a los vascones y el Pirineo, Ptolomeo cita tres pueblos: los autrigones con el extremo occidental de Vizcaya y Alava y parte septentrional de Burgos (hasta Briviesca)[5]; los caristios con la mayor parte de Vizcaya, desde el Nervión hasta el río Deva, en Guipúzcoa, y una porción septentrional y occidental de Alava[6], y los várdulos, asentados desde el Deva al Oeste, hasta las cercanías de San Sebastián al Este, y la llamada sierra de Cantabria en Alava, al Sur[7].

Con relación a los vascones, bastará decir aquí que este pueblo, que limitaba al Occidente con los várdulos, ocupaba una extensión muy parecida a la que tiene la actual provincia de Navarra, cogiendo además el extremo nordeste de Guipúzcoa (valle de Oyarzun y promontorio de Jaizquíbel), algo de Logroño y algo

---

[2] Bosch, op. cit., p. 499. Plinio, *N.H.*, III, 28.

[3] Ptolomeo, II, 6, 6 (costas); II, 6, 28-37 (ciudades); Plinio, *N.H.*, III, 28.

[4] Ptolomeo, II, 6, 6 (costas), II, 6, 50 (ciudades), es la base más segura de la delimitación que seguimos; hay que notar, sin embargo, que a veces se halla en desacuerdo con Estrabón.

[5] Ptolomeo, II, 6, 7 (costas); II, 6, 52 (ciudades); Plinio, *N.H.*, III, 27.

[6] Ptolomeo, II, 6, 8 (costas); II, 6, 64 (ciudades); Plinio, *N.H.*, nombra a los «carietes».

[7] Ptolomeo, II, 6, 9 (costas); II, 6, 65 (ciudades); diferencias y comprobaciones en Estrabón, III, 4, 12 (162); Mela, III, 15; Plinio, *N.H.*, 26, 27.

también de las de Zaragoza y Huesca, con Jaca y Egea inclusive [8].

En otra parte he procurado demostrar cumplidamente que Estrabón no cometió ninguna ligereza al decir que todos estos pueblos vivían de modo análogo, aunque hubiera, como es lógico, sus matices y diferencias entre ellos.

Vida económica

He aquí ahora una paráfrasis de lo que aquél dijo, a la que se han añadido algunos datos sacados de autores diferentes y ciertos comentarios personales.

La colección de frutos naturales es una de las formas más primitivas de la vida económica, y los cántabros, así como los demás pueblos del Norte, basaban su existencia en ella. Durante las dos terceras partes del año usaban como alimento fundamental de la bellota, que secaban primero, triturándola después: a tal operación seguía la molienda, y con la harina que resultaba hacían un pan que se conservaba durante largo tiempo [9]. Pero al lado de lo que producían los frutos naturales hay que contar con la agricultura, que en aquellos latitudes tenía un carácter muy diferente al que pudiera tener en el Sur o entre los vacceos, por ejemplo.

Refiriéndose a los galaicos en particular, dice Justino [10], en su resumen de la amplia historia de Trogo Pompeyo, que entre ellos eran las mujeres las que se ocupaban de los trabajos agrícolas, mientras que los hombres no se cuidaban sino de la guerra y latrocinios, hecho que también indica Silio Itálico [11]

8 Ptolomeo, II, 6, 10 (costas); II, 6, 66 (ciudades); Estrabón, III, 4, 10 (161); Plinio, *N.H.*, III, 24.
9 Estrabón, III, 3, 7 (155).
10 XLIV, 3, 7.
11 III, 349-353.

y que Estrabón refiere fundamentalmente a los cántabros [12].

Esto revela un sistema de cultivo muy rudimentario, pues sabido es que ya en aquellos grupos étnicos que se dedican a la horticultura intensiva son los hombres los que trabajan, sobre todo, el campo.

Tenemos derecho a pensar que las tierras cultivadas en época prerromana serían de pequeña extensión y que sacarían de ellas algo de cebada, que se consumiría en fabricar cerveza en gran parte [13], de algunas especies de trigo muy primitivas y de lino [14].

Ahora podemos explicarnos muy bien las incursiones de los cántabros y astures a los territorios del Sur, de los vacceos, donde el colectivismo había producido gran desarrollo de la agricultura. Cuando fueron dominados por los romanos, éstos intentaron cambiar su sistema de vida, haciendo que los hombres intervinieran en los trabajos del campo y en la minería, ordenándoles bajar de las alturas en que vivían a las llanuras [15].

Aunque muchos autores han insistido en que el pastoreo tenía gran importancia entre estos pueblos, creo que en ello se ha exagerado. La carne de cabra era alimento importante [16], así como la grasa y la carne de cerdo [17]; pero ni el cerdo ni la cabra son animales de pueblos ganaderos fundamentalmente, sino que aparecen entre agricultores primitivos con gran frecuencia. La caza tampoco parece que tuviera una importancia económica positiva fundamental, lo cual no quiere decir que dejara de tenerla desde otros puntos de vista, como ejercicio viril en los períodos de paz, como medida de protección, etc.

[12] III, 4, 17 (165).
[13] Estrabón, III, 3, 7 (15).
[14] Estrabón, III, 4, 18 (165).
[15] Floro, II, XXXII (IIII, 12, 59-60).
[16] Estrabón, III, 3, 7 (155); III, 4, 11 (162).
[17] Estrabón, III, 3, 7 (155).

Estructura familiar: el derecho materno

Dentro de tal régimen se explican muy bien las referencias a normas de derecho materno que contienen Estrabón mismo y otros autores, que fueron comentadas ya por los primeros que estudiaron la cuestión general del «Matriarcado» [18]. Dice el geógrafo de Amasia, en efecto, que entre los cántabros el hombre dotaba a la mujer, las hijas heredaban y eran las que daban mujer a sus hermanos. Todo esto —añade— producía una especie de «ginecocracia» no demasiado civilizada [19].

Es muy probable que entre los galaicos, etc., existiera un régimen familiar parecido: en una novela griega de Antonio Diógenes titulada *Las cosas increíbles que se ven más allá de Thule*, novela de viajes de la que hizo un extracto el patriarca Focio, se dice que en el país de los artabros, situado en el extremo noroeste de la Galicia actual, las mujeres iban a la guerra, mientras que los hombres se quedaban en casa [20]. Leyendas semejantes se relacionan con frecuencia con la vigencia del derecho materno en alguna de sus formas.

El sistema que presenta Estrabón parece, a primera vista, uno de los más exageradamente matriarcales que pueden conocerse, comparable al de los khasī de Assam, los iroqueses y los *pueblos*, entre los cuales no sólo la herencia y la constitución de la familia se rigen matrilinealmente, sino que también la mujer

[18] Bachofen, *Urreligion und antike Symbole. Sistematisch angeordnete Auswahl aus seinen Werken in drei Banden*. *Herausgegeben von Carl Albrecht Bernouilli*, II (Leipzig, 1926), pp. 504-518 et passim.
[19] III, 4, 18 (165), a la que hay que oponer el derecho tiránico del «pater familias» entre los galos, atestiguado, por ejemplo, en César.
[20] Focio, *Biblioth.*, Co. 166, p. 110 (ed. Bekker); Rohde, *Der Griechischen Roman und seiner Vorlaüfer* (2ª ed., Leipzig, 1900), pp. 284-285.

es la propietaria, a diferencia de otros pueblos llamados matriarcales, en los que la residencia matrilocal supone preponderancia de la familia de la mujer, más que dominio de ésta misma [21], preponderancia que tiene su expresión más típica en la vigencia del «avunculado», es decir, la autoridad del tío materno en la organización familiar, que aparece en forma de vestigios en pueblos patriarcales de la Antigüedad [22]. En la región cantábrica notó Schulten que hay alguna que otra lápida de época romana en que la dedicación al «avunculus» puede ser interpretada como prueba de su importancia [23]. Pero es en Asturias y León donde abundan más [24]: acaso esto indique cierta diferenciación o evolución diversa de las instituciones matriarcales en una y otra zona.

Es interesante recordar ahora cómo el padre Schmidt dibujó el desarrollo del derecho materno en su relación con la propiedad, dentro del llamado «ciclo matriarcal-agrícola» en sus límites máximos, de manera tal que cabe decir que ha llegado a una postura neoevolucionaria [25].

Señala como fase más primitiva en el ciclo aquella que se observa en ciertos pueblos en que la mujer, cultivadora de la tierra y perteneciente a un grupo o unidad social, contrae matrimonio con un hombre de otro, sin que éste vaya a vivir de un modo permanente a la mansión de la mujer, sino que se queda en la de sus propios padres. Este «matrimonio de visita» en que el padre es un extraño, existe en el sudeste de Asia e islas adyacentes, y entre los iroque-

[21] P. R. T. Gurdon, *The Khasis* (Londres, 1907), pp. 66, 76, etcétera; A.-A. Goldenweiser, «On Iroquois Work», en *Summary Report of the Geological Survey. Canada* (1921), pp. 460-475; A. L. Kroeber, «Zuñi Kin and Clan», en *Anthropological Papers of the American Museum of Natural History*, XVIII (1917), pp. 39-205.
[22] Como, por ejemplo, los germanos.
[23] *Los cántabros y astures...*, pp. 42-43.
[24] *Los cántabros y astures...*, pp. 90-91.
[25] Reseña de un libro de Thurnwald en *American Anthropologist*, XXXVIII (1936), pp. 671-672.

ses e indios «seris» de Norteamérica. Cuando el hombre considera la importancia económica de la mujer de manera precisa, empieza a abandonar la residencia de sus padres y grupo y vive en el de la mujer, que es la transmisora de los derechos de propiedad. Esta forma de derecho materno es la clásica, la que verdaderamente se puede denominar «matriarcal»: se halla en áreas mayores que la anterior y a veces se entronca con ella.

En una tercera fase las instituciones matriarcales empiezan a desvirtuarse por el papel creciente de los parientes de la mujer en la vida. En ella es cuando el tío materno ejerce sus derechos adquiridos con gran fuerza. A veces también sus hijos son los que tienen derecho a la herencia, de suerte que ya no es la mujer, sino la familia de ésta, la dominadora desde el punto de vista económico. El área de extensión de esta forma es más pequeña que la de la anterior.

Y, por último, señala Schmidt una fase en la que los grupos paternos y el marido ejercen una influencia considerable y variadísima para llegar a adquirir la importancia social y económica que tienen en otras culturas. Una de las instituciones que se hallan en esta fase final es la del «matrimonio de servidumbre», en que el hombre pasa a ser amo y señor, previo un período de servicio en casa de su mujer [26].

La autoridad paterna no es inconciliable con todas estas normas jurídicas, sobre todo tratándose de problemas morales. Tal autoridad, en lo referente a los cántabros, está atestiguada por una anécdota contada por Estrabón mismo, según la cual, en la guerra en que fueron vencidos por Augusto, un padre ordenó a su hijo que diera muerte a su madre, her-

---

[26] «The position of women with regard to property in primitivo Society», en *American Anthropologist*, XXXVII (1935), pp. 244-256 (249-255 especialmente).

manos y hermanas, prefiriendo esto a que cayeran prisioneros [27].

Pero hay algo que en sí mismo acaso sea más significativo para el que estudia la herencia paterna: la costumbre de la «covada», interpretada de diversos modos, pero que sin duda tiene alguna relación con una serie de creencias ligadas con la estructura de la familia en un momento dado: que el hombre, cuando su mujer da a luz, cumpla una serie de preceptos (que se acueste con el recién nacido, por ejemplo, como debía ocurrir entre los cántabros [28]), está destinado a hacer resaltar sus relaciones y derechos. La afirmación de que todos los montañeses del Norte se casaban al modo de los griegos [29] resulta enigmática. Personalmente creo que se refiere a ciertos ritos nupciales, aunque Schulten sostiene que esto quiere decir que se casaban con una sola mujer [30].

Jerarquías y divinidades tribuales

La existencia de unidades sociales mayor que la familia, basadas en la idea de un supuesto parentesco, está ampliamente documentada. Dice Estrabón que los montañeses también en general, cuando obtenían cierta cantidad de vino, lo consumían pronto en común, reunidos todos los parientes [31]. Pero ¿cómo establecían su συγγένεια, la pertenencia a la misma *gens*? Los datos recogidos sobre la herencia matrilineal y el matrilocalismo nos hacen pensar que eran uterinos; la práctica de la covada nos hace mantener la

[27] III, 4, 17 (164).
[28] Estrabón, III, 4, 17 (165): señalan los antiguos esta costumbre entre los tibarenios del Asia Menor (Apolonio de Rodas, *Arg.*, II, 1099-1015) y los corsos (Diodoro, V, 14, 2). Discusión en *Los pueblos del norte...*, pp. 171-181.
[29] III, 3, 7 (155).
[30] *Los cántabros y astures...*, pp. 42-43, hace observaciones un tanto abstractas sobre el «matriarcado» cántabro.
[31] III, 3, 7 (155).

duda en este punto. Acaso ya en la época en que se recogieron las referidas informaciones todos estos pueblos estuvieran en un momento de tránsito o evolución diversa, como se dijo.

Respecto a las jerarquías en estos pueblos, sabemos que comían sentados en bancos adheridos a los muros de las casas, en círculo alrededor de la comida y pasándosela unos a otros, ocupando los puestos según la edad y dignidad [32]. De aquí se puede deducir que la edad era respetada y que un consejo de ancianos tuviera autoridad máxima en las deliberaciones, aun cuando en otras actividades pudiera adquirirse la dignidad por valor, inteligencia, etc. A pesar de esto, parece que había muchos viejos, especialmente en Cantabria, que cuando percibían que ya no eran válidos para la guerra se envenenaban, como cuenta Silio Itálico [33]. La interpretación de Schulten, que en este texto ve reflejo de la bárbara costumbre, existente entre algunos pueblos primitivos, de abandonar o matar a los viejos, me parece en contradicción con los textos más explícitos y con el mismo espíritu que da Silio al acto descrito por él [34].

Con respecto a la territorialidad de ciertas unidades sociales basadas en el parentesco, hay un dato muy significativo. A los condenados a muerte, todos los montañeses tenían la costumbre de precipitarlos de una peña abajo, y a los parricidas los apedreaban fuera de los límites [35]. Esto indica que había un territorio que se consideraba propio de la gente de la misma parentela. Pero ¿hasta dónde llegaba la noción de ésta?

Para los antiguos, en ocasiones, los cántabros, los astures, los várdulos o los vascones son una *gens* [36].

[32] III, 3, 7 (155).
[33] I, 226-227.
[34] *Los cántabros y astures...*, p. 44.
[35] III, 3, 7 (155).
[36] Floro, II, 33, IIII, 12, 46; C.I.L., II. 4.192, 4.233, 4.240; Mela, III, 15; Prudencio, *Peristeph.*, 94, I.

13

Pero en otras se habla de «gentes» distintas dentro de estas grandes divisiones, lo cual hace que desconfiemos del valor que pueda darse a aquella palabra latina. Es preferible que empleemos el término, ya usado antes, de «unidad social» para aclarar el hecho de que dentro de cada una de las grandes había otras menores, y aun dentro de estas menores otras, como lo expresa el esquema adjunto:

3) «desonci»

2) «zoelae»

1) «astures»

de mayor a menor [37].

Para establecer esta división tripartita se puede usar de los textos clásicos y de los monumentos epigráficos, quedando muy bien precisada, entre los astures [38], los cántabros y los galaicos [39]. Schulten ha dado un catálogo provisional de las «tribus», «clanes» y «ciudades» de los dos primeros, pero acaso se preste a confusión, por haberse seguido en él un criterio exclusivamente formalista [40]. Podemos decir, sin embargo, que las ciudades en muchas ocasiones representan la capitalidad de una unidad social de las de segunda categoría: «Concana» es la de los «concani» y «Orgenomeskon» la de los «orgenomesci» [41]. En cambio, la unidad de tercera categoría con frecuencia se halla expresada por el signo de la «centuria» en los epígrafes [42], y al frente de ella puede ir un jefe al que en latín se llamaba *princeps* [43]. La población del Norte por estas épocas no era tan abundante como lo ha sido después. Los astures libres, según datos

[37] C.I.L., II, 2.633, lámina metálica de Astorga con un pacto de hospitalidad del año 27 después de Jesucristo, ampliado el 152.
[38] C.I.L., II, 5.729.
[39] Análisis en *Los pueblos del norte...*, pp. 56-64.
[40] *Los cántabros y astures...*, pp. 53-71.
[41] Ptolomeo, II, 6, 50; Plinio, *N.H.*, IV, 111; Mela, III, 15; Horacio, *Carm.*, III, 3, 44; Silio Itálico, III, 361.
[42] Sobre esto volveremos a tratar en el capítulo que sigue.
[43] Con el signo C ó ☉, véase el capítulo que sigue.

que da Plinio, eran en total unos 240.000, es decir, unos 10 habitantes por kilómetro cuadrado [44]. Los galaicos bracarenses eran 285.000 y los lucenses 166.000, lo cual da una proporción menor de 8 habitantes por kilómetro cuadrado [45]. De los pueblos de más al Este no hay datos análogos, como tampoco otra clase de noticias individuales.

Poblados

Podemos saber cómo eran las casas de algunos de estos montañeses por lo que queda de varios poblados contemporáneos a los testimonios de Estrabón. Al Occidente abundan de manera que sorprende los llamados castros. Entre ellos acaso uno de los más característicos sea el de Coaña, a seis kilómetros de Navia, al oeste de Asturias, explorado por los señores A. García y Bellido y J. Uría Riu (fig. 45).

Las casas son de diversas clases de plantas: las más abundantes, circulares. Los muros de ellas no

[44] *N.H.*, 28: «Iunguntur iis Asturum XXII populi divisi in Augustanos et Transmontanos, Asturica urbe magnifica; in his sunt Gigurri, *Pescii*, Lancienses, Zoelae. numerus omnis multitudinis ad CCXL liberorum capitum.»

[45] Plinio, *N.H.*, 28: «Lucensis conventus populorum est XV, praeter Celticos et Lemavos ignobilium ac barbarae appellationis sed liberorum capitum ferme CLXVI. Simili modo Bracarum XXIV civitates CCLXXXV...» El ritmo en el aumento de la población, desde la época de Plinio a fines de la Edad Media no debió ser muy acelerado. En 1422, la comarca portuguesa del Miño, con 262 leguas cuadradas de superficie, tenía 22.256 fuegos y 89.024 habitantes. En 1527, 55.066 fuegos y 275.330 habitantes. Tras-os-Montes, con 337 leguas cuadradas; en 1422 tenía 21.446 fuegos y 85.784 habitantes, y en 1527, 35.616 fuegos con 142.464 habitantes. En conjunto, la población de Portugal, de una fecha o otra había aumentado en un 20 por 100. Mas si sumamos las cifras del siglo XVI (174-808) a algunas que había que añadir de Galicia, muy difícilmente llegaríamos a las 285.000 cabezas libres que asigna Plinio al convento jurídico de Braga. Los datos anteriores sobre épocas modernas o medievales se toman de J. P. Oliveira Martins, *Projecto de lei de fomento rural* (Lisboa, 1887), pp. 29-30.

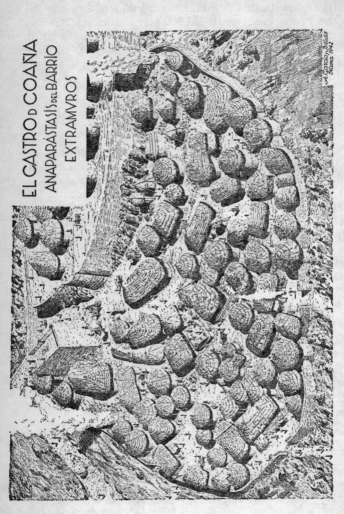

EL CASTRO D COAÑA
ANAPARÁSTASIS DEL BARRIO
EXTRAMVROS

Fig. 45. Reconstrucción ideal del barrio extramuros del castro de Coaña, según García y Bellido.

tienen más de sesenta centímetros de grosor y son de lajas de pizarra, alcanzando una altura de 4,50 metros en ocasiones. Se reparten sin orden ni concierto en un recinto convenientemente defendido. Viviendas semejantes, que suelen tener un pequeño vestíbulo a la entrada, estaban probablemente cubiertas de paja, a la manera de las que en la actualidad hay habitadas en las montañas de Asturias, León y Orense en una área aproximada, que luego se estudiarán [46].

Características análogas ofrecen los castros de Pendia (fig. 46), La Escrita, Las Mazas, Illano, etc., entre el Eo y el Navia, en lo que se refiere a las plantas. En el de Coaña se hallaron objetos de importación romanos de la época imperial, alguno del siglo III, pero la mayoría del I. Y es curioso señalar que, de un examen detenido de lo encontrado en él, parece que pueden sacarse consecuencias que apoyan lo dicho por Estrabón. Así, por ejemplo, la abundancia de piedras de no gran tamaño dentro de las casas debe estar en relación con el uso de recipientes de madera en los que, como actualmente ocurre en la zona vasca, se cocería la leche con ellas puestas al rojo. Estrabón, en efecto, nos habla de tales recipientes, que señala como de uso común entre los celtas, y de las piedras al rojo afirma que las usaban los habitantes de la zona del Duero [47]. De los bancos colocados alrededor de los muros, también quedan vestigios en las construcciones de Coaña, etc.

Algún castro más hay en la parte cantábrica, pero con relación a las casas de regiones más orientales

---

[46] A. García Bellido, «El castro de Coaña (Asturias); nuevas aportaciones» en *Archivo Español de Arqueología*, 48 (1942), pp. 216-244; del mismo, «El castro de Pendia», en el mismo *Archivo...*, 49 (1942), pp. 288-307. Una relación estrecha con la cultura de los castros parece haber tenido la que se desarrolló en las «citanias» galaico-portuguesas, sobre las que se habla en la nota 48.

[47] III, 3, 7 (155); III, 3, 6 (154).

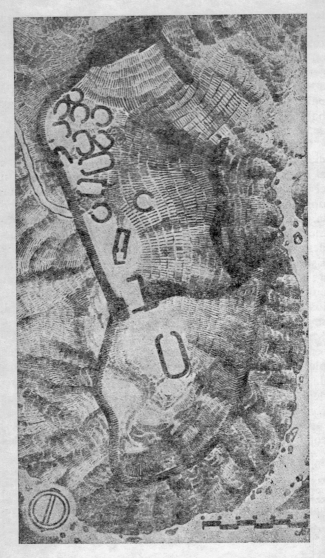

Fig. 46. Plano del castro de Pendia, según García y Bellido.

no cabe decir gran cosa desde el punto de vista arqueológico [48].

Hay un texto de Vitruvio, sin embargo, en el que al hacerse la descripción teórica de la evolución de los conocimientos arquitectónicos, se da cuenta de cómo eran las casas rústicas de gran parte de la Península y de la Francia actual, y que hay que considerar parcialmente referible a aquéllas dado que, de haber semejanza entre las construcciones de ambos países, ésta no podría buscarse en los territorios extremos y opuestos de ellos, sino en los colindantes. Dice, en efecto, que pasada la fase en que los hombres construyeron chozas o cabañas al modo como lo hacen ciertos animales, la emulación les obligó a progresar, y así, unos comenzaron a edificar casas con maderas verticales y ramas entretejidas a las que se cubría de barro; otros hacían las paredes con trozos de barro seco, es decir, adobes y maderos entramados, y fabricaban los techos con cañas, ramas y hojarasca. Como este sistema de techar era inseguro, se empezó a hacer casas con el tejado con vertientes y con conducciones para el agua. Todo esto —concluye Vitruvio— se puede deducir teniendo en cuenta que en países que no han llegado a alcanzar la ciencia arquitectónica de los romanos y de sus maestros los griegos, tales como la Galia e Hispania, Lusitania y

[48] Los arqueólogos gallegos señalan una «cultura de los castros», claramente diferenciada en su país y Portugal, sobre la que puede verse F. López Cuevillas, «A área xeográfica da cultura dos castros...», en *Homenagem a Martins Sarmento...*, pp. 99-107. Desde que Martins Sarmento las exploró adquirieron singular renombre las ruinas de Briteiros, sobre las que hay un excelente estudio de M. Cardozo, *Citania de Briteiros. Algunos aspectos etnográficos e sociais da nossa proto-historia* (Guimaraes, 1939), 72 pp. Sobre la palabra «citania», M. Cardozo, «A origem da palabra «citania» comentada por Martins Sarmento, Leite de Vasconcelos e Adolfo Coelho», tirada aparte de *Petrus Nonius*, V, 1-2 (Lisboa, 1945). En Galicia, desde que I. Calvo publicó sus «Exploraciones arqueológicas. Citanias gallegas», en *Revista de Archivos, Bibliotecas y Museos*, XXXI (1914), pp. 63-77, se han multiplicado los estudios.

Aquitania, hay casas semejantes hechas de tabla o paja [49]. Las casas con tejado de vertiente a dos aguas y planta rectangular se pueden reconstruir teniendo presentes ejemplares más modernos y las estelas encontradas en Poza de la Sal (Burgos), en territorio cántabro o autrigón, por Martínez Santa-Olalla, que las reputa de tipo céltico [50]. Existe gran discusión sobre si las de planta circular son celtas o no [51]. Pero no hay modo de salir de ella de manera airosa, puesto que durante la Edad del Hierro se hicieron casas circulares y rectangulares en diversas partes del centro de Europa, y ya notó Schumacher que, en esencia, no tienen rasgos distintos de las del Neolítico [52].

Usos y costumbres diversos

En punto a vestidos, Estrabón señala el uso de sayos negros como generalizado en el Norte, sayos que también servían para cubrirse al reposar sobre los lechos que se disponían en el suelo con hierba,

[49] *De arch.*, II, 1, 4 (34).

[50] «Monumentos funerarios célticos. As «pedras fermosas» e as estelas em forma de casa», en *Homenagem a Martins Sarmento*, pp. 226-235; del mismo, «Las estelas funerarias en forma de casa en España», en *Investigación y Progreso*, VI (1932), pp. 148-150.

[51] Bosch-Gimpera, «Los celtas en Portugal y sus caminos», en *Homenagem a Martins Sarmento*, p. 69, afirma su celtismo. Mendes Correa, *Os povos primitivos da Lusitania* (Oporto, 1924), p. 301, lo discutió ya. Hay que notar que vestigios, aunque no sean abundantes, de casas circulares, hay en otras zonas de España, como el descrito por B. Taracena, «Una cabaña circular en Vinuesa (Soria)», en *Archivo Español de Arqueología*, 44 (1941), pp. 447-449.

[52] Véase cap. II. En la parte cantábrica los hallazgos son imprecisos y es muy probable que en los castros allí descubiertos las mansiones fueran en parte considerable de sustancias vegetales. Sobre estos castros, A. Schulten, «Castros prerromanos de la región cantábrica», en *Archivo Español de Arqueología*, 46 (1942), pp. 1-16. Ya en 1920 se habló de el del Monte Bernorio, J. Cabré, «Acrópoli y necrópoli cántabras, de los celtas berones, del monte Bernario», en *Arte español*, V, 1 (1920), pp. 1-30, vuelto a explorar recientemente por J. San Valero.

paja u hojarasca [53]. Las mujeres vestían con tejidos hechos de sustancias vegetales [54]. Respecto al peinado, afirma que los hombres llevaban el pelo largo y flotante, aun cuando para combatir se ciñeran la

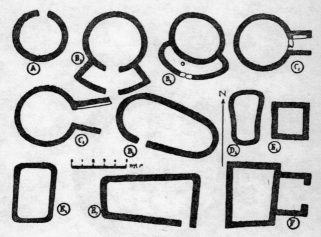

Fig. 47. Tipos principales de plantas castrenses: A, B₁, C₁, C₂, E₃, Coaña; B₂, Troña; D₁, Borneiro; D₂, Belinho; E₁ y S, San Cibrán das Lás; E, Baroña, y F, Briteiros, según F. López Cuevillas.

frente con una banda [55]. Séneca nos proporciona dos datos curiosos cuando, refiriéndose a los corsos, dice que tienen el mismo modo de cubrirse la cabeza, el mismo calzado y hasta algunas palabras iguales que los cántabros [56]. Podemos pensar que el calzado sería semejante a las «abarcas» que aún hoy día se usan en el Norte y centro.

[53] III, 3, 7 (155).
[54] III, 3, 7 (155) parece que el texto está viciado.
[55] III, 3, 7 (155). El lino y los tejidos de los «zoelas» era estimado en Italia en la época de Plinio, *N.H.*, XIX, 2, 4.
[56] *Cons. ad Helviam*, VII, 9.

El uso de los orines para limpiarse la boca, que Estrabón atribuye a los cántabros y a sus vecinos, no era exclusivo de ellos [57]. Probablemente se extendía por toda la Celtiberia [58]. Algunos textos revelan

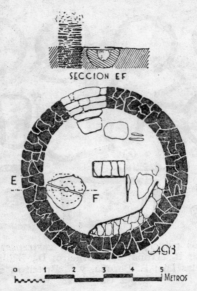

SECCION EF

Fig. 48. Planta de una de las casas circulares del castro asturiano de Pendia, según García y Bellido (nótese el banco de piedra adosado al muro).

conocimiento bastante profundo de las propiedades tóxicas y medicinales de las plantas: hablan de una planta parecida al perejil o al apio, con la que se hacía un veneno activo [59]. Floro afirma que los cán-

[57] III, 4, 16 (164).
[58] Véase nota 117 del capítulo VII.
[59] III, 4, 18 (165).

tabros hacían veneno del tejo, veneno que empleaban para suicidarse en caso de derrota [60].

A los enfermos los sacaban a los caminos para que los viandantes los observaran y, si habían experimentado mal parecido y curado del mismo, dieran el remedio: costumbre que se señala también como propia de los antiguos asirios [61].

Con respecto a ciertas actividades del espíritu, puede considerarse seguro que los montañeses tenían una poesía épica bastante desarrollada. Cuenta Estrabón que los cántabros entonaban en la cruz cantos de victoria, lo cual nos hace pensar en composiciones transmitidas por tradición oral, declamadas en las ocasiones solemnes por una especie de bardos [62].

Religión

Una de las diversiones favoritas de los pueblos del Norte era la danza [63]. Después de beber o durante la bebida bailaban al son de la flauta y trompeta todos juntos un baile que consistía en agacharse y luego saltar [64]. Al lado de esta danza de puro solaz, sabemos que entre los celtíberos y sus vecinos hacia el septentrión, en las noches de plenilunio se celebraban grandes danzas en que intervenían todos los habitantes de un poblado, danzas religiosas en honor de un dios innominado que era, sin duda, la Luna misma [65], cuyo nombre no se podía pronunciar y que en vascuence actual, por ejemplo, tiene varios que, según parece, proceden de un tabú de vocabulario [66].

[60] *Epit.*, II, 33 (III, 12, 50).
[61] III, 3, 7 (155); sobre los asirios, Herodoto, I, 197.
[62] III, 4, 18 (165).
[63] Silio, III, 3, 7 (155).
[64] Estrabón, III, 3, 7 (155).
[65] Estrabón, II, 4, 16 (164).
[66] C. C. Uhlenbeck, «Quelques observations sur le mot illargui», en *Homenaje a D. Carmelo de Echegaray* (San Sebastián, 1928), pp. 557-560.

Acaso la abundancia de tabús en este aspecto llevara a algunos a afirmar que los galaicos eran ateos[67], puesto que resultaba imposible sacarles informaciones precisas respecto a sus creencias religiosas.

Pero otros textos indican que bastantes noticias fueron obtenidas por la contemplación directa de ritos. Como generalizada en el Norte y acaso también entre los lusitanos, hay que considerar la creencia en un dios parecido en algún aspecto a Ares o Marte, dios al que se sacrificaban machos cabríos, caballos e incluso hombres, haciéndose matanzas de gran cantidad de estas clases de víctimas en determinados momentos. Se celebraban también, con motivo de fiestas religiosas, juegos gímnicos, hoplíticos e hípicos en que los hombres se ejercitaban en el pugilato y carrera, simulando batallas[68].

Se puede llegar a la conclusión de que el sacrificio de caballos al dios equivalente a Ares iba acompañado de la bebida de la sangre de los animales[69]. En los monumentos epigráficos de época romana cabe hacer una gran colecta de nombres de divinidades particulares del Norte que reflejan un desarrollo considerable del Animismo y Politeísmo, aunque de ellas poco más que el nombre puede saberse.

La facilidad con que los romanos aceptaban estas divinidades hizo que aparezcan asociadas a algunas suyas[70]. En época romana también, algunos montañeses que como soldados sirvieron en tierras del Imperio muy lejanas a la suya, divinizaron a su propia tribu o unidad. En la región del Danubio ha aparecido, por ejemplo, una inscripción en honor de la diosa «Cantabria»[71].

La creencia en la eficacia de los agüeros se hallaba

[67]   Estrabón, III, 4, 16 (164).
[68]   Véase nota 63.
[69]   Horacio, *Carm.*, III, 4, 34.
[70]   «Lovi Candamio», C.I.L., II, 2.695; «Invicto Deo Austo», C.I.L., II, 5.728 en el puerto de Candanedo y en San Juan de Isla (Asturias).
[71]   Schulten, *Los cántabros y astures...*, p. 44.

muy extendida desde Galicia al Pirineo. Los galaicos eran muy hábiles en sacarlos del vuelo de las aves [72], los vascones tenían gran fama de agoreros [73] y en las montañas de León correspondientes a los cántabros tamáricos aun los romanos veneraron a unas fuentes intermitentes de las que se sacaban presagios [74].

En algunos pequeños lagos de la cordillera debía de celebrarse un culto especial, uno de cuyos ritos consistía en arrojar hachas a las ondas: cuenta Suetonio que estando Galba en España de propretor cayó un rayo en cierto lago cantábrico y en él se hallaron después doce hachas, lo cual fue considerado como augurio [75].

La asociación de las hachas de piedra o de metal con las exhalaciones es muy corriente aún hoy día en el Norte, como también lo era entre los germanos: recuérdese que hacha y rayo se creía que eran envío del dios celeste, como lo reflejan los nombres de «Donnerkeile» y «malleos joviales» [76] y que ya en la Edad del Bronce se hallaba extendido el culto al hacha.

Armas y técnica

El armamento y manera de luchar de los pueblos del Norte sufría variaciones locales sin duda alguna.

El dardo era el arma más importante de los cántabros, pero no sabemos bien cómo estaba construido [77]. Usaban éstos también de escudos pequeños y redondos, el puñal y la espada corta, la *falcata*, lan-

---

[72] Silio Itálico, III, 344.
[73] *Script. Hist. Aug.* («Alex. Sev.», 27, 6).
[74] Plinio, *N.H.*, XXXI, 23-24.
[75] Suetonio, *Galba* (VII, 12): «Nec multo post in Cantabriae lacum fulmen decidit, repertaeque sunt duodecim secures, haud ambiguum summi Imperii signum».
[76] J. A. Mac Culloch, *The Mythology of all Races*, II («Eddic») (Boston, 1930), pp. 78-80.
[77] Schulten, *Los cántabros y astures...*, p. 45.

zas de estoque, hondas y el hacha *bipennis*[78], que aparece en las monedas del triunfo de Carisio sobre ellos[79] y con la que Silio describe luchando al cántabro Larus[80]. Esta hacha falta en el resto de la Península[81]. Para cubrirse la cabeza usarían de cascos de cuero y una especie de casco corintio con un adorno particular en forma de media luna[82]. Practicaban la guerra de emboscadas y guerrillas con gran pericia y valor. Pero no servían para combates de gran envergadura, dada su inferior organización[83]. En los estrechos valles y empinadas laderas sabían, sin embargo, maniobrar a caballo, y alguna de sus maniobras fue aprendida por los romanos[84]. Famosos fueron los caballos astures en la Antigüedad[85], así como algunas tropas de caballería de la misma zona[86].

Es raro que, en cambio, no fueran conocidos várdulos, galaicos, etc., como navegantes, conforme a lo que después han sido.

Cuando César apareció ante la ciudad galaica de Brigantium con sus naves, los naturales de ella se aterrorizaron, según dice Dion Casio, pues nunca habían visto embarcaciones semejantes[87]. Sólo conocían barcas de cueros cosidos como las que construían los habitantes de las islas Oestrimnidas[88]. Por cierto que los soldados romanos de César, en su campaña de Britannia, habían aprendido a fabricar barcas de éstas, cuyas quillas y cuadernas eran de madera y lo restante tejido con mimbres y cubierto de

[78] Schulten, *Los cántabros y astures...*, pp. 45-46.
[79] Además de Schulten, op. cit., H. Sandars, *The Weapons of the Iberians* (Oxford, 1913), p. 84, fig. 60 y la lámina I.
[80] XVI, 49-70.
[81] Schulten, *Los cántabros y astures...*, p. 46.
[82] Schulten, *Los cántabros y astures*, p. 47.
[83] Schulten, *Los cántaros y astures...*, pp. 47-48.
[84] Schulten, *Los cántabros y astures...*, p. 48.
[85] «Asturcones»: Silio Itálico, III, 335; Marcial, XIV, 199: había otros de mayor tamaño «thieldones», Plinio, *N.H.*, VIII, 66. (Cfr. C.I.L., II, 5.705.)
[86] Véase el capítulo siguiente.
[87] XXXVII, 53.
[88] Avieno, 101-107; Estrabón, III, 3, 7 (155).

cuero y luego las hicieron en España, luchando contra Afranio y Petreyo [89]. Barcas semejantes tenían también los lusitanos y sajones [90], así como los armenios [91]. Vemos, pues, que si hubiéramos de fijar el carácter general de estos montañeses podríamos decir que constituían un pueblo de pastores y labradores primitivos en que los caracteres arcaicos propios de los segundos estarían muy marcados. Esta impresión se exagera si se tiene en cuenta que en sus transacciones empleaban, en vez de la moneda, que desconocían (por lo menos en la parte más fragosa y próxima al mar Cantábrico), trozos de plata cortados; es decir, que aún estaban en una fase, si no primitiva, por lo menos bastante elemental desde el punto de vista del comercio, en una fase en la que un producto de interés suntuario, ya que no primordial, servía para fijar el precio de las cosas, precio que se refería a cantidades diversas de este producto [92]. Sistema semejante registra César como existente en ciertas partes de Britannia, donde también cortaban trozos de oro [93]. Estrabón, hablando de los dálmatas, considera que éstos tenían de común con otros pueblos bárbaros el desconocimiento de la moneda [94].

[89] *B.c.*, I, 54, 1-2.
[90] Entre los germanos, según Plinio, *N.H.*, XVI, 76, ya se hacían en cambio barcas cavadas en grandes árboles con una cabida de treinta hombres.
[91] Herodoto, I, 194; sobre embarcaciones primitivas, véase la encuesta «Zur Forschung über alte Schiffstypen auf dem Binnengewässern und an dem Küsten Deutschlands und der angrenzenden Länder», en *Correspondenz-Blatt der deutschen Gesellschaft für Anthropologie, Ethnologie und Urgeschichte*, XXXIII, 5 (1902), pp. 36-43; XXXIV, 1-2 (1903), pp. 1-13; la tercera parte, de P. Traeger, «Zur Forschung über alte Schiffstypen. Schiffsfahrzeuge in Albanien und Macedonien», XXXV, 4-5 (1904), pp. 25-38, contiene curiosos documentos gráficos sobre odres flotantes, etc.
[92] III, 3, 7 (155).
[93] *B.g.*, V, 12, 4.
[94] XV, 5, 5 (484). Hay que notar que una concepción económica semejante puede estar relacionada con la existencia de tesoros metálicos, acumulaciones de obras no sólo de oro o plata, sino también de hierro o bronce más o menos ar-

He aquí, en suma, un bosquejo de la cultura de los pueblos del Norte, que se deduce, sobre todo, de los dos textos de Estrabón que más se han citado: el relativo a los cántabros en especial y el que trata en general de todos, desde los galaicos hasta los vascones. El gran geógrafo, por último, para dar sin duda una impresión intuitiva de la barbarie de estos pueblos a sus presuntos lectores griegos, dice que son de naturaleza semejante a la de los celtas, tracios y escitas [95], y uno de los rasgos más comunes de todos ellos le parece el de la virilidad o fuerza de las mujeres, comparable a la de los hombres [96].

La demostración de que al admitir esta área cultural trazada en la Antigüedad no se ha cometido un exceso, se hallará al estudiar la distribución de algunos hechos etnográficos en la actualidad o época moderna.

Gradaciones culturales y lingüísticas que es posible notar en el Norte

Pero para que no quede sin matizar conviene añadir algunas observaciones más. Desde los puntos de

---

tísticamente trabajadas, en forma de joyas o de objetos de uso común. Las explotaciones auríferas de Galicia y Asturias son famosísimas en la Antigüedad (véase el capítulo siguiente). Los trabajos de metalistería de la época que nos ocupa, así como de otras anteriores, acusan desde Galicia a Cantabria cierta similitud con los de las islas Británicas, así como ciertos motivos decorativos en estelas, etc. A. García Bellido, «El caldero de Cabárceno y la diadema de Rivadeo. Relaciones con las islas Británicas», en *Archivo Español de Arqueología*, 45 (1941), pp. 560-563; Clarisa Millán, «Estela funeraria del Castiello», en *Atlantis*, XVI (1941), pp. 185-189 (motivo de franjas trenzadas).

[95]   III, 4, 17 (165).

[96]   Además de las obras citadas en la nota 1 de este capítulo, citaremos como paráfrasis de textos antiguos, de cierto interés, la tesis doctoral de Friedrich Bleichning, *Spanische Landes und Volkskunde bei Silius Italicus* (Landau, 1928), pp. 6-21, 23-32, 35-37, y F. López Cuevillas, «Estudos sobre a edade do ferro no noroeste peninsular. As fontes literarias», en *Arquivos do Seminario de estudos galegos*, VI (Santiago), 197-293.

vista lingüístico y antropológico no cabe afirmar que desde los galaicos hasta los vascones hubiera unidad.

Schulten señala entre los cántabros una preponderancia de elementos lingüísticos célticos, tras los que pone algunos ligures, y en tercer lugar sin caracterización alguna coloca los «iberos»[97]. Bosch, por una vía psicológica casi desprovista de otras bases, llega a afirmar que los cántabros eran iberos, frente a los pueblos que los rodeaban que no lo eran[98]. Con respecto a los astures, el gran historiador alemán que con tanta frecuencia citamos sostiene que en parte fundamental eran iberos, con influencias célticas e incluso etruscas, como lo revelaría su nombre[99].

Siento mucho el discrepar de tan eminentes maestros en su caracterización de lo «ibérico», así como en todo lo que se refiere al problema lingüístico del norte de España. Un hecho que resulta claro es el de la existencia de gran cantidad de elementos célticos en la onomástica cantábrica[100], hecho que puede ponerse en relación con los hallazgos de tipo hallstáttico y posthallstáttico que se han efectuado desde Galicia a Navarra, hallazgos siempre más abundantes hacia Occidente que hacia Oriente[101].

Los vascones sin duda ya poseían por entonces una lengua pariente en muchos extremos del vasco actual. Adscritos por los romanos al convento jurídico cesaraugustano (mientras que los de más al Oeste lo estaban al cluniense), el territorio que poseían

[97] *Los cántabros y astures...*, pp. 49-50.
[98] Bosch-Gimpera, *Etnología de la Península Ibérica*, p. 615.
[99] *Los cántabros y astures...*, pp. 92-93.
[100] Cuando se verificó la dominación de aquella zona, aún tenía vida la palabra «briga» = ciudad, como lo revelan la existencia de «Juliobriga» (Ptolomeo, II, 6, 50) y «Flaviobriga» (íd., II, 6, 5). Es curioso notar que, en cambio, en Galicia surge una ciudad, «Iria Flavia», en que claramente parece señalarse la palabra «iri» = pueblo en vasco (véase cap. 3).
[101] Hoy en Vizcaya puede recordarse el castro de Belendiz explorado por B. Taracena, curioso por encontrarse asociado a un nombre de fisonomía céltica. Guipúzcoa hasta la fecha es la región más falta de esta clase de hallazgos.

era, como hoy, de muy variada estructura. En la parte meridional existían ciudades-estados de tipo semejante a las de la meseta o la zona oriental, que alcanzaron diversa consideración por parte de los conquistadores [102] y que participaron de modo activo en las guerras civiles, pudiéndose marcar relaciones de familias de ellas con la de Pompeyo. En un bronce aparecido en Ascoli se enumeran varios soldados vascones que lucharon en las filas aristocráticas al lado del padre de éste, y sus nombres tienen un regusto «vascongado» a veces, aunque otras parecen celtas [103]. La parte norte del territorio vascónico nos es poco conocida, y análoga parvedad de datos poseemos acerca de los várdulos, caristios y autrigones septentrionales, residentes en las actuales provincias de Vizcaya y Guipúzcoa. Se ha sostenido que recibieron la lengua vasca en época postromana [104], pero semejante opinión no es muy defendible: el que en ciertas localidades ocupadas por ellos aparezcan nombres no vascos, al parecer, si no celtas o de tipo precéltico europeo, no indica nada desde el momento que sabemos que el bilingüismo ha existido en partes próximas y admitido que el vasco de hoy es idioma con multitud de elementos de origen diverso.

Muchos autores clásicos se refieren a los nombres bárbaros de España. Pero Estrabón, Pomponio Mela y Séneca aluden particularmente a los de las partes septentrionales, y en especial a los cántabros y veci-

---

[102] Plinio, *N.H.*, 24, enumeración de ciudades con los derechos de ciudadanos romanos, latinos viejos, federados, estipendiarios.

[103] H. Dessau, *Inscriptiones latinae selectae*, III, 2 (Berlín, 1916), 8.888 (p. IX).

[104] Opinión que tuvo ya Ohienart, que siguió el historiador Gascón Bladé en un principio, que mantuvieron después lingüistas como Paul Meyer y Gaston Paris, y antropólogos como R. Collignon, en contra de A. Luchaire y H. Schuchardt y que en nuestros días ha sido defendida por Gómez Moreno («Sobre los iberos y su lengua», en *Homenaje ofrecido a Menéndez Pidal*, III, pp. 477-478), y Schulten, «Las referencias sobre los vascones hasta el año 810 después de J. C.», en *R.I.E.V.*, XVIII (1923), pp. 225-240.

nos, y los dos geógrafos se excusan de copiarlos por su dificultad y «fealdad» [105].

Es, pues, probable que romanos y griegos encontraran más suave y semejante a la suya el habla de unas partes de España que de otras (el vasco hoy exactamente ofrece análoga dificultad para italianos, franceses, etc., comparado con los otros idiomas peninsulares). Aunque los cántabros poseyesen gran cantidad de elementos lingüísticos célticos, otros sabemos que no lo eran, y es incluso probable que bajo el nombre de cántabro, várdulo, etc., se comprendiera a pueblos de distinto origen y filiación lingüística.

Es interesante señalar ahora las relaciones estrechas entre cántabros y aquitanos, atestiguada por César [106] y varios autores más. Unos socorrieron a otros en momentos de peligro. Los aquitanos del primer momento en que aparecen aludidos por los escritores clásicos son considerados por ellos, en lo que se refiere a la lengua, al aspecto, más parecidos a los habitantes de la Península que a los de las otras partes de las Galias [107]: concretamente, estos aquitanos son los que en época posterior formaron la circunscripción de los «nueve pueblos», la *Novempopulania*, separados de los galos desde el punto de vista fiscal, etc. [108]. Dentro de la *Novempopulania*, y sobre todo en las faldas del Pirineo, la epigrafía romana refleja la existencia de cantidad de nombres que podríamos definir como de fisonomía «vascoide», más o menos mezclados con otros elementos celtas, nombres que, en algunos casos, son suscepti-

[105] Estrabón, III, 3, 7 (155); Mela, III, 15; Séneca, *Cons. ad Helviam*, VII, 9.
[106] *B.c.*, I, 38, 3.
[107] Estrabón, IV, 1, 1 (176); IV, 2, 1 (189).
[108] Como lo indica la famosa inscripción de Hasparren, C.I.L., XIII, 1, 1, 412; sobre esto, J. Caro Baroja, *Materiales para una historia de la lengua vasca...*, pp. 169-182.

bles de ser comparados con algunos de la zona oriental de la Península, asimismo [109].

La posibilidad que expresó claramente Thurnwald [110] de que varios grupos étnicos establecidos en lugares próximos entre sí, que pertenezcan a civilizaciones distintas y que se sirvan de lengua diferente y observen distinciones de rango, se hallen desde el punto de vista político bajo la autoridad de un mismo jefe debe de ser tenida en cuenta ahora más que en ningún otro caso. En la parte occidental del área nórdica, ocupada por astures y galaicos, los elementos célticos aparecen muy intensos. Aunque Silio Itálico habla de las «lenguas nativas» de los galaicos [111], aunque Plinio separe a los célticos y lemavos del Convento Lucense de otros pueblos más oscuros y de nombre dificultoso [112], no hay modo de precisar la filiación de éstos. Podemos decir que son protoceltas (¿ligures?, ¿ilirios?), pero no muy emparentados con los vascoaquitanos puros. Hay algo común, sin embargo, entre los habitantes de un extremo y los de otro cuyo valor general es difícil determinar. Por ejemplo, el nombre de «*thieldones*» que da Plinio a ciertos caballos de Galicia y Asturias puede estar en relación con el nombre vasco del caballo, *zaldi* [113]. El nombre de *arrugia* con que se designaba en las mismas regiones a un trabajo de minería con canales [114]

---

[109] A. Tovar, «Notas sobre el vasco y el celta», en *Boletín de la Real Sociedad Económica Vascongada*, I, 1 (1945), pp. 31-39, ha reunido los materiales que reflejan mayores relaciones de tipo cultural, y en «Etimología de 'vascos'» en el mismo *Boletín...*, II, 1 (1946), pp. 46-56, señala la posibilidad de que éste sea nombre celta dado por pueblos lindantes, con arreglo a los principios señalados anteriormente. El estudio de M. Almagro, *La población pirenaica anterromana* (Estación de estudios pirenaicos. Zaragoza, 1945), 21 pp., adolece de estar escrito con demasiada preocupación por circunstancias políticas.
[110] Cap. II.
[111] III, 346.
[112] *N.H.*, III, 28.
[113] *N.H.*, VIII, 166.
[114] *N.H.*, XXXIII, 70. Sobre el aspecto técnico de estas explotaciones, H. Quiring, «El laboreo de las minas de oro

se ha conservado en el vasco *arragua*, usada en la técnica de minería en el siglo XVIII[115]. La palabra *arrugia* es una de las estudiadas con mayor atención por los especialistas en cuestiones del substrato, sin que haya producido su estudio grandes resultados[116]. En los nombres de ríos encontramos ciertos curiosos paralelismos, aparte del citado caso de la repetición del nombre de «Deva» en Guipúzcoa, Asturias e Inglaterra, explicada por celtismo, sobre los que conviene decir algo. Merecen especial atención los nombres de «Arga» (Navarra), «Arganza» (Asturias), «Aragón», «Arajes» (Guipúzcoa), «Araquil» (Navarra), «Ara» (Huesca), etc., en que parece hallarse un elemento común, que acaso sea el mismo que se encuentra en la citada palabra *arrugia* y en nombres de ríos clásicos[117]. Notemos que ya los viejos historiadores del siglo XVI, con nombres como el de «Arajes», que llevan, además del humilde río guipuzcoano, otros famosos de la Armenia y Persia[118], quisieron apoyar extrañas teorías etnológicas, y aunque la lingüística haya avanzado mucho de entonces ahora, en este terreno de la toponimia es donde mayores fantasías se construyen. El elemento *ar-* parece corresponder, de todas formas, a la idea de corrientes de agua y han podido formarse con él palabras en que estuvieran no sólo los hispanos citados, sino también los nombres de los ríos galos «Arar», «Vardo» o «Wardo» (la transcripción de la *v* no suele ser fija en latín cuando se trata de nombres seme-

---

por los romanos en la Península Ibérica y las arrugias de Plinio», en *Investigación y Progreso*, IX (1935), pp. 6-8.

[115]   J. Caro Baroja, *La vida rural en Vera de Bidasoa (Navarra)* (Madrid, 1944), p. 107.

[116]   Además de la obra de Bertoldi, citada en la nota 35 del capítulo IV, véase del mismo, «Fonema basco-guascone attestato da Plinio ?», en *Archivum Romanicum*, XV (1931), 13 pp. (Cfr. *Revue celtique*, XLIX (1932), p. 308.

[117]   «Arar», «Arausís», etc.

[118]   Por ejemplo, Esteban de Garibay, *Los XL libros d'el Compendio historial*, I (Amberes, Plantin, 1571), p. 86 (lib. IV, cap. II).

jantes), etc.: «* *uárdhā*» en celta significaba tempestad, y acaso tal palabra arroje luz sobre el nombre de los *várdulos*, a los que por su posición geográfica convendría muy bien que los vecinos del Sur los llamaran «pueblos de (país) tempestuoso», acuático o algo semejante. Los nombres de los ríos «Ega» (Navarra), «Ego» (Guipúzcoa), «Ea» (ría de Vizcaya) y «Eo» (antes Ego, en los límites de Galicia y Asturias) se prestan también a un estudio sugestivo. El «Ego» guipuzcoano ha dado nombre a dos pueblos conocidos, *Elgo-ibar* y *E-ibar*, por cuyos términos corre. En Portugal existe una ciudad de *Ega* junto a un río llamado «de los Moiros», es decir, con nombre moderno. Cabe buscar el origen de todos (y acaso el de otros parecidos de Europa) en una palabra común y extendida por muchos pueblos indoeuropeos (no sólo los celtas) que expresaba la idea de agua y corriente [119]. Contrastan por su área limitada los nombres en que se usa la voz estrictamente vasca *ibai* = = río. En cuanto a la que significa agua *(ur)*, es enigmática en su origen. Cabe que rastreemos su empleo en nombres como el del río «Oria» (aparte de muchos vascos en que éste es claro) y *Urius* = río Tinto antiguo [120]. Los de *Durius* [121], *Tyrius* [122], *Turium*, *Turis* [123], del actual Turia, y el mismo del Adour, *Aturris* [124], parece que se pueden relacionar mejor con nombres de zona plenamente céltica, según va dicho, como también el del *Tamarus*, hoy Tambre [125], con homónimos en Inglaterra [126] y emparentado con el

---

[119] No hay que perder de vista, sin embargo, que «ego-a» en vascuence significa el sur, mediodía.
[120] Plinio, *N.H.*, III, 7: «inter confluentes Luxium et Urium» (el Tinto y el Odiel).
[121] Avieno, 482.
[122] Plinio, *N.H.*, III, 22.
[123] Ptolomeo, II, 6, 15.
[124] Sidonio Apolinar, *Ep.*, VIII, 12.
[125] Ptolomeo, II, 6, 2.
[126] También dio nombre a los «Tamarici» como «gens». No son éstos los únicos casos de relación entre nombres del norte de la Península y de Inglaterra. Schulten, «El nombre

del *Támesis*. De estos datos y otros análogos que fácilmente podríamos amontonar no hay modo de sacar consecuencias muy claras. Nos parece poco severo el proceder de algún autor que de la identidad del nombre de *Astur* y *Asturia*, propio del habitante y de una región del norte de España, con el de *Astura*, *Astyre*, etc. (de poblaciones del Mediterráneo), deduce concomitancias etruscas, y que de la comparación del nombre del río hispano «Magrada» (¿Bidasoa?) [127] con el africano «Bagrada» [128] extrae una prueba del parentesco de iberos con bereberes, para que, por camino análogo, nos lancemos a sentar el fondo ligur o ilirio de parte de los pueblos del Norte ni a admitir la unidad primitiva de las lenguas preindoeuropeas. Una serie de fenómenos fonéticos comprobados en idiomas seguros en una época, e inexistentes antes y después, nos servirían de clave para edificar construcciones sólidas. Sin ellos corremos peligro de agrupar lo que no se debe y separar lo que debía estar junto. No debemos perder de vista tampoco que los nombres con que conocemos muchos pueblos, ríos, etcétera, pueden ser los dados no por los indígenas, sino por los vecinos y viajeros.

Así, todo lo precelta, y en casos lo tenido por tal, queda en el Norte envuelto en densas nieblas. La caracterización de lo «ibérico» resulta casi imposible desde el punto de vista cultural. La generalización del «vascoiberismo» es muy poco útil, toda vez que en el mismo vasco, al lado de elementos latinos abundantísimos [129], de otros celtas probables y de los coincidentes con los que cabe hallar en Aquitania y Levante, los hay de estirpe africana, según se ha visto,

'Albión'», en *Investigación y Progreso*, XII (1941), pp. 69-70, los atribuye a expansión ligur.

[127] Mela, III, 15, en texto muy corrupto. Las referencias hidrográficas de éste, como las de Plinio, parecen extraídas de la contemplación del mapa de Agrippa.

[128] *Los cántabros y astures...*, pp. 73-76.

[129] De algunos se habla con cierta extensión en capítulo siguiente.

y de otras. Si antes de la gran expansión céltica existieron en la Península lenguas con relaciones fundamentales con las caucásicas, africanas, protoceltas de tipo indoeuropeo, etc., lo que de ellas pueda conservar el vasco no será suficiente nunca para determinar la unidad lingüística peninsular que se pretendía, sino lo contrario.

Las consecuencias culturales de tal diversidad y gradación idiomática tenían que ser notables. Así como unos rasgos lingüísticos se repiten en áreas amplias dentro del Norte y otros se circunscriben a una zona o se reparten de modo diferente cuantitativamente, así también los culturales están sometidos a una diversa gradación y orden, a multitud de variaciones de detalle, que el estudio de la Etnología actual nos hará ver con mucha claridad.

10

ALGUNOS ASPECTOS
DE LA ROMANIZACION

Normas generales para el estudio de la romanización de la Península

En los capítulos anteriores se ha visto cómo la Península Ibérica, cuando los romanos la ocuparon, ofrecía el aspecto de un verdadero continente, habitado por gentes de cultura diversa, a las que las invasiones célticas no consiguieron dar cierto aire de unidad. Esta unidad, con que siempre sueña el hombre como si fuera el más supremo ideal, tampoco la dieron los romanos, a pesar de que durante varios centenares de años ejercieron una acción mucho más fuerte en todos sentidos sobre la población anterior que la que pudieran llevar a cabo los grupos célticos. No en balde poseían una maquinaria estatal y una cultura superiores en conjunto. No en balde también, apenas iniciadas las luchas con los naturales, abandonaron todo escrúpulo de raza y se mezclaron con ellos de manera capaz de producir la desesperación de los antropólogos modernos, si hicieran algunas investigaciones (lo cual al menos aquí no se ha hecho), teniendo en cuenta los testimonios epigráficos, etc. El proceso de fusión de los soldados y colonos romanos con naturales de la Península empieza en seguida, con un aire más o menos ilegal primero, dentro de la más absoluta juridicidad después.

Alusiones a pueblos mezclados del Occidente son muy constantes en los textos antiguos. Sabemos, por ejemplo, positivamente que los libiofenices hispanos eran medio fenicios, medio africanos[1]. Por lo que respecta a la mezcla de pueblos hispánicos con los romanos, cuenta Livio que ya el año 171 a. de J.C. llegó a Roma una legación de España, representando a cuatro mil hombres que se decían hijos de soldados romanos y mujeres españolas, con las que aquéllos no habían contraído connubio y que, estando en situación muy especial, rogaban que se les concediese una ciudad donde habitar: Carteya fue la designada[2].

Al cabo de siglo y pico de luchas entre romanos y aliados, de un lado, y pueblos rebeldes, de otro, las mezclas de población eran intensísimas. Existían ciudades de gentes de procedencia distinta, como la cercana a Colenda, fundada por Marco Mario hacia el año 102 a. de J.C., en que incluso se establecieron algunos de los indígenas que lucharon en las campañas contra los lusitanos. Pero la pobreza los instigó al bandidaje, y Tito Didio los aniquiló[3]. El pensamiento de César de que los soldados se dejan influir notablemente por lo que ven en el país donde están haciendo la guerra, e incluso por las costumbres del enemigo[4], no sólo tiene validez en lo que se refiere a cuestiones militares, sino que hay que considerarlo como de importancia excepcional desde el punto de vista etnológico general.

En las páginas que siguen vamos a ocuparnos de la romanización sin fijarnos demasiado en sus aspectos políticos, que son los que más han sido estudiados (o por lo menos los más explotados para hacer solemnes disquisiciones), con objeto de ahondar

---

[1] Livio, XXI, 22.
[2] Livio, XLIII, 3.
[3] Appiano, *Iber.*, 100.
[4] *B.c.*, I, 44, 2.

algo en el análisis de la vida rural y cotidiana. Por desgracia, así como los períodos anteriores han sido muy bien estudiados desde el punto de vista arqueológico, el romano no ha inspirado en tiempos modernos análogo interés y nos hallamos carentes de obras generales que puedan compararse a las que Jullian o Grenier han dedicado a las Galias, o a la que Collingwood consagró a la Gran Bretaña[5]. Obras más generales, como la de Rostovtzeff, ofrecen interesantes sugestiones, pero no pueden dar, lógicamente, el cúmulo de datos que desearíamos.

El vicio capital de todas las historias españolas que tratan del período romano es el de que, en vez de narrar lo que en realidad ocurría en nuestro suelo durante aquél, se extienden en consideraciones generales sobre la vida pública y privada de los romanos, como si ésta fuera igual en un siglo que en otro, en el extremo oriental del Imperio y en el occidental. La influencia de los historiadores del siglo XIX, preocupados en primer término por cuestiones políticas y jurídicas, ha sido en este respecto perniciosa, y hoy día se puede decir que los que están orientando nuestra visión de modo más satisfactoria son los lingüistas, que han analizado las variaciones que una misma lengua, el latín, adopta en las diversas regiones en que fue entrando.

Si el estudio de las lenguas románicas nos refleja una diferenciación remota y gradual dentro del Imperio, un análisis de la cultura material y espiritual de las zonas campesinas no puede dejar de indicarnos algo análogo. Los resultados de las relaciones entre romanos y turdetanos, entre romanos y cántabros o vascones, no podían ser (como no lo fueron) los mismos. Hoy día, detrás de los rasgos generales que han podido dar a los pueblos hispánicos los ro-

---

[5] Citemos dos recientes, sin embargo: C. H. V. Sutherland, *The romans in Spain 217 B.C.-A. D. 117* (Londres, 1939), 264 pp., XII láminas y 2 mapas. J. de Serra Ráfols, *La vida en España en la época romana* (Barcelona, 1944).

manos, es posible señalar recuerdos de los anteriores. En los mismos de origen latino, ¿a qué obedece la diferenciación? ¿Por qué, si no es por razones internas y latentes, acaecen las primeras variaciones dialectales y los pueblos del Sur hablan el latín de una manera, y los del centro, Este y Oeste de otra?

En las páginas que siguen vamos a estudiar algunos de los rasgos generales y otros diferenciales en la romanización.

En primer término señalaremos un hecho fundamental. Con el dominio de Roma comienza la Península a tener verdaderas grandes vías de circulación general. Hasta la llegada de los romanos habían existido en ella caminos de tipo primitivo, como los marcados por los animales trashumantes en épocas prehistóricas a las poblaciones cazadoras, y algunas rutas comerciales peligrosas, o bien caminos de circulación local que con el asentamiento de las tribus en la Edad del Hierro hubieron sin duda de adquirir gran importancia: para ir a las heredades, para unir aldeas, para conducir a mercados locales, etc. Pero esto era poco útil para el funcionario romano, que necesitaba grandes calzadas: *«la grande route doit se moquer du village»*, decía un gran administrador del reino de Francia, y esto mismo debía creer el administrador romano. El itinerario a gran distancia es indiferente a la población local y sus fines son muy otros: sirve para resolver un desequilibrio de producción o está inspirado en motivos políticos, religiosos o bélicos de orden vario, como he oído subrayar al eminente geógrafo francés Pierre Deffontaines [6].

Las redes de grandes caminos en la Península comienzan a hacerse densas cuando César lleva a cabo lo que un historiador inglés llamó el «experimento

---

[6] Así la famosa «via Herculea» que iba de los Pirineos hasta Cartagena y que, como hemos visto, tenía un origen comercial; en tiempo de Polibio había sido ya convertida en calzada con fines militares (III, 39).

urbano»[7]. Con Augusto y sus sucesores, la campaña de construcción de caminos sigue (fig. 49). A partir de la época de los Antoninos parece, sin embargo, que las obras fundamentales cesan, pasándose a un período de restauraciones más o menos considerables.

La falta de relación entre la circulación local y la general explica, en parte, el sentido conservador de zonas atravesadas por grandes rutas. Conforme a un orden inverso al seguido en los capítulos anteriores, vamos a examinar algunas de estas zonas, es decir, que comenzaremos con las del Norte y terminaremos con las del Sur.

La romanización de los pueblos del Norte

Al estudiar los orígenes de las lenguas romances de la Península, vemos que los tratados dejan un pequeño espacio de ésta siempre en blanco: aquel que ocupa hoy la lengua vasca. El vasco —dicen muchos autores— representa un último vestigio de las lenguas ibéricas que no nos interesa, pues ni ha influido demasiado en las lenguas romances ni su vocabulario refleja una latinización digna de tenerse en cuenta. Tal afirmación está desprovista de toda base y ha ocasionado sinfín de trastornos teóricos.

Aunque España tuvo una importancia económica excepcional para la República romana y, en los días

[7] Las investigaciones sobre la red de caminos romanos de España arrancan de muy antiguo, pero se puede decir que las sistematizó don Eduardo Saavedra en su discurso de ingreso en la Academia de la Historia en 1862. Posteriormente, A. Blázquez, C. Sánchez Albornoz y otros han procurado comprobar sobre el terreno los datos del itinerario de Antonino y otros documentos antiguos. La restauración de las calzadas antiguas cesó al cesar la potencia imperial, pero durante gran parte de la Edad Media siguieron empleándose, aun cuando los que se hacían entonces volvieron a ser «caminos no individualizados»: A. Bik, «La Edad Media en la construcción de caminos», en *Investigación y Progreso*, IX (1935), pp. 339-342.

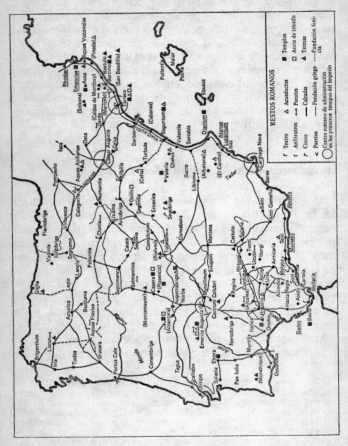

Fig. 49. Red viaria y restos romanos, según J. M. Blázquez.

del Imperio, sus hijos influyeron de modo decisivo en la vida espiritual y en la política de Roma, no puede sostenerse que aquel papel primordial de tipo económico continuara en la época imperial. Comparadas las ciudades hispanorromanas imperiales con algunas de las Galias, de Africa y Oriente, dan la impresión de vivir un poco al margen de las grandes zozobras y de los grandes éxitos. Sólo algunas del Sur y del Este pueden ser puestas en parangón con las del Rhin, el norte de Italia o la Campania, sin que de él salgan con prioridad.

El resto de la Península produce una sensación de hermetismo, cuando no de oscuro predominio de lo indígena de tipo arcaico. Municipios agrícolas, poblaciones rurales de soldados veteranos y colonos y algunos elementos de la nobleza provincial nos han dejado huellas de una vida monótona y sencilla. Es en este momento cuando las sociedades comienzan a tener unos caracteres que recuerdan a la moderna de forma más clara, y en él no fue la zona del Norte de las que menos actividad demostraron.

La distinción entre la romanización lingüística y cultural que tiene lugar en la época del Imperio y la que ocurre o prosigue después, en el período visigótico, es necesario hacerla por varias razones. En primer término, pueblos que sufrieron en los primeros siglos de la conquista la hegemonía de manera total, en los últimos años del Imperio comienzan a independizarse políticamente, se aíslan después y de semejante aislamiento no salen sino muy entrada la Edad Media, y siempre de modo relativo. Otros, en cambio, con los visigodos dejaron de estar en aislamiento tal.

Desconocemos los rasgos precisos de la acción romana sobre cántabros y astures, a partir del momento en que fueron derrotados por Augusto, de cuyo intento de modificar la base de su vida ya se ha hablado. Teniendo en cuenta las normas seguidas en otros países, cabría pensar que se llevó a cabo una intensa acción con objeto de hacerles abandonar su lengua vernácula. Un pasaje de Tácito indica cómo Agrícola alternaba en Britannia la acción guerrera con la de captar a los hijos de los caudillos vencidos en la lucha, haciéndoles aprender el latín, del que a poco se mostraron apasionados [8]. Es muy probable, en cambio, que en la época posterior a Augusto los intentos de reforma y romanización se dieran algo de lado. Rostovtzeff considera, en general, muy bajo el nivel de romanización de los pueblos del Norte [9], idea que hay que admitir en lo que se refiere, por lo menos, a los astures septentrionales y a casi todos los pueblos de la cordillera cantábrica, hasta la depresión vasca inclusive.

La inspección del trabajo en minas como las de Oyarzun [10], los viajes de recluta y alguna que otra comisión de tipo diferente fueron, con probabilidad, las causas únicas de que los romanos con cargos superiores franquearan los montes de la depresión vasca. En el territorio montañoso de Asturias, León y este de Galicia, la explotación de los yacimientos auríferos y otros de importancia debieron influir para que hubiera algunos focos más de cultura romana [11]. Pero siempre de tipo muy bajo: no ya provincial urbano, sino campesino francamente, distinción que conviene tener en cuenta.

No puede darse mayor tosquedad en los caracteres

[8] *Agricola*, 21.
[9] *Historia social y económica del Imperio romano*, I, pp. 414, 419.
[10] Cuya explotación en época romana comprobó J. G. Thalacker, «Descripción de unas antiguas minas situadas al pie de los Pirineos en la provincia de Guipúzcoa», en *Variedades de ciencias, literatura y artes*, IV (Madrid, 1804), pp. 201-215, 256-273.
[11] Textos sobre Asturias: Plinio, *N.H.*, XXXIII, 78; Floro, II, 33; Silio Itálico, III, 230-233; Lucano, *Fars.*, IV, 298; Marcial, XIV, 199; Claudiano, *Laus Serenae*, 75. Sobre Galicia, Justino, XLIV, 35; Marcial, IV, 39, 7; X, 37; XIV, 95. Estrabón, III (147); inscripciones mineras, M. Gómez Moreno, *Catálogo monumental de España. Provincia de León* (Madrid, 1925), pp. 89-98.

y falta de conocimientos lapidarios que el de los autores de ciertas inscripciones cántabro-astures y de las poquísimas de la zona vasca de Vizcaya y Guipúzcoa. Y, dentro de esta torpeza, el «estilo» de ellas es igual. Así, en la lápida guipuzcoana de Oyarzun [12] aparece un caballo parecido a los que se ven en las asturianas de Gamonedo [13] y San Juan de Beleño, concejo de Ponga [14]. Es curioso notar que este estilo lapidario se halla en relación con la aparición de una extraña era consular que algunos juzgan distinta a la era hispánica, y cuyo comienzo no se ha determinado bien.

Fuera de Cantabria y del territorio de los caristios y várdulos no hay tal era [15], como tampoco se encuentran otras particularidades. Entre ellas, por ejemplo, tiene cierta importancia sociológica el que por lo menos diez de las treinta inscripciones correspondientes a la ciudad de «Vadinia», perteneciente a los cántabros, estudiadas por don Manuel Gómez Moreno, y que en su mayor parte son funerarias, ostenten toscamente grabados en los enormes cantos de cuarcita sobre los que aparecen un caballo y dos árboles. Estos emblemas se hallan también en la parte asturiana de Cangas de Onís, que correspondía a los mismos cántabros valdinienses. En el resto del territorio, no. A veces van acompañados de una hoja de hiedra, que parece de origen clásico, o un torques [16].

[12] Existente en el Museo de San Telmo de San Sebastián y fantásticamente leída por Fita.

[13] C.I.L., II, 5.738.

[14] C.I.L., II, 5.735, reproducidas por C. M. Vigil en *Asturias monumental, epigráfica y diplomática*, láminas (Oviedo, 1887), J, III y T a 2ª.

[15] Hübner, *Inscriptionum Hispaniae Christianarum Suplementum* (Berlín, 1900), pp. VII-VIII; Fita, «La era consular de la España romana», en *Boletín de la Real Academia de la Historia*, LXI (1912), pp. 477-497; J. Vives, *Inscripciones cristianas de la España romana y visigoda* (Barcelona, 1942), pp. 177-178: sostiene que se trata de la era hispánica más conocida.

[16] *Catálogo monumental de España. Provincia de León*, pp. 41-46.

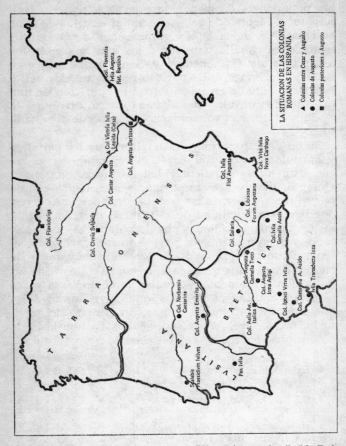

Fig. 50. Las colonias romanas en Hispania, según J. M. Rol-
dán. (Nótese la ausencia de las mismas en la zona norte
de la Península.)

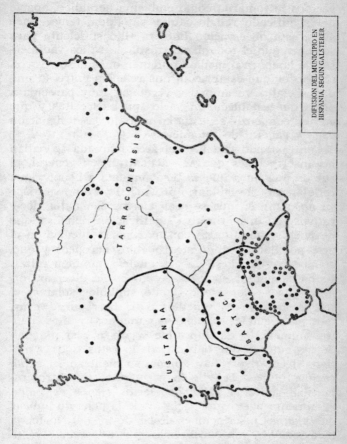

Fig. 51. Difusión del municipio en Hispania, según Galsterer. (Nótese su ausencia en la zona norte de la Península.)

Si tenemos en cuenta la importancia del caballo entre los astures, podemos creer que algunos grupos vecinos lo tomaron como emblema heráldico, aparte del significado religioso que, sin duda, tenía. Hace años, esta observación hubiera sido suficiente para sostener que el totemismo existía entre los vadinienses de la época romana. Contentémonos nosotros con reconocer que establecían una relación entre su unidad social y un animal y vegetales, muy parecida a otras que establecieron varios pueblos celtas y que en un comienzo se estudiaron bajo la designación vaga y general de totémicas.

Contrastando con las del área marcada se hallan las inscripciones que se encuentran, en general, al sur de una línea que va de Pamplona a León, y que reflejan un arte lapidario provincial pero no ya torpe en absoluto, en que se usan ciertos elementos decorativos con una primitiva significación religiosa, que después vemos usados con máxima frecuencia en el arte popular de diferentes pueblos europeos y que, con probabilidad, se debe a núcleos también celtas. Estos elementos son: los rosetones de diversas formas, que se consideran como símbolos solares; el sol, la luna, arcos sencillos o de herradura, varios motivos vegetales (pámpanos y racimos) y unos cuantos animales[17]. Es imposible seguir a casi ninguno de los autores que han estudiado estos tipos y motivos decorativos: hay quienes encuentran su explicación total en la religión germánica (!) y otros especulan sobre el valor de ciertos signos de modo igualmente harto superficial. Vale la pena de indicar que algunas inscripciones de las de más al Norte, ya mencionadas, van encabezadas por una cruz esvásti-

---

[17] Material en E. Frankowski, *Estelas discoideas de la Península Ibérica* (Madrid, 1920), pp. 147-156. Recientemente, aun en la zona cantábrica, se han hallado nuevas estelas gigantes: F. de Calderón y G. de Rueda, «La estela gigante de Zurita», en *Altamira*, 2, 3 (1945), pp. 107-11.

ca [18], que también se halla en cipos anepigráficos de Aquitania [19] y en las correspondientes a algunos soldados várdulos que se hallaban en Inglaterra [20]. ¿Qué valor daban ellos, así como los ceramistas de Numancia, etc., a este signo de que tanto se ha hablado modernamente y que encontraremos usado en bordados populares salmantinos de nuestros días? Con probabilidad, un valor protector, mágico, muy encajado dentro de la mentalidad sencilla de aquellas gentes.

El arte lapidario provincial que se halla entre Pamplona y León se relaciona con el trazado de la gran calzada que iba de Astorga a Burdeos, eje de la romanización del Norte [21]. A lo largo de ella, los vestigios romanos de tipo arqueológico son abundantísimos. En Alava, por ejemplo, donde ya en el siglo XVIII fue bien estudiada por don Lorenzo Prestamero, se ve que sus aledaños estaban dominados por elementos latinos. Mas en los pueblos limítrofes con Navarra, metidos en valles entre montañas, las inscripciones nos dejan especialmente memoria de pequeños grupos que sorprenden porque no ofrecen, en sus nombres, rasgos vascos o vascoides, sino celtas, a juzgar por la repetición de los de «Ambatus» [22], etc.

El «fundus» como base de la romanización de los campos considerados menos romanizados

Personalmente he hecho ciertas investigaciones de tipo no arqueológico de modo estricto, sino más bien lingüístico, que arrojan mucha luz, según creo, sobre

[18] Buenas reproducciones de ellas (aunque la transcripción no lo sea) en A. Fernández Guerra, *Cantabria* (Madrid, 1878), p. 51; 44-45 (otros emblemas).
[19] J. Sacaze, *Inscriptions antiques des Pyrénées* (Toulouse, 1892), pp. 190, 465, 511.
[20] C.I.L., VII, 420, 825, 1.031, 1.035.
[21] *It. Ant.*, 453-456.
[22] C.I.L., II, 2.950-2.956 (Contrasta), 5.819 (Iruña), etcétera. (Cfr. *Los pueblos del norte...*, pp. 87-89.)

la vida social y económica de la zona navarro-alavesa en la época que nos ocupa y que, aplicándolas al resto de la Península, producirían resultados de gran interés.

La base de la vida económica de las Galias, de Italia, de todas las regiones de Occidente en general, sabemos que era un dominio compuesto que recibía el nombre de *fundus*. El *fundus* tenía diversas modalidades, pero en Occidente, por término medio, podemos decir que solía constar de 1.000 a 1.500 hectáreas de extensión. El primer año del *fundus* le daba su nombre y, si se llamaba «Octavius», el *fundus* recibía el de *Octavianus*. El sufijo *-anus* se usaba preferentemente en España, en Italia y en la Narbonense. Pero en otras partes de las Galias se usaba más el sufijo *-acus*, de origen céltico. Los filólogos modernos han practicado gran cantidad de investigaciones teniendo en cuenta estos datos, que sabemos por fuentes antiguas, y, practicando análisis particulares, han llegado a deducir que una parte considerable de los nombres de pueblo actuales de los países indicados no son sino nombres de *fundi* transformados. Así, en Francia, desde la época de D'Arbois de Jubainville se han venido haciendo verdaderos padrones de fincas rústicas, de un extraordinario valor para concretar lo que en teoría ya se sabía desde hace mucho[23].

He intentado en un libro emplear bases análogas para estudiar la toponimia de Navarra y Álava, sobre todo, y, después de aplicadas, considero que ha dado resultados positivos.

En la zona media de Navarra, por ejemplo, abundan de manera asombrosa los nombres de pueblos terminados en *-ain*. Los filólogos vascongados explicaban generalmente esta terminación mediante la lengua vasca, relacionándola con *gain*, *gañ* = alto.

---

[23] Lo que sigue está extractado de algunos capítulos de mis *Materiales para una historia de la lengua vasca en su relación con la latina*, pp. 59-168 especialmente.

Pero la realidad es que muchos de dichos pueblos no pueden llevar físicamente nombre compuesto con tal palabra, aparte de que la primera de que constan no solía ser explicada de modo satisfactorio en la mayoría de los casos. Ahora bien, en la misma lengua existe el fenómeno fonético que sigue. Una palabra latina que tenga la sílaba inversa -*an*-, por ejemplo *ancora(m)*, en vasco desarrolla una *i* y se convierte en *aingura*. Si, sabido esto y lo dicho antes, nos encontramos con nombres de lugar como el de *Paternain*, podemos pensar en una forma antigua, *Paternan* (análoga a algunas francesas del Sur, como *Frontignan*, de *Frontinianus*), y pensar que estamos ante un antiguo *fundus* o *ager Paternanus*. Si, después de hecho el análisis de la desinencia, examinamos los primeros elementos de los nombres, la demostración de la legitimidad de nuestro punto de vista queda completa. Tales elementos aparecen como nombres personales en cartularios o monumentos epigráficos bien francoaquitanos («Guerin», «Centulo» o «Guendulo» y «Sembus», que se aprecian en los topónimos «Guerendain», «Guendulain» y «Cemborain»), bien hispanomedievales («Anderquina», en «Andricain»; «Belasco», en «Belascoain»; «Beraxa», en «Berasain»; «Laquide», en «Laquidain») y, sobre todo, latinos: «Asterius», en «Azterain» y «Astrain»; «Barbatus», en «Barbatain»; «Luperius», en «Luperiain»; «Macer», en «Maquirrian»; «Marcellus», en «Marcalain»; «Paternus», en «Paternain»; «Sinesius», en «Senosiain»; «Urbicus», en «Urbicain»; «Valerius», en «Ballariain», y «Veranius», en «Barañain» [24]. Para determinar la antigüedad de estos nombres conviene tener en cuenta ciertos detalles fonéticos. No es tan interesante ver que la *e* tónica y pretónica dan *a* en casos cuales los de «Amalian» (de «Emilius»), «Amatriain» (de «Eme-

---

[24] *Materiales...*, pp. 65-82. A veces también hay un nombre indígena anterior. Una inscripción de Oteiza, C.I.L., II, 2.968 ostenta el genitivo «Equesi», que explica el nombre de «Equisoain».

terius») o «Marcalain» (de «Marcellus»), como señalar la conservación del sonido antiguo de la c latina
en este último caso y en el de «*Maquirriain*» (de
«*Macer*»), conservación que ofrecen otras palabras
vascas como *pake*, de *pace(m)*, o *pike*, de *pice(m)*.

Si examinamos el carácter de estos pequeños pueblos, nos damos cuenta de que corresponden muy
bien a antiguos *fundi:* por lo general, suelen tener
de 500 a 1.000 hectáreas, divididas en tierras de labor
para cereales, otras pocas para viñas (muy al sur de
la zona que nos ocupa), prados y montes, justamente como estaba dividida la pequeña propiedad que
Ausonio heredó de sus padres en Bazas[25].

Hay, dentro de esta misma serie de nombres navarros, algunos en los que la desinencia *-ain* se reduce
a *-in*: así, «Allin», «Ancin», «Barbarin» y «Morentin»
(documentado a veces como «Morentain»). Pero más
curioso que esto es registrar que al lado de ellos hay
otros que conservan una estructura más parecida a
la romana, que son los que ostentan el sufijo *-ano*.
Ejemplos de éstos hay en Navarra, tales como «Abin-
zano» (de «Avintius»), «Amillano» (de «Emilius»),
«Guirguillano» (de «Gargillius» o «Girgillus») o «Liquiniano» (de «Licinius», con conservación de la c
sorda). Pero se dan igualmente en Alava: por ejemplo: «Abornicano» (de «Aeburneus»), «Apricano» (de
«Aper»), «Arriano» (de «Arrius»), etc., y hasta en
Vizcaya: «Sollano» (de «Sollius»), «Libano» (de «Li-
bius» o «Livius»...). Frente al «Barañain» navarro encontramos también «Barañano», y tras esta forma,
en la misma Vizcaya y en Guipúzcoa, otras derivadas
en *-aun* («Atano» y «Ataun») o *-ao* («Galdacano» y
«Galdacao», etc.). Podría explicarse la aparición del
sufijo *-ain* frente al sufijo *-ano* y todos sus derivados
por una influencia gala, ya que se encuentra bastante
en Francia. Sobre ello nada puedo decir ahora a fa-

---

[25]   III, 1, 21-24. Ciudad no de las más agradables de Aquitania, según Sidonio Apolinar, *Ep.*, VIII, 12.

vor o en contra. Unicamente quiero subrayar que los nombres con sufijo -ano tienen un primer elemento muy antiguo. En el de «Apricano» es clara la aparición del nombre latino «Aper», siendo curioso señalar que no lejos de aquel pueblo existe otro llamado «Aperregui»: si uno era el *fundus*, la propiedad con las viviendas de los colonos, etc., el otro contenía la mansión *(egui, tegui)* de aquel oscuro agricultor. También vale la pena indicar ahora que la estructura de algunas casas alavesas de época mucho más moderna es muy análoga a la de las villas de galería que se encuentran en las Galias, Britannia, etc., y de las que no hay ejemplares en nuestro país[26].

En cambio, en esta zona misma desde antiguo son conocidas algunas villas urbanas, es decir, construidas con más lujo, tales como la de Arroniz, en Navarra (a la que hay que añadir hoy la de Liedena), o la de Cabriana, en Alava, que sin duda perteneció a un llamado Caper[27]. El sufijo -ana, que parece aludir más a la *villa* que al *fundus* y que, por lo tanto, podría considerarse que refleja la existencia de antiguas construcciones de cierto tamaño, se halla en bastantes nombres alaveses, navarros y vizcaínos. En Alava recordemos como ejemplos los de «Añana» (de «Annius»), «Barberana» (de «Barbarus»), «Cabriana» (de «Caper»), «Casterana» (de «Castor»), «Crispijana» (de «Crispus»), «Durana» (de «Duranius») y «Leciñana» (de «Licinius»); en Vizcaya, «Mallona» (de «Mallius») y «Lemona» (de «Lemonius»); en Navarra, «Fustiñana» (de «Faustinus») y «Berbinzana» (de «Vervetinus» o «Vervinius»). Podríamos recoger nombres de origen análogo con los sufijos -oña, -oño (de -onia y onium). Pero para que estas líneas (pese al interés que, como veremos, tienen en el estudio general de la romanización) no se prolonguen demasiado, vamos

[26] *Materiales...*, pp. 85-91.
[27] *Diccionario geográfico histórico de España,* por la Real Academia de la Historia, sección I, I (Madrid, 1802), páginas 188-189; *Materiales...*, pp. 91-95.

a coronarlas con unas referencias a la manera de formar nombres de *fundus* con el sufijo céltico latinizado *-acum*.

El citado pueblecito alavés de Apricano se halla en un valle que es el de Cuartango. El nombre de «Cuartango», con arreglo a las reglas fonéticas sencillas, proviene precisamente de un latino *Quartanicu(m)* para el que puede haber dos explicaciones históricas. Tal vez se deba a que en él estuvieron asentados al tiempo de las guerras cantábricas o después los *quartani*, es decir, los soldados de la legión IV Macedónica, que combatieron en ellas y que permanecieron en España hasta la época de Calígula [28], o simplemente a que era cierta zona central del valle dominio de un llamado «*Quartus*». La existencia en Vizcaya de «Abiango», «Berango» y «Durango» (de «Avianus», «Veranius» y «Duranius») podría contribuir a confirmar este punto de vista último. Pero aquí no es interesante discutir esto, sino el demostrar cómo muchos de los nombres de pueblos y apellidos patronímicos terminados en *iz* vienen de formas análogas. Muchos etimologistas veían en ellos en composición la palabra *aitz, itz* = piedra, que ciertamente conviene a ciertos topónimos como *Izarraitz*, otros veían una forma del caso difícil de explicar. Pero la realidad es otra.

Si en Alava hallamos el pueblo de «Estibaliz» y en zona vasconavarra también se encuentra una inscripción en que se habla de un «*Lucius Caecilius Aesti-*

---

[28] Schulten, *Los cántabros y astures...*, pp. 172, 174-176, 178-182, ha estudiado su historia en España; *Materiales...*, pp. 99-101. Sobre su campamento más famoso, R. García Díaz, «Hitos terminales del campamento de la legión IV Macedónica en Cantabria», en *Archivo Español de Arqueología*, 58 (1945), pp. 82-86; Sidonio Apolinar, *Ep.*, II, 14, habla de una propiedad que cambió de nombre, el pago «Vialoscense», que antes se había denominado «Marcial» a causa de que las legiones de César habían tenido allí sus cuarteles de invierno. Este ejemplo de denominación militar antigua puede corroborar la primera hipótesis expresada arriba respecto al origen del nombre de «Cuartango».

vus» [29], la reconstrucción del nombre del *fundus* «Aestivalicus», con un genitivo *Aestivalici,* es perfecta. «Albéniz» vendría así de *Albanici* (cerca estaba el poblado de «Alba», de que habla Ptolomeo) y el vizcaíno «Apraiz» como «Apricano» y «Aperregui» sería dominio antiguo de un «Aper». En Navarra hallamos nombres paralelos como el del valle de «Araiz» para cuya comprensión viene muy bien recordar que en «Contrasta» (pueblo alavés no muy lejano a aquel valle) se encontró una lápida en que se alude a *Araica, Arai filia* [30], o el de «Janariz» relacionado con los nombres personales aquitanos «Hannac», «Hannas», «Hanna» [31].

Para explicar la caída de la *i* final del genitivo, podemos recordar que en la crónica de Alfonso III al pueblo burgalés llamado hoy Castrojeriz se lo denomina *Castrum Sigerici* [32]. Ya veremos más adelante cómo nombres parecidos se encuentran desde tierras galaicas hasta el centro de Castilla la Vieja. La posibilidad de que tales nombres vengan de un genitivo de singular no es la única para explicarlos. Hay algunos que es más probable que vengan simplemente de un acusativo. Sabido es que en leonés hay palabras, como *palaz* (de *palatiu(m)*) o goz (de *gaudiu(m)*), que sufrieron una caída de vocales finales que no ocurre en castellano. Para explicar la existencia de muchos nombres, sobre todo navarros, terminados en *-oz,* se puede recurrir a análogo fenómeno. Los etimologistas a ultranza los pretendían traducir considerando que la desinencia esta tenía que ver con la palabra *otz* = frío en vasco, o con el abundancial *-tze,* pero nombres propios medievales como «*Obecoz*», «*Blascoz*» y «*Bellacoz*», relacionados con «Obeco», «Blasco» y «Vela», o nombres de pueblos cuales los de «Izanoz», «Ilurdoz» y «Ustarroz», en

29 C.I.L., II, 2.960.
30 C.I.L., II, 2.952.
31 C.I.L., XIII, 1, 1, 87, 174, 201.
32 *Materiales...,* pp. 102-109.

relación con «Izani», «Ilurdo» y «Ahostar», nos hacen ver cuán infundadas eran sus hipótesis [33].

Las centenas y centurias: aristócratas, campesinos e indígenas

Estos pequeños *fundi*, débilmente agrupados con casas dispersas o cuya estructura no varió hasta muy entrada la Edad Media, dependían de una ciudad, de un municipio, como el de Pompaelo, o el del despoblado alavés de Iruña (nombre que en vasco quiere decir «ciudad» y que también se da a Pamplona).

El paisaje rural entonces debía caracterizarse, como ahora (aunque fuera en menor escala), por la multiplicidad y difusión de los caminos de circulación local, que se confundirían o, por lo menos, estarían en relación con los límites de las propiedades, señalados por filas de árboles especiales, arbustos o paredes. Según el uso, estarían empedrados o no, y muchos, por la acción del paso continuo o por la de las aguas, quedarían hundidos, como hoy se ve también que quedan.

En vascuence actual es frecuente el llamar a los viejos caminos secundarios con el nombre casi latino de *estrata*, mientras que el camino que conduce a la cabeza de partido o núcleo principal se denomina con el nombre vasco general más el de la población de que se trate. Así, encontramos nombres como el de «Salvatierra bide», camino de Salvatierra, en zonas ya desvasconizadas [34].

Es curioso que la toponimia nos haya dejado algunos elementos más para el estudio de la organización de la época que nos ocupa. En la misma cuenca de Pamplona, donde abundan los nombres de pue-

[33] *Materiales...*, pp. 109-112.
[34] El nombre de «Bidasoa» ha sido interpretado como «camino (bide) de Oeaso; pero la relación de los dos componentes es, cuando menos, anómala.

blos terminados en *-ain*, existe una división que comprende a muchos de ellos, que es la de *cendeas*, análoga a la de valles. Atendiendo a las reglas más rigurosas de la fonética vasca, el nombre de *cendea* viene del latín *centena(m)*, por sonorización de la *t (gente(m)* da *gende)* y por caída de *n* intervocálica: *anate(m)* da *ahate*, *denarium* da *diharu*, *Cestona* se pronuncia *Cestua*. ¿Qué era la centena? La centena aparece en la época francocarolingia como tal. Pero antes en España, en la época del Imperio, encontramos una serie de inscripciones en que aparecen estos signos: Ɔ, Ɔ o ⊙, que se interpretan como equivalentes a *centuria*. Recientemente se ha hallado en Vegadeo una que dice así: «*Nicer Clutosi* Ɔ *Cariaca principis Albionum an. LXXV hic.s.est*» [35]. Con frecuencia hemos hablado de los *príncipes* de los pueblos celtibéricos, y éste parece ser el de un oscuro linaje astur. No sabemos si las *cendeas* navarras, que en conjunto son cinco (la de Ansoain, Galar, Iza, Olza y Zizur), son de época medieval o romana, aunque yo más me inclino a lo segundo, pensando también que eran una división territorial dentro de la cual se podían encontrar cien soldados aptos para la guerra o cien personas con ciertos derechos políticos y judiciales. Sabemos que los soldados reclutados entre los vascones y entre los várdulos de la parte de Alava estuvieron en Britannia, Panonia, Germania y hasta el antiguo Oriente [36].

La población del Norte, a partir del siglo II de J.C., debió de aumentar como nunca, produciéndose al

---

[35] A. García Bellido, «Los albiones del NO. de España y una estela hallada en el occidente de Asturias», en *Emerita*, XI (1943), pp. 418-430; sobre la cuestión de las «cendas», *Materiales...*, pp. 119-124.

[36] Tácito, *Hist.*, IV, 33, 3; C.L.I., II, 1.086, sobre los vascones. Las citadas en la nota 20 sobre los várdulos y además C.I.L., XVI (*Diplomata Militaria ex constitutionibus imperatorum de civitate et conubio militum veteranorumque expressa* (Berlín, 1936), 43 (Flémalle), 69 (O-Sózny), 51 (Sydenham). (Cfr. *Materiales...*, pp. 143-147.) De los astures aun hablaremos.

mismo tiempo un gran capitalismo agrícola, de suerte que en siglos posteriores, cuando la vida se hizo muy insegura, no era ya el soldado jubilado o el pequeño propietario quien explotaba muchos de los *fundi*, sino encargados de grandes próceres que poseían multitud de tierras por diversas partes del Imperio.

Sabemos que el año 404, en el momento en que los vándalos irrumpen en los pasos del Pirineo, dos sobrinos de Tedosio, llamados Didimo y Veraniano, detuvieron la marcha de aquéllos y se hicieron momentáneamente dueños de la situación, empleando únicamente como huestes a su servidumbre [37]. Es muy posible que «Barañain» y «Barañano», en Navarra y Vizcaya, respectivamente, pertenecieran a uno de ellos. Posteriormente, estos dos grandes magnates fueron ejecutados y ya España quedó al arbitrio de los invasores.

Crisis sociales

Pero hay que aclarar que la crisis de la España antigua, el derrumbamiento del poder imperial dentro de la Península, no se justifica única y exclusivamente por la invasión de los bárbaros, sino que en época inmediata anterior se nota una debilitación considerable de la autoridad estatal. En la correspondencia de Ausonio con su discípulo predilecto, Paulino, vemos que los pasos del Pirineo estaban amenazados por bandoleros [38]. Es decir, que los municipios romanos como Pamplona, cuya vida en tiem-

[37] San Isidoro, *Wandalorum historia*, 1 (ed. Madrid, 1778, I, p. 215). El fenómeno se vuelve a repetir con mucha frecuencia en las Galias. Por ejemplo, Edicio, noble arverno en época algo posterior, fue de los que a sus expensas mantuvieron un ejército que combatió contra los bárbaros, como lo expresa Sidonio Apolinar, *Ep.*, III, 3.

[38] *Ep.*, XXIX, 50-52; X, 202-220.

po de Adriano da una gran sensación de seguridad[39], habían perdido toda fuerza. Las gentes de las aldeas se lanzaron por su propia cuenta, o protegidas por los ricos propietarios de quienes dependían, a la ilegalidad.

El desorden llegó a un grado máximo en el siglo v, cuando, además de las luchas con los bárbaros, se desencadenó la guerra social de los *bagaudae*, que tuvo gran violencia en las Galias. Luego, probablemente, entraron por el clásico paso de Roncesvalles, siguiendo la calzada conocida, hasta llegar a diversas partes del territorio vascónico. En el año 441 luchó con ellos el general Asturio, y el año 443 les libró uno de los más fuertes combates, cerca de «Aracaeli» (Huarte-Araquil), el conde Flavio Merobaudes, conocido también como poeta. Pero no debió aniquilarlos, puesto que en 449 otro general, «Basilio», combatió contra los mismos cerca de «Turiasso», mucho más al Sur, en los límites de la antigua Celtiberia y la Vasconia[40]. Es probable que las filas se engrosaran con gentes del país. Pero la descripción de lo que ocurrió desde el siglo v hasta el VIII no la haremos aquí.

Parecerá acaso que nos hemos extendido demasiado en la descripción de lo que ocurrió en una mínima parte de España de las consideradas menos romanizadas en la época imperial. Pero había varios motivos para obrar así. En primer lugar, los datos de tipo lingüístico sirven para indicar el procedimiento a seguir en otras zonas de la Península si se quiere aquilatar la importancia y la estructura de la vida rural romana. En segundo término, deshacen bastantes prejuicios admitidos de modo corriente en punto al nivel de la romanización de los pueblos tenidos como representantes de lo más viejo indígena. En

---

[39] C.I.L., II, 2.959, bronce de Arre del año 119 de J. C.; hay otros dos, 2.958, del año 57 de J. C., y 2.960, del 185.

[40] *Materiales...*, pp. 151-155; *Los pueblos del norte...*, páginas 99-102.

tercero, nos avisa para que al hacer investigaciones antropológicas no caigamos en el exceso de considerar a tales pueblos como pertenecientes a una «raza pura». Si los antropólogos examinaran con más frecuencia los índices del *Corpus Insscriptionum Latinarum*, encontrarían en los nombres que registran muchos elementos para explicarse ciertos hechos que por lo general explican mediante generalidades desprovistas de precisión histórica. Los nombres de los propietarios de los *fundi* de Francia, Italia, España, etcétera, expresan una variedad de orígenes muy interesante de combinar con los estudios antropológicos. De modo paralelo, la expansión de multitud de rasgos folklóricos análogos en áreas extensas de lo que fue el Imperio romano puede explicarse por obra de esta población mixta de labriegos y soldados, sin recurrir a la idea de una más primitiva unidad. Más adelante expondremos algunos ejemplos de hechos que se prestan a que se aplique esta hipótesis mejor que ninguna otra, aun cuando hay que reconocer la dificultad que otros análogos plantean.

Los soldados y su importancia histórico-cultural

Desde la zona media de la llanada de Alava, la gran calzada que iba de Burdeos a Astorga tomaba la dirección nordeste-sudoeste, dejando a un lado el territorio cantábrico y pasando por la ciudad que fue base de operaciones en las guerras de Augusto: Segisamo. El territorio astur lo atravesaba por su parte más llana. De Segisamo, un ramal construido en las guerras cántabras ya, conducía a diversos pueblos que debieron estar desde entonces más romanizados que los várdulos y caristios correspondientes a Guipúzcoa y parte de Vizcaya. En el término de Reinosa se han encontrado hasta ocho cipos que indican el campamento de la citada Legión IV Macedónica, en las proximidades de Juliobriga, así como la explotación de ciertos prados y campos por los pertenecientes a la misma [41]. La famosa pátera de Otañes, que nos refleja un especial culto a una fuente («*Salus Umeritana*»), sería gran prueba de la romanización del este del territorio santanderino a fines del siglo I o comienzos del II, si no hubiera la sospecha de que las escenas que reproduce aluden a un establecimiento situado en otra parte que donde se efectuó el espléndido descubrimiento [42]. La toponimia de la Montaña no ofrece el interés que la de Alava y Navarra, pues la mayoría de los nombres de pueblos corresponden a un período posterior. Otro tanto cabe decir de la de Asturias en general, aunque podemos recordar algunos nombres de antiguos *fundi* o villas.

La caballería astur se distinguió en ciertas guerras emprendidas por los romanos, pero muchos naturales de la parte fragosa del territorio, en la campaña de Trajano contra los dacios, no pasaron de la categoría de *symmachiarii*, término que se aplicaba a las unidades reclutadas entre los elementos no romanizados del Imperio [43].

Ofrecen misterioso atractivo las inscripciones religiosas del territorio astur. Algunas dedicaciones a divinidades indígenas cabe encontrar en el de los várdulos, caristios y cántabros, faltando casi en absoluto entre los vascones [44]. Las astures son más abundantes, aunque no llegan nunca a serlo tanto como las aquitanas. Revelan, como éstas, la adaptación a veces de las nociones religiosas latinas a las indígenas, o viceversa (según quien resulte ser el dedicante), como la consagrada al «Júpiter Candamio» en el puerto de

[41] Véase nota 28, sobre Juliobriga. Nuevas observaciones acerca de las vías de comunicación en M. Cagigal, «Algo sobre vías romanas en Cantabria...», en *Archivo Español de Arqueología*, 57 (1944), pp. 373-381.
[42] *Los pueblos del norte...*, p. 95.
[43] Publicada correctamente por Dessau, «Epigraphische Miscellen», en *Klio*, XX (1926), pp. 227-228.
[44] *Los pueblos del norte...*, pp. 93-94.

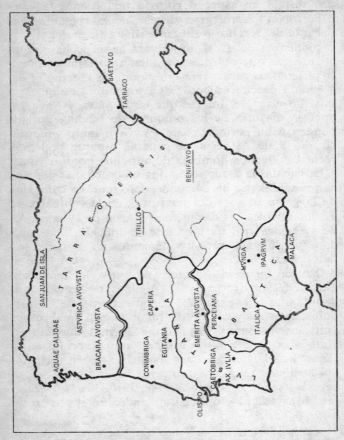

Fig. 52. Lugares en que está documentada la religión mistérica del dios oriental Mitra en la Península Ibérica, según J. Mangas.

Candanedo [45], o las de las fuentes de Boñar [46]. Otras, en cambio, son puramente locales, consagradas a dioses y diosas de extraños nombres, como la diosa «Degante», de Cacabelos (León) [47]; «Bodo», en el Bierzo [48], o «Austo», en San Juan de la Isla (Asturias) [49]. La fórmula dedicatoria de la última revela un hecho curioso: el de que los dedicantes conocían el mithraísmo. A lo largo del siglo III y comienzos del IV, las grandes poblaciones del territorio astur, como la misma *Asturica* (Astorga) y la mansión de la *Legio VII Gemina*, pasaron por una honda crisis religiosa, paralela a la política y social, y entonces debieron reflorecer muchos cultos locales en derredor. Los soldados eran apasionados por las novedades y particularidades místicas: dispuestos a divinizar al emperador recién elegido y a perseguir la memoria del últimamente asesinado en tierras lejanas, ávidos de éxitos y llenos de credulidad, eran presa propia para toda clase de echacuervos, agoreros y magos. Así sabemos que un sincretismo oriental con base astrológica y gnosticismo tuvieron adeptos entre los veteranos astures [50] (fig. 52).

Paralelamente a la historia militar y económica hay que hacer el estudio de los orígenes de la religión cristiana en el noroeste de España. A mediados del siglo III había ya un obispo de León-Astorga que vivía en extraña relación con los elementos paganos [51]. La persecución de Diocleciano en el país tuvo un carácter claro de represión en el elemento militar [52].

[45] C.I.L., II, 2.695.
[46] C.I.L., II, 2.694; Gómez Moreno, *Catálogo*..., cit. de León, pp. 76-77.
[47] C.I.L., II, 5.672; Gómez Moreno, *Catálogo*..., cit., páginas 58-59.
[48] C.I.L., II, 5.670; Gómez Moreno, *Catálogo*..., cit., p. 37.
[49] C.I.L., II, 5.728.
[50] Z. García Villada, *Historia eclesiástica de España*, I, segunda parte (Madrid, 1929), pp. 89 (otros materiales, 86-89).
[51] San Cipriano, *Ep.*, LXVII, 1.
[52] García Villada, op. cit., I, primera parte (Madrid, 1929), pp. 251-300.

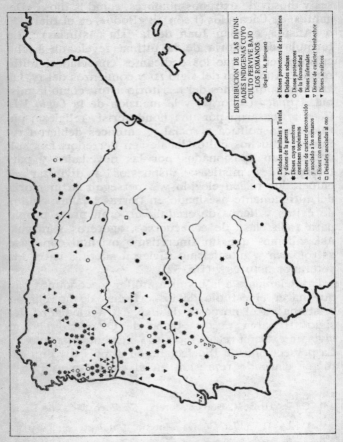

Fig. 53. Distribución de las divinidades indígenas (nótese la concentración de los testimonios en el cuadrante noroccidental de la Península.

Soldados en activo eran Emeterio y Celedonio, mártires de Calahorra [53], y el centurión Marcelo, de León [54]. La mayor parte de la gente seguía aún fiel a los antiguos cultos, y esta fidelidad llegó a adquirir un grado extremo en el territorio de las montañas vascas. Así como la romanización fue en ellas difícil, así también luego tardaron en cristianizarse [55] (fig. 53).

Ciudades, castillos y mercados en la zona galaica

Por lo que se refiere a las provincias galaicas, hay que reconocer que la romanización fue en ellas mucho mayor de lo que a primera vista pudiera parecer. Sabemos, sin embargo, que el régimen de población antiguo perduró. Una proporción considerable de los *castros* de tipo prehistórico estaban habitados y fueron construidos en épocas romanas tardías. El obispo Hidacio, espantado testigo de la irrupción de los vándalos y suevos en Galicia el año 411, dice que los españoles, los nativos del país que se habían refugiado en «ciudades» y «castillos», hubieron de someterse a su dominio [56]. Este texto en que se habla de «*civitates et castella*» nos recuerda algunos relativos a las guerras celtibéricas. Por *civitates* hay que entender antiguos centros tribales, como lo refleja, por ejemplo, la inscripción del puente de Chaves [57], donde se menciona a diez galaicas que tenían un motivo especial de agradecimiento hacia Vespasiano. Estas *civitates* eran centros comerciales, y por eso a veces se las llama también *forum*.

Así nos encontramos con un *Forum Limicorum* y con la *Civitas Limicorum* en documentos diversos,

53 Prudencio, *Peristeph.*, I.
54 García Villada, op. cit., I, primera parte, pp. 265-268.
55 *Los pueblos del norte...*, pp. 105-108.
56 Ed. Flórez, *España Sagrada*, IV, pp. 352-353.
57 C.I.L., II, 2.477.

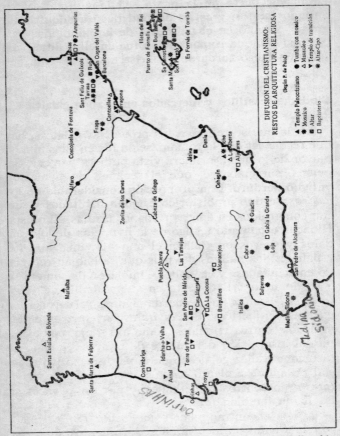

Fig. 54. Difusión del cristianismo (obsérvese la distribución inversa de los testimonios respecto del mapa anterior).

que parecen ser lo mismo [58]. Por otro lado, el catálogo de los castros gallegos romanizados aumenta sin cesar, y la toponimia relacionada con ellos es igualmente abundante: poco más que castros de éstos serían los *castella* de que habla Hidacio. Ahora bien, estudiando los nombres de lugar gallegos, encontramos una serie de ellos que reflejan la existencia de villas rústicas y *fundi* de fisonomía análoga a la de los nombres navarros y alaveses. Encontramos en Lugo, por ejemplo, provincia extensísima, nombres cuales «Beiriz», «Frollaiz», «Luriz», «Romariz», «Tuiriz», «Uriz», en que se ve clara la antigua desinencia *-icus*, *-ici*. Más abundantes son los compuestos *villa* o *vilar* más un nombre propio. Pero hay que notar que muchos de ellos deben proceder de la época en que los suevos se apoderaron de gran parte de las propiedades indígenas o de cuando los visigodos hicieron nuevos asentamientos, como lo demuestran las investigaciones de G. Sachs sobre los nombres germanos en España y Portugal. Revelan éstas que el porcentaje mayor de tales nombres se halla en La Coruña (con un 15,9) y Lugo (con un 15,3), bajando en el resto de la antigua Gallaecia y haciéndose insignificante en muchas provincias españolas [59]. Aunque no se admitan todas las etimologías que da el referido autor, no hay más remedio que reconocer que nombres cogidos al azar entre muchos, cuales «Villaframil», «Villafrugilde», «Villagondrid» *(Villa Guntherici)*, «Villaguillulfe», ostentan un elemento claramente germánico. Frente a ellas, conservan su carácter hispanorromano en absoluto «Castropol» *(Castrum Pauli)*, en la raya de Galicia y Asturias; «Villaesteba» y algunos más [60]. Pero no muchos.

El amo de las propiedades cambió, pero no el ré-

---

[58] «Foros» de éstos cita Ptolomeo, II, 6, 37; II, 6, 42; II, 6, 43; II, 6, 48.
[59] *Die germanischen Ortsnamen in Spanien und Portugal* (Jena-Leipzig, 1932), p. 6.
[60] Sachs, op. cit., pp. 10, 11, 13.

gimen de explotarlas. Exactamente lo mismo hubo de ocurrir más al Sur, en tierras de León, Palencia, Burgos, Valladolid, etc., en donde en vez de los suevos y vándalos (éstos pronto abandonaron Galicia) entraron los visigodos [61], aunque hay que advertir que el paisaje rural en estas últimas provincias ostentaba los caracteres propios que en parte hoy conserva, y que en parte ya debía tener en épocas anteriores. Son los campos abiertos los que lo caracterizaban. La circulación local partiría de la *villa,* en forma de estrella; los caminos serían como hoy son, menos numerosos que en el Norte, y se perderían en la inmensidad de los campos, sometidos al régimen trienal generalmente. Se ha señalado que ya en la antigüedad, allí donde había un paisaje de este tipo, en la explotación agrícola se empleaban carros de cuatro ruedas, del tipo de los que eran frecuentes hasta no hace mucho en Francia, Alemania e Inglaterra. Es seguro que en la Península los había, pues hay varias representaciones de ellos, aunque son estrictamente relativas a viajes de administradores del estado romano [62]; pero, por desgracia, los que hoy existen de tal disposición no es muy fácil decir si descienden de los antiguos o son copia de los franceses de época moderna.

La vida hispanorromana en el centro de la Península

Conocemos los rasgos de la vida hispanorromana en la zona central de la Península (Aragón y Castilla la Vieja) de una manera no tan perfecta como fuera

[61] *Materiales...,* pp. 113-116; véase el capítulo XI también.
[62] En el Museo Arqueológico de Córdoba hay un bajorrelieve romano en el que aparece figurado un carro de cuatro ruedas, tirado por ocho caballos, en dos filas de a cuatro. Las ruedas son radiadas y cada una tiene ocho radios: J. Cabré, «La rueda en la Península ibérica», en *Actas y memorias de la Sociedad Española de Antropología...,* III (1924), p. 81. Pero este relieve representa a un vehículo del Estado.

de desear. Sin embargo, las modernas excavaciones arqueológicas y algunos textos antiguos se prestan a que un investigador con dotes literarias llevara a cabo una buena reconstrucción de ella, siguiendo las huellas de Rostovtzeff, si se sentía atraído por los problemas sociológicos y económicos, o las de Boissier, si fuera más dado a las evocaciones artísticas. Una base importante para emprender tan grata empresa son los epigramas del poeta Marcial, nacido en Bílbilis, mediando ya casi el siglo I de J.C., y que alcanzó los tiempos de Trajano. Marcial trazó una serie de escenas de la vida de su tierra que pueden ilustrarse con las reproducidas en ciertos relieves de estelas funerarias, como las descubiertas en Clunia y Lara de los Infantes: hay que indicar, sin embargo, que España, en materia de relieves con representación de la vida cotidiana, es país mucho más pobre que las Galias o Italia. Desde la capital del Imperio, el poeta, violento y agrio por lo general, recuerda con nostalgia la vida de su niñez y primera juventud, la vida sencilla del campo hispánico. Toda su amargura y mala intención desaparece en epigramas como el dedicado a Liciniano [63], acaso más sentido que el «*Beatus ille*», cuyo final siempre desconcierta, y de un efecto impresionista mayor que las descripciones de Virgilio. No es, ciertamente, un campo idílico el que pinta Marcial. Es un campo habitado por oscuros labriegos, al que van con frecuencia propietarios burgueses residentes en pequeñas ciudades gran parte del año, poseedores de *fundi* en distintas partes, entregados unos y otros a una vida sin grandes preocupaciones espirituales. Hoy día se da también en el agro español, entre Ebro y Duero, un tipo de rústico y de señorito rutinario, dado a la caza y a otros placeres análogos, sin horizonte alguno ante sí, que se hubiera acomodado perfectamente a la manera

[63] I, 49.

de vivir que Marcial creía envidiar y que en su época final volvió a tener.

En cierta ocasión se dirige a Juvenal. Ya es un hecho la vuelta a España, por la que tanto ha suspirado, harto de Roma y deseoso de descanso. Mientras vas de un lado a otro, preocupado por tus quehaceres en la tumultuosa urbe —le dice—, yo, vuelto a Bílbilis mi patria, me dedico a la vida aldeana..., y la describe [64].

Cerca de su casa había un encinar. Cuando el poeta se levantaba por la mañana iba a la cocina a calentarse al fuego abundante, mientras una mujer, la *villica*, le preparaba una olla. En estos momentos aparecía por la puerta un cazador que lo entretenía con sus anécdotas: el encinar de Bílbilis debía ser muy grande para abrigar en su seno a muchos cazadores como éste [65]. La imagen del cazador hispano calentándose en el hogar de una *villa rustica* próxima a una selma nos la da otra vez el poeta en su mencionada composición dedicada a Liciniano. Era éste paisano suyo. Pero cuando llegaba el invierno abandonaba la tierra celtibérica para acomodarse en una finca de la costa catalana de la Laetania. Allí se dedicaría el rico hacendado a cazar de varias maneras: el gamo con redes (como en tiempos prehistóricos), la liebre a caballo. Otros animales, como los ciervos, los dejaría que los cazaran sus sirvientes, y el *villicus* entre ellos. Vuelto a la orilla del fuego casero el montero, el esclavo o criado encargado de la organización de la caza expondría sus puntos de vista sobre ella y otras futuras [66]. Varias inscripciones funerales hay con alusiones cinegéticas, como la famosa de León donde surge la palabra «páramo» [67]. Pero para ilustrar —como se ha dicho— los textos poéticos, nada mejor que recordar la estela dedicada a Sempronio Fes-

[64] XII, 18.
[65] XII, 18, 22-23.
[66] I, 49, 19-30.
[67] C.I.L., II, 2.660.

to, de Lara de los Infantes, en que se ve la caza del jabalí a caballo[68].

La casa de Marcial en Bílbilis no ha tenido la fortuna de la quinta de Horacio. Mas hay algún modelo de construcción, relativamente lujosa, de zona no muy lejana. Don Blas Taracena ha excavado y estudiado, desde el punto de vista arqueológico, una *villa* del pueblo de Cuevas (Soria) que debe datar del siglo II, y que consta de más de treinta departamentos situados alrededor de un peristilo.

Se ha pensado que la población rural de España estaría repartida en grandes «cortijos» de este tipo, pero lo cierto es que, además de las casas de ciudad, Marcial nos habla de humildes construcciones campestres[69].

Falta hacer ahora un análisis económico de la vida campestre celtibérica, para precisar en él que habría que estudiar los datos de la toponimia, las comunicaciones, etc. La repetición de nombres como los de «Leciñana» (Álava), «Leciñena» (Zaragoza), «Liquiniano» (Navarra) está en relación con la importancia de la familia de los Licinios en la Península. El que

[68] J. Monteverde, «Sobre una estela funeraria de Lara», en *Archivo Español de Arqueología*, 51 (1943), pp. 230-231, nos da la lista de las halladas, que representan: 1.º, una tejedora; 2.º, caballero con su siervo; 3.º, un juez; 4.º, la caza del jabalí; 5.º, guerreros; 6.º, vaquero; 7.º, elaboración del vino.

[69] Si es posible aprovechar el epigrama XII, 31, la posesión o pequeña propiedad que dona Marcela al poeta constaría de un bosquecillo con fuentes (1-2); unas vides dispuestas en forma de pérgola (2); unos prados (3), rosaleda (3) y huerto (4), regados con acequias artificiales (2); un estanque con anguilas (5) y un palomar. Taracena, «Construcciones rurales en la España romana, en *Investigación y Progreso*, XV (1944), pp. 333-347, ha reunido las noticias existentes sobre villas romanas excavadas y de ellas parece deducirse que la población rural española estaba diseminada en «grandes cortijos». A pesar de la certeza que da todo dato arqueológico, no hay que perder de vista que en Marcial mismo hay alusión a construcciones humildes (X, 96, 3-4):

«auriferumque Tagum sitiam patriumque Salonem
et repetam saturae sordida rura casae».

muchas de las villas estuvieran junto a una calzada, dando nombre a mansiones o jornadas de un camino, provocó un gran crecimiento de ellas, de suerte que se las equiparó a ciudades propiamente dichas. Las tablas de Ptolomeo y el itinerario de Antonino contienen bastantes nombres de villas de éstas que servirían de alojamiento a los viajeros. Las condiciones del transporte no cambiaron gran cosa desde entonces hasta el momento en que desaparecen las diligencias. Marcial dice que de Tarragona a Bílbilis el carruaje de postas hacía cinco cambios de tiro, cinco relevos, que corresponden exactamente a las cinco mansiones que señala el itinerario de Antonino de una ciudad a otra. No podemos detenernos a estudiar la vida de una de ellas, pues estudio semejante daría lugar en sí a voluminosos tratados. Contentémonos con señalar que aun Bílbilis, situada en un cerro áspero y sin gran importancia entre las ciudades peninsulares, poseía en miniatura muchos de los rasgos de Roma. Sabemos que tenía uno o varios templos, lugar de espectáculos, industria siderúrgica floreciente, y que los munícipes celebraban anualmente con solemnidad sencilla las fiestas agrícolas en honor de Ceres, ofreciendo tortas sabrosas a la divinidad. No faltaba, por último, alguno que otro aficionado a las letras que tenía envidia de los grandes hombres del pueblo. El panorama con respecto a la época celtibérica había variado en parte [70].

[70] X, 104; un viento favorable hacía más rápida la llegada a Tarraco (3-4); de allí se tomaba el carruaje llamado «rota» (5) y cinco relevos conducían a Bilbilis (6-7), que debía quedar encima de la vía (II): era esta ciudad de poca importancia, «campesina» (Marcial, XI, 18, 8-9), situada en alto (I, 49, 3): famosa por la cría de caballos (íd., íd., 4) y por sus armas (íd., íd., 4). Marcial habla con gusto visible de la industria del hierro natal, en que sus paisanos vencían a calibes y nóricos (IV, 55, 11-12), de las ferrerías de sus alrededores como las de Platea (íd., íd., 13-15) y del Jalón helado, que templaba las armas (I, 49, 12; XII, 21, 1; XIV, 33, 2). Recuerda los alrededores silvestres: el Moncayo (IV, 55, 2), las danzas celebradas en Rixama (íd., íd., 16), los alegres banquetes de Carduae (íd., íd., 17) y las rosaledas

412

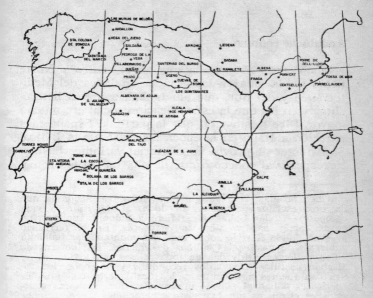

Fig. 55. Localización de las villas romanas de los siglos III-IV
en Hispania, según Tovar y Blázquez.

de Peteris (íd., íd., 18); Riga con su teatro (íd., íd., 19);
a los silaos con su dardo certero (íd., íd., 20), los lagos
de Turgontum y Perusia (íd., íd., 21) y las aguas humildes
de Tuetonissa (íd., íd., 22), el sagrado encinar de Burado,
agradable a los viandantes (íd., íd., 23-24) y las laderas de
Vativesca cultivadas con vigorosos recentales por su amigo
Manilo (íd., íd., 25-26). Los nombres celtibéricos citados y
otros cuales el de «Boterdus» (XII, 18, 12-13) le producían
en Roma nostalgia. También se la producían el recuerdo de
las excursiones a las orillas del Tajo cubiertas de arboledas (I, 49, 15-16), el bosque de Voberca con abundante caza
(íd., íd., 13-14), las aguas heladas de Dercenna y Nutha
(íd., íd., 17-18) o el Vadaveron misterioso (íd., íd., 5-6). Los
ritos en honor de Ceres del municipio bilbilitano, las rústicas tortas ofrecidas a la divinidad (X, 103-7-8) son cantados
por el poeta, antes de volver. Pero, una vez entre sus paisanos, se da cuenta de que para él el ambiente de la provincia es estrecho; y así en el prólogo del libro XII (4) ya
se refleja su amargura. La impresión del ambiente hispano

413

Andalucía romana

Mucho más abigarrada que en el centro y Norte debía ser la vida en las grandes ciudades del Mediterráneo y del Sur, que albergaban a masas heteróclitas y en las que la estratificación social era mucho mayor. Dice Rostovtzeff que la parte de España más parecida a Italia en la época imperial fue la Bética. Su carácter de provincia senatorial ya indica bastante respecto al concepto que de ella tenían los roma-

---

que nos produce la lectura del poeta contrasta con la que da otro escritor posterior, sin duda, al describir la vida campesina en las Galias. Me refiero a Sidonio Apolinar, en cuyas cartas hay ya algo muy francés. En el territorio arverno donde él vivió sobre todo, las montañas se hallaban cubiertas de pastos, las colinas de viñedos, las llanuras de villas y tierras cultivadas de todas clases; en los riscos se alzaban castillos — los sitios recónditos y boscosos, los valles con fuentes abundantes y los desfiladeros con grandes corrientes daban al paisaje un carácter que, en líneas generales, es el mismo que han visto generaciones y generaciones siglos después (*Ep.*, IV, 21). Pero si Sidonio, al cantar las bellezas naturales de su tierra, nos da ya semejante sensación física, al describir las mansiones y costumbres de los nobles galorromanos, aun en medio de la general catástrofe que en otras partes también refleja, es donde expresa una «bonhomie» especial. Las tierras de Ferreolo y Apolinar —dos grandes señores del «Midi»— están contiguas, sus domicilios vecinos y el espacio que los separa no es más que un paseo, un poco largo para un hombre a pie y demasiado corto para un jinete. Las colinas circundantes están llenas de olivos. Desde una de las habitaciones se ven amplias llanuras, de la otra bosques. Para que el aristócrata poeta no pudiera esquivar el convite, sus dos amigos hicieron apostarse a vigilantes, no sólo en los caminos públicos por donde podía pasar, sino también en los más tortuosos, e incluso en las sendas de los pastores. Cogido, hubo de someterse a las costumbres de los anfitriones, alternando con uno y otro. Las comidas eran copiosas —«Senatorium ad morem» indica Sidonio—, y así como antes de la principal se dedicaban amos e invitados a la lectura, al juego o a otra diversión, después era necesario dar un paseo a caballo para estar presto a la siguiente (*Ep.*, II, 9). La descripción de la posesión llamada «Octavianus» (*Ep.*, VIII, 4) u otra, patrimonio de su mujer, denominada «Avitacus» (*Ep.*, II, 2) han servido de base para los arqueólogos.

nos [71]. Sabemos también que a fines del siglo I antes de Jesucristo el latín se hablaba preponderantemente en todo su ámbito; esta preponderancia era tal que las lenguas indígenas ya habían desaparecido casi [72]. Esto lo asegura Estrabón, de cuyas descripciones de las márgenes del Guadalquivir ya se ha hecho uso. Posteriormente, la prosperidad y riqueza aumentaron en vez de disminuir.

Las luchas que sucedieron a la muerte de Nerón no causaron grandes trastornos en la Bética, y en el siglo II, en la época pacífica de los Antoninos, las ciudades, colonias, municipios, etc., se llenaron de imponentes monumentos, fiel reflejo de una pujanza económica basada sobre todo en la riqueza agrícola.

Sabemos que había ciudades como Gades en las que el número de caballeros romanos era más grande, en proporción, que en cualquier otra del Imperio [73]; sabemos que ricos senadores y caballeros consideraban las tierras andaluzas como óptimas para invertir capitales, y también tenemos conocimiento, por último, de que en tiempos de Nerón y de algunos otros emperadores de la familia de César, sobre todo, hubo grandes expropiaciones de las tierras y latifundios que estos magnates poseían [74]. Ya se ha visto antes que la historia del latifundismo andaluz puede comenzarse en una época mucho más antigua que la romana, pero fue en ésta cuando adquirió bastantes de los caracteres actuales, cuando los fenómenos de absentismo y especulación comenzaron a darse. Aunque había propietarios que explotaban sus tierras, aunque había grandes cosecheros de vino que comer-

---

[71] Estrabón, III, 4, 10 (161). Sobre la Bética hay una excelente monografía de conjunto, R. Thouvenot, *Essai sur la province romaine de Bétique* (París, 1940), 748 pp.
[72] Ya insistió en esto Th. Mommsen, *Das Weltreich der Caesaren* (ed. Viena, 1933), p. 101. Estrabón, III, 2, 15 (151).
[73] Estrabón, III, 5, 3 (168).
[74] Rostovtzeff, *Historia social y económica del Imperio romano*, I, pp. 412-420, hace un buen estudio de los latifundios.

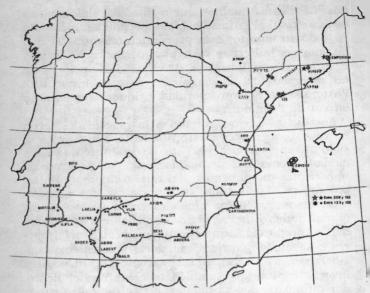

Fig. 56. Exponentes de la intensa romanización de las zonas oriental y meridional de la Península: localización de las principales cecas hispanas, según Tovar y Blázquez.

ciaban con puntos muy lejanos del Imperio, una porción no menor de terratenientes dejaban la administración de sus fincas en manos de esclavos y hombres de confianza, para vivir de las rentas en las capitales o lanzarse a la vida pública. El andaluz Séneca fue en su tiempo uno de los hombres más ricos del mundo, y aunque gran parte de su riqueza debió ser producto de labor personal, hay derecho a pensar que otra era patrimonial [75]. Las familias de los empera-

[75] El capitalismo y el absentismo quedan reflejados en hechos como el de que en tiempos de Tiberio hubiera una expropiación que hundió a muchos ricos de las Galias, de España, Siria y Grecia, a los que se acusó de tener su pa-

dores Trajano y Adriano pertenecían a esta clase de ricos terratenientes, que en un tiempo también ga-

trimonio en dinero (Suetonio, III, 49). La misma concepción capitalista de la vida tienen Cornelio Balbo, que el padre de Lucano, que otros muchos magnates de la Bética. Referencias a familias potentísimas de España hay en Séneca el retórico (*Praef. V Contr.*). Son menos sonados en los anales de la historia los terratenientes que cuidaban de sus propias tierras, como el tío de Columela o aquel Sexto Pomponio de que habla Plinio (*N.H.*, XXII, 56), que tuvo un ataque de gota cuando se hallaba viendo sus cosechas de trigo. Un análisis de la agricultura andaluza, desde la época de la República, puede hallarse en Thouvenot, op. cit., páginas 231-236. Los tres productos fundamentales eran el trigo, el aceite y el vino. Con respecto al trigo, dejando a un lado el testimonio de Estrabón, III, 2, 6 (144) y el de Silio Itálico,, III, 403-405, recordaremos que según Plinio (*N.H.*, XVIII, 21, I) daba el ciento por uno a veces. Como rasgos de interés etnológico, señala que las cribas, que en las Galias se hacían de crines de caballo y en Egipto de papiro y junco, en España se fabricaban de lino así como los cedazos (*N.H.*, XVIII, 28); la cosecha, como en Africa (y de acuerdo con lo dicho por Varrón) se guardaba en silos (*N.H.*, XVIII, 73) y a veces se dejaba el grano en la misma espiga; aun debajo de los olivos podía nacer el cereal (*N.H.*, XVII, 94). Del olivo las referencias son abundantísimas. Aparte de las recogidas en el capítulo V, recordaremos que Marcial, V, 16, 7, alude al aceite transportado por mar a Italia desde España; que considera (XII, 63, 1) a Córdoba como centro productor de aceite, representando al Betis coronado con una corona de olivo (XII, 98, 1). Plinio I*N.H.*, XV, 8) compara a la Bética con Italia en punto a producción, y pondera la excelencia de su suelo para producirlo (XVII, 31), recomendando especialmente las olivas («praedulces») de las cercanías de Mérida (Columela, *Re. rust.*, V, 3, etc., contiene referencias análogas). Con respecto a las viñas y al vino, la historia española de ellos no está exenta de vicisitudes raras. Hay una época, hasta la subida al poder de Domiciano, en que se debió de dar grandes cuidados a su cultivo, como lo reflejan los textos de Columela (III, 2; V, 4, etc.), Plinio (*N.H.*, XIV, 30; XIV, 41; CIV, 71, vino de Lauro), etc. Incluso se sabe que se hicieron plantaciones de cepas traídas de Falerno (C.I.L., II, 2.029). Marcial aún, acaso recordando cosas de su niñez, alude a las prensas («trapetis») de la vieja Tartéside (VII, 28, 3). Pero Domiciano, a consecuencia de una superproducción de vinos que luego se ha repetido varias veces en el comercio europeo, prohibió que se plantaran más viñas en Italia y ordenó que en las provincias se destruyeran la mitad o más de las existentes (Suetonio, XII, 7). Las restricciones hubieron de durar cerca de dos siglos cuando Probo dio la orden de que todos pudieran plantar viñas en el valle del Danubio y en las Galias, España y Gran Bretaña incluso (*Script. Hist. Aug.*, «Probus», 18, 8). Aparte de estos grandes naron mucho con negocios de minería. Se sabe con certeza que el nombre de sierra Morena proviene del de un potentado llamado Mario que poseía unas minas en aquella zona, confiscadas en tiempo de Tiberio [76]. Al lado de la zona minera de Mario («Mariana») había la de un Antonio («Antoniana») [77]. Algunos autores pretenden que en un momento todas fueron confiscadas, pasando a poder del Estado; pero ello no es ni mucho menos seguro [78], aunque es verdad que conocemos mejor el régimen de explotación de las minas del Estado que el de las de personas determinadas, gracias fundamentalmente a los bronces de Aljustrel [79].

Una nube de agentes de origen ínfimo en muchos casos, esclavos, libertos, etc., vivían en torno a negocios semejantes [80], y, al lado de ellos, cantidad muy

---

productos, durante el Imperio el suelo de la Bética se enriqueció con huertos y vergeles. Sabemos, por ejemplo, que el pistacho se introdujo por Pompeyo Flaco en tiempo de Vitelio (*N.H.*, XV, 91), que el conocimiento de la cereza alcanzó las latitudes de Lusitania algo antes (*N.H.*, XV, 103), y que se hacían ingeniosos injertos de manzanas, etc. (*N.H.*, XV, 42). De las lechugas de Cádiz habla Columela (XI, 3) y de los cardos de Córdoba, Plinio (XIX, 43, 1).

[76] A él alude Tácito, *Ann.*, VI, 19. C.I.L., II, 1.001.

[77] Del cobre «Mariano» o «Cordubense» habla Plino, *N.H.*, XXXIV, 2; de la mina «Antoniana», que producía 400.000 libras al año, el mismo, XXXIV, 49; el plomo más famoso era el «Oretano», «Caprarense» y «Oleastrense» (*N.H.*, XXXIV, 47).

[78] Datos concretos sobre explotaciones mineras en Thouvenot, op. cit., pp. 237-240, 248-265; curioso, como ejemplo de poblado minero, es el estudiado por A. Fernández de Avilés, «El poblado minero, iberromano, del Cabezo Agudo, en la Unión», en *Archivo Español de Arqueología*, 47 (1942), páginas 136-152.

[79] C.I.L., II, 788.

[80] El año 322 se publicó una ley castigando a los encubridores de esclavos fugitivos (*Cod.*, VI, 1-6) y el 337 se marcaron ciertas formalidades en la venta de tierras o esclavos en subasta, con aplicación especial en España (*Cod.*, IV, 46-3). Las inscripciones del sur son, en general, más abundantes que las del resto de España en punto a datos profesionales, etc. En el Museo Arqueológico de Madrid se conserva una, sepulcral, dedicada a Q. Julio Rufo, agrimensor (C.I.L., II, 1598), encontrada entre Martos y Monte Horquera. En Ecija se halló otra, que también está en el Museo de Madrid, en honor de M. Julio Hermesiano, «diffusor olea-

Fig. 57. Exponentes de la intensa romanización de las zonas oriental y meridional de la Península: lugares del culto imperial municipal, según Etienne.

crecida de hábiles marinos, comerciantes e intermediarios que, en gran parte, seguían siendo orientales, púnicos, fenicios y griegos, como siglos antes [81]. Estos, como en otras muchas partes, organizaban cofradías y hermandades de tipo medio social, medio religioso, que contribuyeron no poco a la expansión de los cultos orientales y, probablemente, también del cristianismo, como ha puesto de relieve en un estudio R. Lantier [82]. Su acción directa se extendió también,

rius» (C.I.L., II, 1598). Las noticias recogidas por G. E. Bonsor en *The archaelogical expedition along the Guadalquivir* (Nueva York, 1931) son particularmente interesantes para el estudio del comercio de aceite, ilustrado también hasta la saciedad por las inscripciones de las vasijas del Monte Testaccio, estudiadas por Dressel (op. cit., pp. 61-67, láms. XXXI-XLI, donde se da noticia de más de 380 ánforas estampadas).

[81] Sobre los judíos, Thouvenot, op. cit., pp. 186-187.

[82] «Les dieux orientaux dans la péninsule ibérique», en *Homenagem a Martins Sarmento*, pp. 185-190.

como es natural, a los puertos de la zona mediterránea de Oriente, entre los cuales era de importancia primordial el de Tarragona.

Conocemos, a través de ciertos monumentos, el culto que en el muelle de Valencia y en el puerto de Cádiz se daba a Attis; tenemos noticia, gracias a vestigios análogos, de las divinidades egipcias que eran adoradas en Sevilla, y las actas del martirio de las santas, igualmente sevillanas, Justa y Rufina nos hablan del culto que recibía allí a fines del siglo III la diosa siria «Salambó» [83]; con él debía estar en relación el de Adonis. Con gran pompa, el día de la festividad principal de ambas divinidades, que caía el mes de julio, era conducida la diosa por las mujeres más nobles del pueblo en fastuosa procesión, y en período aproximado se prodigaban las lamentaciones por la muerte de su amante, cuya supuesta resurrección era acogida después con grandes manifestaciones de júbilo [84]. En la pugna entre el paganismo y el cristianismo, no desempeñó en la Península papel tan importante como en otras regiones del Imperio el culto mithriaco, extendido sobre todo entre los soldados. Pruebas evidentes de él se han hallado en Mérida, ciudad de origen militar; en Setúbal y en

[83] *España Sagrada*, IX (ed. Madrid, 1860), p. 108. Una famosa inscripción en honor de Isis, es la conservada en cierto pedestal hallado en Guadix (C.I.L., II, 3.386), reflejo de la piedad de una piadosa y rica anciana, que cargó de joyas a la estatua que encima debía haber. De una fundación benéfica hecha por otra señora de familia senatorial da cuenta la curiosa inscripción sevillana de Fabia Hadrianilla. C.I.L., II, 1.174.

[84] Hay que hacer, de todas suertes, una distinción entre la Andalucía baja y la alta, como ahora. Los grandes rebaños de ovejas, que daban una lana dorada de que hablan Plinio (*N.H.*, VIII, 72, al recordar también los tejidos de Salacia), Marcial (V, 37, 7; VIII, 28, 5-6; XII, 63, 1), etc., debían de pastar grandes temporadas en las sierras, aun cuando, una vez recogida la mies, bajaran a los campos labrantíos. Notemos que Adriano dirigió un rescripto al concilio de la Bética, penando al abigeato (*Dig.*, XLVII, 14, 1), práctica que hasta épocas modernas ha estado extendísima.

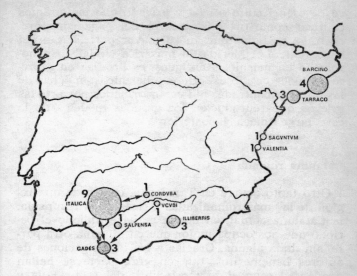

Fig. 58. Exponentes de la intensa romanización de las zonas oriental y meridional de la Península: lugares de origen de los senadores hispanorromanos en la primera mitad del siglo II d. C., según Etienne.

algún punto más [85]. Señalaremos, por último, que en las primeras herejías con arraigo en España la influencia de los cultos orientales y del gnosticismo fue considerable [86]; aunque siempre, en proporción, en las ciudades y campos lo que más abunda son

[85] Incluso en Asturias, C.I.L., II, 5.728, donde surge un «invicto Deo Austo». Bastantes de las obras escultóricas que dan fe de cultos semejantes ya están reunidas en Gómez Moreno y Pijoán, *Materiales de Arqueología española, Cuaderno primero* (Madrid, 1912), láms. XXXI, XXXII, XXXIII, XXXV.

[86] García Villada, *Historia eclesiástica de España*, I, segunda parte, pp. 297-351, hace ver cómo la mayor parte de los monumentos paleocristianos se hallan en la costa oriental y en el sur. La herejía a la que aludimos es el priscilianismo, acerca del cual el mejor estudio que conocemos es el de Ch. Babut, *Priscillien et le priscillianisme* (París, 1909).

vestigios del culto oficial y privado que pudiéramos calificar como ortodoxo dentro del paganismo grecolatino, vestigios que en su mayor parte datan del siglo II de J.C. Mérida, la más rica ciudad hispanorromana en mármoles antiguos, es pródiga en representaciones de dioses latinos y helénicos: muchas de las obras encontradas allí están firmadas por artistas griegos que reproducían los grandes modelos de la estatuaria fidíaca y posterior [87].

Cataluña romana

Otro tanto ocurre en Tarragona, centro de una región de las más romanizadas y ricas de la Península, la Cataluña actual, en donde se ha estudiado el período que nos ocupa mejor que en ninguna otra parte, sin duda alguna. Gracias a las investigaciones de autores beneméritos, que en gran parte se hallan condensadas en el hermoso libro del señor Puig y Cadafalch sobre la arquitectura romana de Cataluña, sabemos que los orígenes del régimen de población actual de aquel país, con sus grandes núcleos urbanos combinados felizmente con una vigorosa vida rural, tiene sus antecedentes directos en la época romana [88]. Hace ya años que el autor citado en último lugar señaló la semejanza de ciertos tipos de *villas* romanas y las masías actuales, defendiendo la tesis de que unas eran las antecesoras directas de las otras [89]; la semejanza era patente comparando algunos tipos de masía con representaciones de casas como las que hay en los mosaicos africanos de Ta-

[87] El teatro se terminó en 16 a. J., pero en 135 d. J. C. fue reconstruida la escena: J. R. Mélida, «Excavaciones en Mérida», Memoria de la Junta Superior de Excavaciones (Madrid, 1916), p. 4.
[88] *L'arquitectura romana a Catalunya* (Barcelona, 1934).
[89] En la primera edición del trabajo citado en la nota anterior, que formaba el primer tomo de una obra de grandes proporciones sobre la arquitectura románica en Cataluña.

barca: casas de cubierta a dos aguas, con torres, galerías y portaladas [90]. Pero otros especialistas en cuestiones de arquitectura posteriormente se han resistido a admitir la relación y continuidad, sosteniendo que con las invasiones musulmanas la tradición en este aspecto, como en otros muchos, quedó truncada y que sólo bastante después hubo en Cataluña capacidad para explotar y repoblar los campos, datando de entonces las primeras *masías* propiamente dichas [91]. Esta tesis es la que, en general, han defendido muchos medievalistas refiriéndose a otros aspectos de la vida y a distintas regiones, y se apoya en referencias a «tierras de nadie», a zonas desérticas y a repoblaciones que se hallan en crónicas y documentos de los siglos IX-X, en especial. Es innegable el valor de tales fuentes. Pero cabe pensar que son exactas sobre todo en lo que al abandono de las ciudades se refiere. No se explicaría, habiendo tal vacío absoluto, la continuidad que se nota en aspectos fundamentales de la vida en que los historiadores no reflexionan todo lo que fuera necesario. ¿Cómo explicar la permanencia en la toponimia relativa a los lugares, villas y aldeas de muchos elementos de origen claramente romano? No son de hoy las investigaciones concienzudas sobre toponimia catalana de don José Balari y Jovany, que arrojan tantos nombres de antiguos *fundi* romanos como los del tipo de «Vilacolom» (*Villa Columbi*, en el año 974 todavía) o del tipo de «Celrá» (*Celeranus*, de *Celer*, en un documento del 922), «Cornellá» (*Cornelianus*, en 1087), etc. [92].

La vida en la Cataluña romana fue más y más próspera desde el siglo I a fines del II o comienzos del

90 Puig y Cadafalch, op. cit., pp. 247-248.
91 M. P. Sandiumenge, *La masia catalana, breu estudi de la casa rural catalana* (Barcelona, 1929), sin paginar, hace exposición imparcial de las dos opiniones.
92 *Orígenes históricos de Cataluña* (Barcelona, 1899), páginas 6-11 (nombres hispanorromanos), 11-15 (nombres francogóticos, menos abundantes).

siguiente. Emperadores viajeros como Adriano invernaron en la capital tarraconense, haciendo a sus expensas algunas reparaciones en edificios públicos, como el templo de Augusto [93]. En el siglo III, cuando todo el Imperio sufrió una honda crisis de autoridad, la Península no fue de las zonas más afectadas por ella. En muchos de los movimientos y cambios siguió lo que decidieron las tropas asentadas en las Galias, que vinieron a ser el centro más importante de la Europa occidental. Pero no dejó de haber años de gran peligro para la masa de habitantes de ciudades y aldeas, que resultaron indicio de lo que después debía de concluir con el Imperio. En la época de Galieno hubo una irrupción de bárbaros germanos, suevos y francos sobre todo, por los pasos orientales de los Pirineos, cuya magnitud cada día vemos con mayor claridad. Teníamos noticias de ella por unas breves alusiones y era conocido que los invasores alcanzaron a entrar en Tarragona, produciendo grandes trastornos y desperfectos que aun en el siglo V eran patentes, según atestigua Orosio [94]. Pero, además, se puede afirmar que también llegaron a Sagunto, destruyendo aquella antigua ciudad y a Denia [95], e incluso muestras de los incendios y saqueos que llevaron a cabo parece que se encuentran en Clunia, en Castilla la Vieja, lo cual indica una expansión en diversos sentidos que terminó con la victoria de un general romano [96]. Pero no fue sólo en las mencionadas ciudades donde la invasión a que se alude, que se coloca por los años de 260, ocasionó grandes daños. Las excavaciones que el señor Durán Sanpere ha llevado a cabo en la Barcelona romana, que son un modelo en su género, demuestran que aquella ciu-

[93] *Script. Hist. Aug.*, «Hadrian.», 11.
[94] La destrucción mayor, sin embargo, sobrevino en el tiempo de Eurico.
[95] Según las investigaciones de don Pío Beltrán.
[96] El hermoso palacio helenístico excavado por B. Taracena en Clunia, del que en su momento se publicó una descripción, hubo de ser destruido por entonces.

dad, después del paso de ellos, disminuyó de perímetro, empobreciéndose la construcción y tomando todo un aire provisional que debía contrastar con el que tenía sin duda en años anteriores [97]. Acaso para contrarrestar los efectos de la invasión fue por lo que el emperador Probo concedió a los galorromanos e hispanorromanos el poder de plantar viñas que les había quitado Domiciano [98]. Pero ni éstas ni otras medidas pudieron suprimir la sensación de decadencia e inseguridad económica que se sentía por doquier, y que culminó otra vez en Cataluña en el momento en que los visigodos tomaron como sede a Barcelona y se asientan en tierras y mansiones, en la forma que nos describen Sidonio Apolinar y otros autores galos hablando de su propio país [99]. Entonces, como

[97] Merced a la hábil disposición del Museo de la Ciudad, dirigido por el mismo señor Durán Sampere, el visitante puede ver personalmente los diversos niveles arqueológicos, intactos, tal como aparecieron en un principio.

[98] Véase nota 75.

[99] Cuando se reprocha a aquéllos su falta de perspectiva histórica, no se hace sino cometer una generalización desprovista de base profunda. Sidonio Apolinar ve de un lado con claridad la honda transformación política que en su época ha tenido lugar. Pero por encima de todas las consideraciones de índole intelectual que pudieran hacerse estaban las necesidades apremiantes del momento, la vida misma con sus tristezas, pero también con sus placeres y aspectos gratos. En la consideración general de los hechos que nos atañen es imposible adoptar una actitud sistemática. Así, Sidonio, ilusionado un momento, describe con caracteres gratos al rey godo Teodorico y su manera de vivir, que podemos considerar como modelo de la que llevaron después otros muchos monarcas de la misma estirpe (*Ep.*, I, 1). Pero después pinta ya las disensiones internas que se desarrollaron en su país con la entrada de los bárbaros (*Ep.*, III, 2), los desastres ocasionados por magistrados traidores y rapaces, como Seronato (*Ep.*, II, 1; V, 13), los males ocasionados a los grandes terratenientes galorromanos por la delación (*Ep.*, V, 6, 7), y estas cartas se mezclan con otras a que se ha aludido (nota 70) en que se pintan agradables aspectos de la vida. Un pasaje en el que se queja del escándalo producido en su vecindad por ciertas viejas visigodas, borrachas y camorristas (*Ep.*, VIII, 3) u otro en que se dan detalles del robo de una mujer por los bandidos arvernos (*Ep.*, VI, 4: los «vargos») son suficientes para revelarnos que en la vida del hombre los detalles cotidianos tienen tanta importancia

se ha dicho, comienza otro momento del proceso de romanización, dándose el caso paradójico de que los pueblos más hostiles a los visigodos y que, por lo tanto, pudieran considerarse como más adictos al viejo Estado romano, son los que empiezan a sufrir una especie de involución que da por resultado no el triunfo de los usos y costumbres romanos en un sentido arcaizante, sino el de otros de fisonomía anterior. Así como estudiando la arqueología de los francos, anglosajones, etc., se ha marcado una especie de resurrección de los gustos célticos en los primeros siglos de la Edad Media, así también un análisis de la vida hispánica de entonces nos revela cierta vuelta de los pueblos no sometidos por los visigodos a sus más antiguos hábitos, usos y costumbres. Entonces es también cuando se señala vigorosa y claramente el nacimiento de las regiones distintas de la España actual.

cuando menos, como las ideas generales, incluso para un hombre de educación tan modelada como el poeta galorromano.

OTROS TITULOS DE LA
«COLECCION FUNDAMENTOS»

COLECCION
BIBLIOTECA DE ESTUDIOS CRITICOS

COLECCION
COLEGIO UNIVERSITARIO

Libro de bolsillo Istmo

Colección Fundamentos

Ni el lirismo folklórico,
ni un seco esquematismo etnológico
pueden ser el punto de partida adecuado
para el estudio de ese rico mosaico
de diversidades de todo tipo que constituyen
los pueblos de la Península Ibérica.
Consciente del peligro de esos métodos,
J. Caro Baroja opta por el más rigurosamente
sistemático y científico de reconstruir,
sobre la base de paralelos etnológicos
e inducciones sociológicas, la personalidad
de los pueblos antiguos y confrontar
la pervivencia de esos aspectos de la vida
prehistórica en el conglomerado de hechos
diferenciales que tienen hoy su expresión
más visible en el folklore,
estructura familiar, usos y costumbres,
tipos de habitación, arte e indumentaria, etc.,
de los pueblos españoles.
Es precisamente el propio entramado
de esas diversidades —culturales, raciales,
lingüísticas, etc.— el que debe acercarnos
al origen del ser histórico
y psicológico de los pueblos de España,
que se proyecta esencialmente
sobre las formas específicas
de esos pueblos en la actualidad,
sobre sus rasgos sociales,
sobre las constantes de su vida espiritual.
Estas son, pues, las coordenadas
en que el autor se desenvuelve en esta su obra
capital, inhallable desde hace más de 30 años.